アリエナイ

アリエナイ理科別冊

医学事典

医学は商売や宗教や政治に利用され続けています。
現代でも医師が監修とか推薦とか謎の研究成果を根拠にした商品が売られていますが、
「コレは健康に良い」「コレは有害」と何かの話題に出てくるたびに
微量でも入っていれば健康食品で薬なので欲しがり、
微量でも入っていれば毒物で完全拒否の善悪二元論でしか
モノを考えられない残念な人たちが多いのが実情です。

毒を正しく使えば薬となり、薬を間違って使えば毒となります。

毒か薬かは、完全にその時の人間の都合です。
人間に無害または低害で細菌・ウイルス・がん細胞などに、
毒物として作用するものを「薬」と呼んでいるだけなのです。
「サリドマイド」は、血管新生阻害作用があるため胎児の成長を阻害して奇形にすると同時に、
がん細胞の増殖も阻害します。
同じ人間でもお腹の胎児には毒だけど、がん患者には薬なのです。

鉄鍋やサプリで鉄分補給を主張する商品は、すべて無害無益です。
なぜなら人間は過剰に鉄分を摂取すると、体内に蓄積して鉄分過剰で死ぬからです。
本物の医薬品の鉄剤には、過剰症を起すので不足していない患者に与えないように書かれています。
人間の必須栄養素は、足りなくても死ぬし多過ぎても死ぬのです。

本当に鉄鍋から大量の鉄分が溶け出しているなら、
法律で禁止しなければ過剰症で大量の死人が出ていることでしょう。
実際に大量の死人が出た事件も起きています。
規制されないのは、鉄鍋が鉄分の摂取に何の効果も影響も無いからです。

医師が自由診療でやっている、健康に良いとされる行為はすべて無害無益です。
本当に健康に影響するほど体に大きな作用を及ぼすものなら大きな副作用があるので、
利益と危険が表裏一体になります。
本物の医師はそれが分かっているので、
無害無益な行為をあたかも有益であるかのように見せて売っているだけなのです。

「ホメオパシー」が分子1個も残らないまでレメディを薄めるのも、
本当に病状を引き起こす有毒成分が微量でも残っていたら犯罪になるからです。
最初は無害な微量の毒物になる程度に薄めるだけだったのに、
微量の毒だと犯罪になるので完全に水にするために繰り返して薄めたものほど効くと屁理屈をこねて
無害無益にしてから有益なふりをして売っています。

科学はあらゆる量を加減することによって人間の利益になる状態を作り出す行為であり、
多過ぎても少な過ぎてもダメで適量でバランスを取るのが正しい科学です。

疑似科学は無害無益なものに効果があると嘘をつき、
大量に使うほど良いと喧伝し売りつける商売で、「水素水」みたいな水売りがその代表例です。

イエスが奇跡を起こしたことを、
自然・病・罪・悪霊・死に対して支配する権威を持っている根拠にして、
キリスト教会は猛威をふるい続けました。
ここで重要なのは皆に信じさせる力である権威を持っていても、
強制的に治せる権力は持っていなかったことです。
奇跡を起こせるのは聖人だけで、ローマ法王も司祭も牧師も奇跡は起こせません。
いくら祈っても聖人でない凡人に奇跡は起こせないので、病気は治りません。

21世紀になって医学が発達した結果、長年にわたって売られてきたタバコは
百害あって一利無しであることが判明して、世界的に拒否されるようになっています。
しかし、根強い愛好者と巨大権益の団体によって絶滅していません。
最近はアルコールも有害性ばかりで、飲んでも健康に悪いことしかない研究成果が
詰み上がっているものの、利権が大き過ぎて規制される見込みはないでしょう。
ダメな統計の代表例にまでなってしまった赤ワインは、
健康に良いと販売業者は宣伝し続け、酒飲みはそれを信じ続けています。
ポリフェノールが健康に良いならアルコールを抜いたワインを飲めばいいのに、
なぜか皆アルコール入りを飲んでいるのです。
結局のところ、自分の好きなものと売りたい商品に害なんか無い、
健康に良いんだと免罪符を貼り付けているだけなのです…。

医療は医者が患者と診療契約を結んで売られる商売なので、商業活動と切り離せません。
医療は宗教が権威を持つ病と死を支配する力を持つために、宗教と対立します。
医療は巨額の公費を使い人の健康と生死に関わるため、政治で争われる問題になります。
効果が無いことを証明するのが非常に困難なので、
既得権益が出来上がってしまうと無益なものが永遠に売られ続け、
害が無いことを証明するのも非常に困難であるため
有害のレッテルを貼られたものは忌避され続けるのです。
そして、完璧に証明されても人間は自分の信じたいものしか信じないので言う事を聞きません。

オカルト医学は、嗜好・商売・宗教・政治によって生まれた忌み子なのです。

本書は医学の中でも特に変な題材ばかりを扱っている、
正しい医学と狂った医学の隙間に生息するアリエナ医学の本です。

薬理凶室
亜留間次郎

Topics [KARTE No.001〜011]

アリエナイ理科シリーズ 一覧

図解アリエナイ理科ノ教科書
定価：本体1,714円＋税
2004年3月発行

デッドリーダイエット
定価：本体1,429円＋税
2005年9月発行

図解アリエナイ理科ノ教科書ⅡB
定価：本体1,800円＋税
2006年7月発行

図解アリエナイ理科ノ工作
定価：本体1,800円＋税
2007年8月発行

闇の医学史 [KARTE No.012〜023]

アリエナイ
アリエナイ理科別冊
医学事典

図解アリエナイ理科ノ教科書ⅢC
定価：本体1,886円＋税
2009年6月発行

図解アリエナイ理科ノ実験室
定価：本体1,886円＋税
2011年7月発行

新版　アリエナイ理科
定価：本体932円＋税
2012年4月発行

図解 エクストリーム工作ノ教科書
定価：本体1,886円＋税
2013年7月発行

裏基礎医学 [KARTE No.024～039]

図解 アリエナイ理科ノ実験室2
定価：本体1,833円＋税
2015年8月発行

悪魔が教える
願いが叶う毒と薬
定価：本体1,300円＋税
2016年3月発行

アリエナイ理科式
世界征服マニュアル
定価：本体1,300円＋税
2017年8月発行

アリエナイ理科ノ大事典
定価：本体2,000円＋税
2018年2月発行

アリエナイ理科ノ大事典 II
定価：本体2,100円＋税
2018年12月発行

アリエナイ理科ノ大事典 改訂版
定価：本体2,100円＋税
2019年7月発行

第二次世界大戦中にイギリス軍が流したデマが元だった!?

ブルーベリーが目に効く説の真実

「ブルーベリーは目に良い」とよく言われるが、その説には裏があった。実は戦争に勝つために流された嘘情報だったのだ…！ しかも当時は、別の野菜の効果として宣伝されていた。

「ブルーベリーに含まれるアントシアニンが目に良い」という話を、第二次世界大戦の逸話として聞いたことがある人も多いでしょう。「イギリス空軍のあるパイロットの好物がブルーベリージャムで、そのおかげで夕暮れでも物がはっきりと見えた」というものです。

しかしこの宣伝文句は、実はレーダーの性能を敵国ドイツに知られないようにするための方便でした。しかも、その当時、夜目に効果があるとされていたのは「ニンジンのカロチン（ビタミンA）」であり、ブルーベリー（のアントシアニン）ではなかったのです。

あの時代、「ビタミンAを大量に摂取すると夜間視力が向上する」という説は、世界的に支持されていました。日本軍もビタミン注射などを採用していたほどです。そしてイギリスは、灯火管制で真っ暗だったため夜目が利くことが重要とされており、国を挙げてニンジンを食べるようキャンペーンを行っていました。「ドクター・キャロット」なんていうゆるキャラも存在していたんです。

DOCTOR CARROTのポスター
イギリスの帝国戦争博物館(https://www.iwm.org.uk/)に保管されている。
キッズたちにもアピールしていたようだ

第二次世界大戦中のポスター
アメリカ国立公文書記録管理局(https://www.archives.gov/)に保管

Memo:

ブルーベリーが目に良い説は、今や"常識化"。その効果を匂わせるサプリが多数発売されている。しかし、その医学的根拠は無い。本当に効くなら健康食品メーカーではなく、製薬会社が医薬品として売るはずだ。そもそも目に良いとされたのは、ブルーベリーのアントシアニンではなく、ニンジンのカロチンだったという点からして…

　そんな中、イギリス空軍は、夜間戦闘でドイツの爆撃機を多数撃墜するという戦果を挙げ始めます。これ、本当はレーダー性能が向上したおかげなんですが、敵国ドイツに悟られないようにするため、「ニンジンのおかげで夜目が利く撃墜王がいる」という宣伝を行ったのです。この時、英雄に祭り上げられたのが「猫目のカニンガム」こと、ジョン・カニンガムです。オーストラリア国立図書館のデータベース「Trovo」では、1952年3月14日の新聞に「第二次世界大戦中で最も成功した嘘において主役を演じた」と書かれているのを確認できます。また、『Deceiving Hitler: Double-Cross and Deception in World WarⅡ』という本によると、これらの嘘情報作戦は、イギリスの諜報機関「オプスB（Ops B）」のジャービス・リード大佐が指揮を執っていたそうです。

　現代医学においても、ビタミンAやビタミンB群は目にとって必要な栄養素であるとされています。特にビタミンAは、欠乏すると夜盲症の原因になる可能性が。しかし、たくさん摂取したからといって、

「News」1952年3月14日の記事
オーストラリア国立図書館のデータベース「Trovo」（https://trove.nla.gov.au/）参照

JOHN 'CAT'S-EYES' CUNNINGHAM
THE AVIATION LEGEND
イギリス空軍の英雄、「猫目のカニンガム」についての伝記

PubMed
https://www.ncbi.nlm.
nih.gov/pubmed
科学や医学に関する世界最
大の論文データーベースで
検索すると、ブルーベリー
の効能を否定する近年の論
文がたくさん見つかる。プ
ラセボ効果は期待できると
されるが…

元の視力以上に能力が向上するわけではありません。

 ## 論文で否定されている「ブルーベリーの目への効果」

　さて、それではニンジンがブルーベリー（具体的にはその一種である「ビルベリー」）の伝説にすり替
わったのは、いつのことなのでしょうか？　このネタ元を必死に探してみたのですが、残念ながら具体
的なことは突き止められませんでした。

　ただ、世界最大の論文データーベース「PubMed」で、「Bilberry＋eye」「Buleberry＋eye」を検
索すると、21世紀に書かれたブルーベリーの効能を否定する論文がたくさん見つかります。例えば、
2014年の論文「Blueberry effects on dark vision and recovery after photobleaching: placebo-
controlled crossover studies.」では、夜間視力のブルーベリー効果はプラセボであると結論づけて
いました。21世紀になって、このような論文がたくさん登場するようになった理由は、「ブルーベリー
が目に良い」という“常識”が、世間で幅を利かせるようになってきたからでしょう。特にサプリメン
トなどはどんどんエスカレートしており、疲れ目はもちろん、近視・乱視・緑内障・白内障などにも効
果があるかのように匂わせる表現が使われている始末。ですが、そこに医学的なエビデンスはありませ
ん。当然ながら、当局の認可を受けたり、「医薬品」を名乗ることはできないのです。

　ちなみに、第二次世界大戦当時、ニンジンの嘘に騙されたのかどうかは定かではありませんが、ド
イツはもっとすごいものを作ってやろうと研究に取り組んだようです。その結果、マリーゴールドの花び
らから抽出したヘレニエンという色素に、明暗順応効果があることを突き止めました。バイエル薬品の

Memo:

「アダプチノール錠」は、このヘレニエンを主成分とした目の薬です。承認薬となって市販が開始されたのは1951年と戦後になってからですが、2020年の現在も日本の厚生労働省も含め、世界的に認可されています。アダプチノール錠は、ちゃんとしたエビデンスのある医薬品として使われ続けているわけです。

 ## ブルーベリーに関する最近の研究成果

　ブルーベリーを一方的にくさしただけで終わるのもなんなので、「BMJ（ブリティッシュ・メディカル・ジャーナル）」に掲載された論文（2013年8月29日公開）を紹介しておきましょう。それは「Researchers find link between blueberries, grapes and apples and reduced risk of type 2 diabetes」（ブルーベリーを食べた方がブドウやリンゴを食べるより2型糖尿病のリスクが低下する）というものです。

　この論文によると、ブルーベリーを毎日食べている人のハザード比（何もしない人を1として比べた場合の平均死亡率）は0.74で、ブドウやリンゴを食べる人に比べて低い値を示しています。論文によると、果物ごとのハザード比は以下の通りです。

　というわけで、糖尿病が気になる人は、ブドウやリンゴやイチゴやメロンを食べるよりは、ブルーベリーを選んだ方がマシかもしれません。とはいえ、当然、バランスの良い食生活を心がけることが大事です。ブルーベリーばかり大量に食べるといった極端なことをしても意味がありませんよ。

糖尿病のリスクに関する果物ごとのハザート比

ブルーベリー	0.74
ブドウ・レーズン類	0.88
プルーン	0.89
リンゴ・洋ナシ類	0.93
バナナ	0.95
グレープフルーツ	0.95
ピーチ・プラム・アプリコット	0.97
オレンジ	0.99
イチゴ	1.03
赤肉メロン	1.10

バイエル薬品アダプチノール錠

マリーゴールドの花びらから抽出したヘレニエンを主成分とした目の薬。網膜に作用し、暗所でモノを見えやすくする働きがある

「飲むと骨が溶ける」説の実態に迫る

コーラと骨の関係

みんな大好きなコーラ。でも、子供の頃に大人から「飲むと骨が溶けるぞ！」などと脅された経験がある人も少なくないのでは？　本当のところはどうなのか調べてみた。

　多くの人が、「コーラを飲んでると骨が溶ける」と言われがら育ってきたのではないでしょうか。そしてほとんどの人は、そんなことを気にせずコーラを飲み続け、それでいて、特に骨が溶けたという実感など無かったハズです。ということは、やはりコーラで骨が溶けるというのはただの都市伝説、迷信に過ぎないのでしょうか？

　しかし、ことはそう単純ではないんです。コーラには、あの独特の渋みを伴う酸味を表現するために、「リン酸」という添加物が使われています。このリン酸は、摂り過ぎると骨の合成にとって良くない影響があるかもしれないといわれているのです。

　「公益財団法人骨粗鬆症財団」のWebサイトを見てみると、「コーラにはリン酸が多く含まれており、カルシウムの吸収を妨げるので、あまり大量には飲まない方が良いでしょう」と、いきなり結論的なことが書かれています…。

　そもそもの話ですが、リン酸（を構成するリン）は、すべての生物にとって必須なミネラルです。カルシウムと結合して骨や歯を形作っているほかにも、DNAやATP（アデノシン三リン酸）などで生命の維持に重要な役割を担っているんですね。

　そんな大事なリンを、なぜ摂り過ぎると良くないのでしょうか？　公益財団法人骨粗鬆症財団のサイトでは、以下のように説明しています。

> リンはカルシウムと仲がよすぎて、すぐ一緒になってしまうのです。骨の中でも、リンとカルシウムはリン酸カルシウムとして結晶になっています。大量にリンを摂り、腸の中でカルシウムとくっついてしまうとやはり結晶になるので、腸管に吸収されて体の中には入らず、そのまま便に混じって出てしまいます。そのため、リンを取りすぎるとカルシウムの吸収の邪魔をするのです。ですからリンは摂り過ぎない方がよく、カルシウムの2倍ぐらいまでが良いとされています。

　リンは、いろいろな食物にふんだんに含まれているので、普通に食事をしていれば必要な量はほぼ足りてしまうようです。2015年の「国民健康・栄養調査」によると、栄養素等摂取量（1歳以上、男女計、年齢階級別）は、「カルシウム517mg、リン990mg」となっています。この調査では食品添加物とし

Memo:

Q2 リンとカルシウムの摂取比率を教えてください。また、リンの
ほかにたんぱく質や食塩もカルシウムの吸収を阻害するのでし
ょうか

リンはカルシウムと仲がよすぎて、すぐ一緒になってしまうのです。骨の中でも、リンとカルシウムはリン酸カルシウムとして結晶になっています。大量にリンを摂り、腸の中でカルシウムとくっついてしまうとやはり結晶になるので、腸管に吸収されて体の中には入らず、そのまま便に混じって出てしまいます。

そのため、リンを取りすぎるとカルシウムの吸収の邪魔をするのです。ですからリンは摂り過ぎない方がよく、カルシウムの2倍ぐらいまでが良いとされています。しかし、この基準は厳密なものではなく、カルシウムの吸収率はいろいろな影響をうけますので、3倍ぐらいでも差し支えない場合もあります。リンは肉、魚のほか、牛乳や清涼飲料水にも入っているため、自然に多めに摂ってしまいます。

なお、たんぱく質も食塩も大切な栄養分で、ある程度の量は必要ですが、たんぱく質で1日80グラム以上、食塩10グラム以上など、摂りすぎるとカルシウムを尿の中に出してしまいます。とはいえ、適量であればカルシウムの腸からの吸収にはあまり影響しません。むしろ適当な量のたんぱく質はカルシウムの吸収を助けるので、バランスの良い食事を心がけましょう。

▲ 質問INDEXに戻る

公益財団法人骨粗鬆症財団　http://www.jpof.or.jp/faq/faqprevention/
リンとカルシウムの関係について説明されている。なお、タンパク質や食塩の影響に関しての記載もある

てのリン酸の量は加算されていないため、実際のリン摂取量はこれより多いと予想されます。現状、我々は、カルシウムの2倍以上のリンを摂取している感じなんですね。

 ## コカ・コーラ社による反論

　というわけで「コーラで骨が溶ける」問題で大きな部分を占めるのは、酸味料に使われている「リン酸」を大量に摂取するとカルシウムの吸収を阻害し、骨密度を下げる原因となる可能性があるかもしれない…、ということのようです。しかし、当然ながらコカ・コーラ社はそれを否定。コカ・コーラ社は「飲料アカデミー」という公式サイト内のページにて、栄養と骨の健康の専門家であるRobert P. Heaney先生へのインタビュー記事を掲載し、以下のコメントをもらっています。

　（Robert P. Heaney先生）私たちが実施したカルシウムと代謝の研究で、コーラ飲料に含まれるリン酸は尿中カルシウム損失に対してまったく影響を及ぼさないことが明らかになっています。

Robert P. Heaney先生の論文は「Carbonated beverages and urinary calcium excretion.」です。この論文の趣旨は、「尿に排出されるカルシウムの量は、コーラを飲んでも変わらなかった」というもの。なので、骨密度が減少していたかどうかは測定していません。最も知りたい部分についての回答ではないのです…。

コーラと女性の骨密度に関する論文

一方、コーラと骨密度の関係について調査した論文「Colas, but not other carbonated beverages, are associated with low bone mineral density in older women: The Framingham Osteoporosis Study.」も存在します。この論文では、年長の女性において、コーラの摂取は低BMD（骨密度）と関連していると結論づけられています。

具体的な要点は、以下の通りです（「サービング（serving、SV）」は、食事の提供量を示す単位。当論文では「消費量は週あたりの平均サービングを測定。1サービングは1グラス、1缶、または1ボトルと定義した」とある）。

・1971〜2001年までに行われた6サイクルの骨粗鬆症についての調査データから、男性（年齢：59.4±9.5）1,125人、女性（年齢：58.2±9.4）1,413人を対象に分析
・女性の大腿骨頚部の骨密度が、コーラを飲まない人は0.89g/cm²だったのに対し、週に1〜3サービング飲む人は0.87g/cm²、3〜7サービング飲む人は0.865g/cm²、7サービング以上飲む人は0.855g/cm²だった

Robert P. Heaney先生の論文
「Carbonated beverages and urinary calcium excretion.」
Am J Clin Nutr. 2001 Sep;74(3):343-7.
https://www.ncbi.nlm.nih.gov/pubmed/11522558

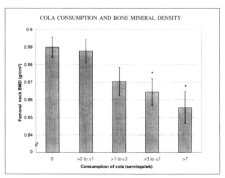

コーラを飲む女性は骨密度が減少していたというデータ
「Colas, but not other carbonated beverages, are associated with low bone mineral density in older women: The Framingham Osteoporosis Study.」参照
https://www.ncbi.nlm.nih.gov/pubmed/17023723

Memo:

コーラ飲料には、240mLで25〜40mgの酸味料としてリン酸が含まれている。同量のオレンジジュースには27mg、牛乳は232mg。また、30gの殻付きピーナッツには113mg、チェダーチーズには145mgが含まれているという（コカ・コーラ社「飲料アカデミー 飲料が骨に及ぼす影響の有無を検証。」参照）

・コーラ以外の炭酸飲料では、有意な差は見られなかった

・男性については、有意な差は見られなかった

　年長の女性においては、コーラを飲むと骨密度が下がるという結果が得られたとのこと。この論文では「さらなる調査が必要」としながらも、「骨粗鬆症の懸念がある女性は、コーラの常飲は避けた方がいいかもしれません」とまとめていました。

結局のところどうなのかというと…

　コーラの摂取と骨密度の減少の関係は、否定論と肯定論が交錯しており、減少と関係があるとするデータが存在することも確か。とはいえ、それらの論文を踏まえたとしても、バカみたいに「常飲」するレベルでなければ問題はないといえそうです。よくある結論になってしまいますけど…。

　ちなみに、コーラ以外にどんなソフトドリンクにリン酸（またはリン）が含まれているのか、気になった人もいるでしょう。アサヒ飲料やサントリーは公式サイトに自社製品の栄養成分を公開しているので、確認してみて下さい。

　炭酸飲料としては、コーラ系に100mLあたり約20mg程度含まれています。それ以外の炭酸飲料だと1mg程度入っていることもあるくらい。また、コーヒー・乳飲料・野菜ジュースなどにもリンは結構含まれていますが、これらを先述の「コーラと骨密度の関係」の論文にそのまま当てはめたりしないようにして下さいね。

　決まりきった話ですが、普段からバランスの良い食事を心がけ、カルシウムなど必要な栄養素をしっかり摂取することが重要です。その上で、コーラは適度に楽しみましょう。

リアル『JIN-仁-』としか考えられない史実が発覚！

5,000人の未熟児を救った男

現代の脳外科医が幕末にタイムスリップして、最新の医療知識にて多くの患者を救った物語『JIN-仁-』。1900年頃のヨーロッパに、それを彷彿とさせる事実があった。事実は小説より…。

1900年以前は未熟児は先天性疾患のように考えられ、育たないで死ぬか、育っても虚弱児になってまともな職には就けないと考えられていました。そのため、親は生まれた子供が未熟児だと捨てたり殺してしまうことが多く、当時の産婦人科や助産所はそうした「育つことができない子供」の処分を親から請け負う仕事もしていたのです。

マーティン・アーサー・クーニーというドイツ系ユダヤ人の医師は、そうした病院で処分される子供を救おうと考えました。未熟児を生かし続ける生命維持装置を、1896年に開催されたベルリンの「大産業博覧会」に出展したのです。その装置は、鶏の卵を人工孵化させる孵卵器から名前を取って、「インキュベーター」と名付けられました。

「この装置は、自分の師匠であるピエール・コンスタント・ブディンの師匠にあたる、高名なフランス・パリ医大の教授＆産科医のステファン・エティエンヌ・タルニエが開発したものだ」と、クーニーは主張しました。現代医学でも保育器の英語名がインキュベーターなのはこれが由来なのですが、『魔法少女まどか☆マギカ』に出てくる「キュゥべえ」とは無関係です。

The Man Who Ran a Carnival Attraction That Saved Thousands of Premature Babies Wasn't a Doctor at All

Martin Couney carried a secret with him, but the results are unimpeachable

赤ちゃんを抱くマーティン・クーニー
（「Smithsonian.com」参照）

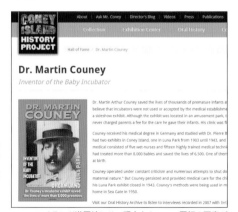

コニーアイランド遊園地には、現在もクーニー医師の写真が展示されている（「Cony Island History Project」参照）

Memo:

参考文献・画像出典など	● 「Smithsonian.com」 https://www.smithsonianmag.com/
	● 「Cony Island History Project」 https://www.coneyislandhistory.org/hall-of-fame/dr-martin-couney

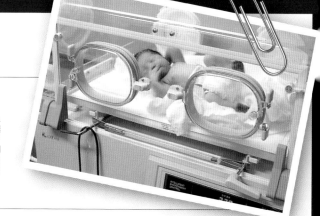

インキュベーター
通常の環境では育つのが難しい未熟児を入れて保護する保育器。適切な温度や酸素濃度で管理し、成育をサポートする。マーティン・アーサー・クーニーが、1896年に開催されたベルリンの「大産業博覧会」に出展したのだが、クーニーには謎が多く、その発明者も正確には不明だ

　クーニーは、未熟児に人工ミルクを与えその装置内で保護しながら育てたものの、ベルリンでは特に関心を集めることもできず、インキュベーターは広まりませんでした。しかし、彼はそれで諦めず、世界中の展示会や博覧会を回ります。1897年にイギリス・ロンドンの「アールズコートエキジビションセンター国際展示会」、1898年にアメリカネブラスカ州で開催された「ミシシッピ州横断博覧会」、1900年にはフランスの「パリ万国博覧会」、1901年にアメリカ・ニューヨークで開催された展示会…と世界中で保育器と未熟児の救命活動を熱心に行ったのですが、成果は上げられませんでした。当時の社会常識では、未熟児は医学的な問題というよりも、キリスト教的な宗教問題と考えられており、死産と同じ扱いを受けていたからです。

　そこで1903年、クーニーは病院で処分される子供を引き取って、アメリカニューヨーク市ブルックリン区の南端にあるコニーアイランドの遊園地で見世物小屋を始めました。2020年現在も営業しているニューヨークの有名な遊園地です。彼はその未熟児らを遊園地で見世物にして、25セントの見物料を取り、医療費に当てました。そして、5,000人もの未熟児が無事に育ち親元へと帰されていったのです※。「未熟児は育たない」という当時の常識を引っくり返してしまったわけです。

　未熟児を見世物にすることは当時から反対意見もありましたが、人権意識が低く社会保障制度も未発達だったため、生きられないと見捨てられていた未熟児の医療費を稼ぐには他に方法はありませんでした。見世物小屋に来た見物人も、最初は醜い怪物を見に来たつもりだったのに、未熟児が元気に育っていくのを見ていくうちに必死で応援するようになったそうです。最後には彼の見世物を笑う人間は誰もいなくなり、見物料は子供を助けるための募金のようになり、未熟児に適切な医療を行うことは社会常識になりました。そしてインキュベーターは多くの産婦人科や小児科で導入されるようになり、未熟児でも適切な医療が受けられるように社会全体が変わっていったのです。もしクーニーがいなかったら、一体何万人の未熟児が親にも医師にも見捨てられて死んでいたか分かりません。

　また、彼は母乳提供者が飲酒喫煙することの有害性を熟知していて徹底的に排除しており、看護婦にも勤務中の喫煙を厳しく禁止していました。今では信じがたいことですが、当時はタバコやアルコールの有害性が認識されておらず、看護婦でも医師でもタバコをくわえながら仕事をすることが普通だったのです。年齢制限という概念も希薄で、子供を寝かしつけるためにミルクにアルコールを入れることが

"生活の知恵" として婦人雑誌に載っていたレベルなのですから…。

　1940年代には未熟児に適切な医療を行うことが社会常識となり、彼の見世物小屋に子供を預ける親はいなくなりました。1942年に見世物小屋は閉館となり、クーニーは1950年に貧困の中で亡くなっています。未熟児でも生き残れるようにと、社会常識を変えて医療制度すら変えてしまった偉人ですが、自分が不要になった社会に満足して死んでいったのか、その死に顔を知る者はいません。

インキュベーター発明者の謎

　1950年に貧困の中で彼が亡くなった後に、クレア・プレンティスという作家がフランスとドイツへ渡り、クーニー医師がどんな人物だったのか調べました。すると、経歴はすべて詐称であり、医籍にも登録されていなかったことが発覚。世界中が驚くこととなりました。

　彼はフランスの小児科医ピエール・コンスタント・ブディンの弟子を自称していましたが、ブディンの他の弟子に聞いても誰もクーニーを知りません。また、彼がアメリカに移民する時に提出した経歴はすべて嘘であり、卒業したと称していた学校に問い合わせても在籍していた記録は一切無く、誰も彼のことを知らなかったのです。さらに、出生地に行っても、彼の生まれた家も家族も親戚も存在せず、出生記録もありません。本当の出生地はおろか、生年月日すら不明なのです。

　クーニーはドイツ系ユダヤ人を自称していましたが、私生活でユダヤ教の戒律を守っていた様子はないようで、ユダヤ教徒だったのかどうかすらも怪しいといわれています。当時、ユダヤ人は独自の隔絶したコミュニティを持っていたため、ユダヤ人を自称することは経歴を隠すのに都合が良かったのかもしれません…。

　クーニーが初めて公の場に姿を現したのは、1896年のベルリンの大産業博覧会で保育器を展示した時ですが、当時は1860年生まれの36歳を自称していました。後にコニーアイランド遊園地で見世物小屋を始めた時は、1870年生まれと自称しています。もし1870年生まれだとすると、1896年のベルリン博覧会時点では26歳ということになり、医師としては若過ぎます。

　そして、高名な医大教授の孫弟子というクーニーの華々しい経歴がすべて嘘だったことで、インキュベーターが本当にタルニエ教授の発明なのかも疑問視されています。ベルリン大産業博覧会の開催当時、タルニエ教授は既に隠居していて翌年には死亡しており、その弟子であるピエール・ブディン（50歳）が博覧会に参加した記録もありません。

　タルニエ教授は当時から非常に高名な人物でした。名門医大の権威ある教授であり、「タルニエ鉗子」など現代でも使用されている医療器具の発明者でもあります。当時は懐疑的にみられていたセンメルヴァイス医師が提唱した手洗い消毒を徹底的に導入して、パリの妊婦の死亡率を激減させました。これらの功績を称えられタルニエ教授の著書は、フランス産婦人科医の標準ガイドラインとなり、パリのアサス通りには現在も記念碑が残っているほどの名医です。

　そんな偉大な人物が発明したインキュベーターが長年注目されず、受け入れられなかったというのも

Memo:

おかしな話で、タルニエ教授がインキュベーターを発明したという証拠やパリ医大で使用していた記録もありません。そもそも、タルニエ教授がインキュベーターの発明者だと主張していたのは、当時からクーニーだけでした。現在では世界中で使用されている道具にもかかわらず、インキュベーターの真の発明者は誰なのか、今なお謎に包まれているのです。

 クーニーの正体はタイムスリッパー!?

しかし、偽医者と呼ぶにはクーニーの医学知識は当時の水準をはるかに上回るレベルでした。そこから考えられるのは…、彼は未来からタイムスリップしてきた小児科医だったのではないでしょうか？インキュベーターはタイムスリッパーのクーニーが未来から持ち込んだと考えるのが自然なのでは？

その場合、タイムパラドックスが起きており、インキュベーターには発明者が存在しないということに。本当にインキュベーターの名前の由来が、キュゥべえなんじゃないかと疑いたくなってきます（笑）。

前述の通り、クーニーの生年月日は時期によりバラつきがあり、1860〜1870年まで10年も幅があるのです。1860生まれだとすると没年齢は90歳になり、当時としては異例の長寿な上、80歳を超えても遊園地で見世物小屋を開催していたことになります。現代基準で考えても異常なほど丈夫な高齢者です。生年月日はどの説を採用しても活動期間が異常に長く、クーニーのミステリーになっています。もしも、タイムスリッパーなら実年齢はもっと若かったのかもしれませんね。

彼の偉業は『コニーアイランドの奇跡（Miracle at Coney Island）』という本にまとめられているので、英語が読める人にはお勧めです。

『コニーアイランドの奇跡（Miracle at Coney Island）』

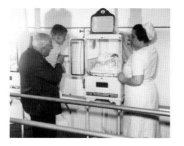

Claire Prentice Webサイト https://claireprentice.org/martin-couney/ 『コニーアイランドの奇跡』の著者であるクレア・プレンティスのWebサイト。クーニー医師の写真などが掲載されている

兵役逃れのためわざと病気にさせる…

闇医者のお仕事

闇医者といえば、名作『ブラック・ジャック』を思い浮かべるだろう。しかし、現実の闇医者は医師免許を持ち、秘密の仕事依頼があった時だけ高額な報酬で裏の仕事を引き受けるのだ。

　闇医者は健康な人間を病気にする、本来の医療とは逆の仕事を行います。これは韓国など徴兵制度がある国での、実際にある仕事です。兵役逃れをするために、兵役免除になるほどの難病だと検査する軍医に誤診させます。兵役逃れのためにあらゆる不正が横行している韓国では、検査する医師も不正を見抜くことに長けているため、下手な工作では通用しません。

　マフラーを巻いた某韓流ドラマのスターは、視力が極度に悪いために兵役免除になったそうですが、目の手術で故意に視力を下げることも医学的には可能。そして、後で元に戻すこともこれまた可能です。ただし、兵役逃れに対して厳しいまなざしが注がれる韓国では、コレをやってしまうと表向き目が悪い人物として生き続けなければならず、一生運転免許を取得できなくなり、クルマの運転ができなくなります。当然、就職する時には視力制限のある仕事にも一切就けなくなってしまうというデメリットも。視力が回復したとして、一連の症状が故意によるものであるとバレたら兵役行きなので、「治った」とは絶対に人に言えないし、運転免許を取ってしまうと兵務庁に通報されます。

✓ 兵役検査のごまかし方をシミュレーション

　視力に比べ、デメリットが少ないのが腎臓疾患ですが、後で再検査があり、治っていたら兵役行きです。兵役検査で不合格となるには、一生治らない慢性腎臓病（CKD）の診断基準を満たす検査結果を出さなければなりません。そのためには血液検査で、BUN（血中尿素窒素）とCr（血清クレアチニン）が高い値を示し、尿検査で尿蛋白＞30mg/dl、eGFR（推算糸球体濾過量）＜30の状態が3か月以上持続する必要があります。サプリメントとして普通に売られている○○○○○○と○○○○○○を大量に飲めば、簡単に血液中のBUNとCrが高くなって血液検査で異常が出ますが、ここで難しいのが血液中のクレアチニン濃度。血液中の濃度は高く、尿中の濃度は低くなければなりません。eGFRは尿中の血清クレアチニン値と年齢と性別から計算されるので、単純に血中濃度を上げてしまうと尿中濃度も上がってしまい、単なるサプリの飲み過ぎとバレてしまい、腎臓病とは診断されません。血液中の濃度が高く、尿中の濃度が低いのは、腎臓が機能しておらず尿として体外に排出されず、血液中に溜まっているためと考えられるからです。

Memo:

兵役のある韓国では、健康な人間をわざと病気にさせて、兵役逃れをサポートする闇医師がいるという。アナフィラキシー症状を緩和する自己使用注射器「エピペン」のようなものに、腎臓機能の障害が出る薬剤を入れて渡している…？

　この状態になるためには、薬剤性腎障害を起こす薬物を服用し、腎臓の糸球体濾過量（GFR）を低下させる必要があります。急性尿細管壊死をやってしまうと、本当に一生治らない本物の腎臓病になってしまうので、あくまで一時的な腎血流障害を起こすのがベストです。

　○○○○○○○○○○○という薬の副作用に、腎血流量と糸球体濾過速度の減少があります。内服薬と注射剤がありますが、内服薬は飲み過ぎても急性腎不全を起こさないように加減されているので、注射剤が必要です。注射専用の消炎鎮痛剤○○○○○筋注50mgを1本打てば、丸1日はニセ腎臓病患者になれます。さらに高血圧にしてくれる○○○○○○○○○という薬を併用すれば完璧でしょう。

　この2つを同時に使えば、高血圧＋腎臓病のコンボで兵役免除確実です。そして、1日経って薬が切れれば元の健康状態に戻ります。

　日本の病院で兵役免除になるほどの異常値が出た場合、大学病院で精密検査を受けるように紹介状を書かれて、検査入院して背中から腎臓に針を刺して組織を採取する腎生検を行うところです。が、さすがに韓国の兵役検査では、そこまで手間とコストのかかる検査はできないのでまずバレないでしょう。

　ちなみに、日本で高血圧＋腎臓病のコンボになったら、通勤・通学、あるいは家庭内労働が困難な腎臓機能障害者として障害者手帳4級以上にあたるレベルの重病です。ゆえに、韓国の厳しい基準でも兵役免除されるわけです。なお、日本で慢性腎臓病になりすまし、障害者手帳を不正取得して障害者年金や生活保護を受けようとしても、腎生検した病理診断の診断書が必要となり、薬でごまかすのは到底無理。韓国の兵役検査よりも、日本の生活保護受給のための検査の方が厳しいとは何ともいえないものがありますね。

病気にする薬の実態とは…

　高血圧にしてくれる○○○○○○○○○はどこで入手できるのかというと、一般には流通していませんし、病院や薬局にも置いてません。非常に入手難易度の高い薬です。何のために製造されているのかというと、治療薬の動物実験をするために、実験動物を人工的に病気にする目的の「病態モデル動物作製用試薬」です。そのため、製薬会社や大学の研究室など特殊な機関にしかありません。

あらゆる治療薬は、世に出る前に厳しい臨床試験が行われています。最初は動物実験から始めるわけですが、その薬で治る病気の動物が大量に必要です。そこで、人工的に実験動物を病気にするための方法が開発されました。高血圧の治療薬を実験するためには、実験動物に高血圧になってもらわなければなりません。そのために実験動物を「病気にする薬」というものが開発されました。

　薬の原理からして当然、この「病気にする薬」は人間にも効きます。

　病気にする薬という表現は、おかしい気がしますけど。それは「毒薬」と呼ぶべきかとも思うのですが、医学的に毒と薬の境界線は曖昧なので、「病気にする薬」という変なものになってしまいます。

　○○○○○○○○○は体内で消費されてしまうと普通の状態に戻るので、薬が切れれば健康な状態に回復。病気の状態を維持するためには薬を注射し続けなければならず、そうすると高血圧と腎臓病の合併症が襲ってくるので下手をすると死にます。まあ、兵役検査の場合は検査の直前だけ打てばいいので、深刻な健康被害は出ないでしょう。多分…。

　韓国では何人もの兵役回避ブローカーが暗躍して逮捕されていますが、麻薬組織と同じく彼らは恐らく末端の売人レベルだと思われます。どんな薬がどんなかたちで闇で流通しているのでしょうか…。兵役拒否者に知られるのを恐れて韓国政府は公表していないので、あくまで筆者の推測になりますが、「エピペン」みたいな自己使用注射器に入れておいて、検査直前に自分で打つように指示して渡しているのではないかと考えられます。

韓国兵務庁　https://www.mma.go.kr/contents.do?mc=mma0001998
韓国では兵役逃れ行為に対して非常に厳しく、1年以上5年以下の懲役刑に科せられる。不正な兵役逃れを助長するサイトも監視されており、通報者には報奨金が支払われる

Memo:

尻の穴から指を入れる…実は真面目な医療行為

前立腺マッサージの科学

肛門から指や道具を入れられ、直腸の壁越しに膀胱の下にある前立腺を刺激される…。性的サービスのイメージを持たれがちだが、これは正式な医療行為だ。医学的見地から解説しよう。

　一般に「前立腺マッサージ」と呼ばれているものは正式な医療行為で、「前立腺液圧出法」という正式名称があります。前立腺炎の治療法として標準治療ガイドラインにも載っていて、保険診療として認められており、J069で50点が付くのです。つまり、医師は患者に前立腺マッサージを施しても500円しかもらえません。しかもこの500円は、医師の懐に入る金額ではなく、ローション代は別途請求できるとはいえ、手伝ってくれた看護師の人件費、使用した手袋やその廃棄費用などの諸経費込みなので、手取りは非常に少なくなります。

　国に料金を決められていて、医師免許持ってる美女がやっても500円しかもらえないのに、風俗嬢が無免許でやって1万円とかもらえるって超うらやましいんですけど。まあ、でも、風俗嬢が医師免許を持ってないと医師法違反で逮捕となるので、皆さん研修医とかのバイトなのでしょうか？　風俗店経営者の皆さんは、雇う時に医師免許の確認をちゃんとしているのか気になります。お値段に関しては、自由診療ということにすれば1回1万円でも違法ではないので、医師免許さえあれば料金設定自体は問題ありません。

　ただ、保健所に診療所開設届も出さないとダメなので、風俗店経営者の人はお忘れなく。

 天才医師が前立腺マッサージ器を開発

「前立腺炎」という病気は非常にありふれたもので、疫学的な生涯リスクは25％と非常に高く、男性の4人に1人は一生に1度はなるほどです。その大半は、性行為による性病も含めた感染症によるもので、最初は抗菌薬治療が試みられます。しかし中には、病原菌がいなくてもなる「非細菌性慢性前立腺炎」という厄介な病気があり、この原因はよく分っていません。

　著しい排尿障害がある場合などは、医師が患者の尻の穴に指を入れて前立腺液圧出法を行う必要が生じます。この治療が必要になる患者は中高年が主で、未成年が発症することは極めて珍しいため、美少年の尻に出会える確率は限りなくゼロです。

　毎週、汚いオッサンの尻の穴に指入れて前立腺マッサージしても500円しかもらえない医師の悲哀を救うべく、1996年に患者が自分で前立腺マッサージを行える道具を発明した天才医師が現れました。

アメリカのテキサス州ヒューストンにいた、泌尿器医ジロー・タカシマ（Jiro Takashima）という日系人医師です。彼はHigh Island Health LLC.という会社を設立して、マッサージ道具の製造販売を始めました。

　特許情報を試しに「Jiro Takashima」で検索してみると分かりますが、この先生、ものすごい数のアナルに入れる道具を特許出願しています。大人のおもちゃを製造している、日本のメーカーは特許侵害に注意して下さいね。特許を管理する会社があるということは、特許侵害は容赦なく訴えるということですから。

　有名な「エネマグラ」と「アネロス」は、販売する時に代理店契約など商業上の諸問題から分裂したアイテムで、どちらも同じ発明者による同じ製品です。ちなみに、これらの日本語での正式名称は「前立腺マッサージ器」になります。

　アネロス社がWebサイトで「アネロス以外はただのおもちゃさ！」と豪語している通り、こちらは本当に臨床試験が行われ、特許が取られ、医学的エビデンスがある本物です。ただし、アメリカでも日本でも医療機器の認定は受けていません。なので、購入に保険は効きませんので、悪しからず。

　その構造と原理を簡単に説明しましょう。アナルバイブが肛門を刺激する道具であるのに対して、エネマグラとアネロスは前立腺を押すマッサージ器。両者は根本的に原理が異なるのです。エネマグラとアネロスの形を見ると分かりますが、体の外側に出ている部分が前後に伸びて前方部分にはコブがあります。これは肛門の括約筋の運動を前後運動に変換して、腸内に挿入された先端部分が前立腺を適切に押せるようにするために必要な構造であり、この部分が特許の重要な要点です。

　使用方法は、販売元のWebサイトにて詳しく説明されているのでよく読んで下さい。前後逆に使う

アネロスジャパン　https://www.aneros.co.jp/
前立腺を刺激し、ドライオーガニズムに導くための前立腺マッサージ器を多数ラインアップ。同社の商品には特許を取得しており、医学的エビデンスもある

Memo:
参考文献・画像出典など　●「High Island Health」http://www.highisland.com/ourcompany.php
　　　　　　　　　　　　●「光漢堂」https://koukandou.jp/　エネマグラの販売元

前立腺検査シミュレーター
「前立腺肥大症」や「前立腺がん」といった前立腺の疾患に対して、直腸内診の練習ができる。なお、日本で検査シミュレーターの販売が始まったのは1997年からだ

日本スリービー・サイエンティフィック
https://www.3bs.jp/

と効果を発揮できませんから。

医師の診断能力は経験値に比例する

　真面目な話、医師の前立腺触診の診断能力は経験値と比例するため、どれだけ多くの男の尻の穴に指を入れたかで能力が決まるといっても過言ではありません。著者の年代では、まだ「前立腺検査シミュレーター」などの便利な教材が無く、ボランティアの人にお尻に指を入れさせてくれるように必死で頼み込んで経験値を積んだりしたものです。医学生同士が相互に入れ合ったりもしたのですが、私は医学生時代に奥さんと妹と妹の友達に尻の穴に指入れられました。

　奥さんに気持ち良いかと聞かれたけど、私は前立腺とかアナルは不感症なのか、全くそんなことないと正直に答えたら奥さんにキレられて、妹と妹の友達が見ている前で、奥さんにバイブをアナルにぶち込まれ、検査されたことがあります。

　3人一致で、私のアナルと前立腺はふにゃふにゃに柔らかいらしいです。肛門異物挿入は圧倒的に男性多数で女性は少数派なんだけど、ウチはなぜか逆なんですね。

　なお、「泌尿器科初期研修カリキュラム」に「前立腺液圧出法を適切に行うことができる」とあり、研修医は必ず前立腺マッサージをやらされます※。が、実際に臨床の現場では前立腺マッサージなんかすることはなく、投薬治療しかしないでしょうけどね。

　仮に、美人女医がいる泌尿器科に行って、医学的に前立腺液圧出法が必要な患者がマッサージを受けた場合は、かなりの圧痛があり苦痛を感じます。つまり、保険診療で前立腺マッサージをしてもらえる人は、全く気持ち良くないどころか日常生活の排尿障害なども含めて苦痛に耐えなければならない状態ということです。なので、エネマグラやアネロスを試してみて痛いと感じた人は、前立腺の病気の可能性が高いので早急に病院を受診することをお勧めします。

● 「泌尿器科初期研修カリキュラム」…http://recruit.gakuen-hospital.com/program/pdf/curriculum04.pdf
※著者は泌尿器科初期研修に行く前に辞めてしまったので、前立腺液圧出法をやったことはない。

異世界転生者…!?日本を糖尿病から救った知られざる天才

インスリン研究者・福屋三郎

糖尿病の治療薬と知られる「インスリン」。しかし、大きな成果を残した日本人研究者がいたことは知られていない。日本を救い、そして風のように消え去った男について紐解いていこう。

「インスリン」が量産されるようになるまで、糖尿病には有効な治療法がありませんでした。発売当時のインスリンは最も高価な薬の一つだったのです。昔の日本で糖尿病が「金持ち病」と呼ばれたのは、ぜいたく三昧している金持がかかる病気という意味ではなく、毎日、高い薬を死ぬまで打ち続けなければならないので金持しか治療できない、金持しか生き残れない病気だったことに由来します。実際に当時の新聞はインスリンのことを「世界一の高貴薬」と表現していました。

インスリン治療の始まりは1920年代

インスリンが発見され量産が始まって広まるまでの時間は、当時としてはかなり早く、イーライリリー社からインスリンが発売されたのが1922年末（大正11年）。ベクトン・ディッキンソン社から1目盛りが1単位になっている、インスリン専用注射器セットが発売されたのが1924年です。

日本では1924年3月、現代之医学社から平川公行著『糖尿病のインスリン療法』という治療マニュ

 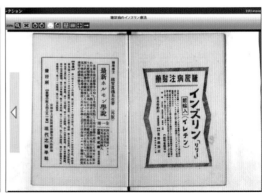

『糖尿病のインスリン療法』平川公行著
1924年、現代之医学社からインスリンによる糖尿病の治療マニュアルが刊行された。当時、インスリンはアメリカでしか製造されていなかった。巻末には輸入インスリンの広告が掲載されている（「国立国会図書館デジタルコレクション」参照）

Memo:

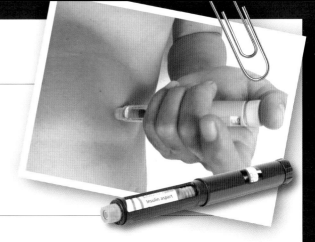

インスリンは血糖を下げる働きをするホルモン。糖尿病になると、膵臓からインスリンがほとんど分泌されなくなるので、自己注射によってインスリンを補う必要がある。今では誰でもその治療を受けられるが、かつてインスリンは非常に高価な薬だった。一部の金持ちしか買えなかったが、日本人の天才研究者が魚のハラワタから安価に作る方法を編み出した

アルが発売され、アメリカからのインスリン輸入も始まっています。書籍の巻末に輸入インスリンの広告があり、50単位4円50銭、100単位8円とかなり高価な薬でした。1日30単位必要な患者なら、毎月72円かかる計算になります。大卒初任給50円の時代に毎月72円です。

その他に、注射代や血糖測定検査、医者の診察料なども必要なので、医療費だけで死ぬまで何十年も、庶民の月収の3倍以上を毎月食いつぶすわけで、年間医療費は軽く千円を超えたでしょう。つまり、まともな医療を受けられたのは平均所得の10倍以上の年収がある上級国民のみということになります。今でいえば、糖尿病患者は年収3千万円以上ないと死ぬ病気だったということで、「金持ち病」とか「世界一の高貴薬」と呼ばれたのも納得です。

当時、インスリンを生産できる国はアメリカのみでした。アメリカから運ぶ輸送費は高く、円がドルに対して弱く、1ドル＝2円強だった為替相場では高価にならざるを得なかったのです。

そこで、国産化の取り組みが始まりました。帝国臓器から1935年（昭和10年）に、国産初のインスリン製剤が発売されます。しかし、ウシやブタの膵臓から抽出精製したものだったので、非常に高価で生産量も少なく、輸入品と比べても安くなかったため、国産化しませんでした。

なぜ糖尿病患者が!?…大日本帝国軍の闇

1938年、外交関係の悪化により、インスリンをはじめ医薬品の輸入が完全に停止します。これによって日本国内は深刻なインスリン不足に陥りました。この直後、政府によって「全国医薬品原料配給統制会」が設立されて医薬品は統制下に置かれ、配給品に指定されることに。その中にはインスリンも含まれており、インスリンを販売していた帝国臓器・武田薬品・鳥居薬品・友田製薬に対して、なぜかインスリンを軍に優先的に納入するように命令が下ったのです。

この当時、国内で生産していたのは帝国臓器1社だけで、他の3社は輸入販売専門だったため、すぐに在庫は枯渇しました。つまり、当時の日本軍には多数のインスリンを常用しなければならない糖尿病患者の将兵がいたことになりますが、そのことにとんでもない矛盾があります。

軍人の欠格条項に「糖尿病であるもの又はその疑いがあるもの」とあり、糖尿病患者は軍人になれず、

軍人が糖尿病になれば病気除隊させられることになっていました。糖尿病の軍人は存在しないはずなので、軍はインスリンを必要としないはずなのに、イッタイなぜ…？

　秋山好古大将が酒の飲み過ぎで糖尿病だったことは知られていますが、偉過ぎて歩けなくなるまで辞めさせられなかっただけで（最後は名誉職）、あくまで例外的な存在だったと考えられます。1938年頃の現役将兵にも糖尿病患者が結構いたとすれば、彼らはなぜインスリンを打ちながら軍人を続けたのでしょうか？　恐らく、軍人を辞めてしまったら無料で薬が手に入らなくなるので、軍籍にしがみついていたと考えられます。金持ち病を無料で治療してくれる軍を辞めることは、死を意味していたからです。年間千円に達する医療費を自費でまかなえたのは、最低ギリギリでも大尉の年収1,860円か、少佐の年収2,640円より上の階級で、恩給がもらえる13年以上勤めた人間でないと無理でしょう（年功序列式だったので、士官学校を出て13年軍人をやっていれば最低でも大尉にはなれたはず）。

　またもう一つ考えられる事情として、1937年から日中戦争に突入して、将校が不足していたことがあります。極度の人手不足で、糖尿病でも優秀な人材は辞めさせるわけにいかなかったのかもしれません。

　ちなみに、当時の陸軍の資料によると、インスリンの使用目的は「精神分裂病の治療」「毒ガス対策」となっています。精神分裂病の治療が必要な軍人もいちゃだめだろとか、どうやったらインスリンで毒ガスを防げたのか…とか、なんかもうツッコミどころしかないんですけど。

天才が現れて革命が始まる

　1938年3月28日、静岡県清水市で魚の食品加工を営んでいた清水食品に1人の男が入社しました。彼の名は「福屋三郎」。水産講習所を卒業したばかりの新卒でした。入社後すぐに清水食品インスリン研究室室長に任命され、3人の助手と共に研究を始めます。

清水食品のインスリン研究室。木造平屋建て50.75坪の小さな建物だった（「清水製薬五十年史」25ページ参照）

右の人物が福屋三郎。加藤重二を助手に、中村富美と大川すみ子が協力。魚からインシュリン抽出に成功した頃の写真らしい（「清水製薬五十年史」24ページ参照）

Memo:
参考文献・画像出典など　●「糖尿病のインスリン療法」「国立国会図書館デジタルコレクション」https://dl.ndl.go.jp/info:ndljp/pid/935370
　　　　　　　　　　　　●「清水製薬五十年史」ほか

清水製薬が発売した「イスジリン」の広告。1941
年の医学専門誌に掲載されたもの。魚の膵臓から
抽出して作った薬剤だと説明されている
（「清水製薬五十年史」57ページ参照）

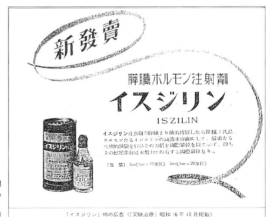

「イスジリン」初の広告（「実験治療」昭和16年10月掲載）

　清水食品が扱っていた魚をインスリンの原料としたことは、哺乳類の家畜より大きな利点がありました。哺乳類のランゲルハンス島が膵臓内に分布した細胞片であるのに対して、魚類のそれは密集して独立した臓器です。コリコリとしてつまみやすく、コツをつかめば非熟練の女子工員でも魚のハラワタから容易にランゲルハンス島を分離することができました。また、タラ1匹から20単位のインスリンが抽出できたので、極めて効率の高い素材でもあったのです。当時のインスリン20単位の価格は、魚屋で売っているタラ1匹の40〜50倍でした。

　福屋は廃棄される魚のハラワタのランゲルハンス島から、ピクリン酸とアセトンを使ってインスリンを抽出する方法を編み出します。大規模な工場や高価な設備も不要。戦時下の日本で、入手困難な原材料も大量のマンパワーも必要としない完璧な抽出法でした。

　1941年5月14日に清水食品製薬部は、清水食品と武田薬品と三菱財閥から資本金19万円の出資を受けて独立。魚を原料にした純国産インスリンを製造するため、社員14人の小さな会社「清水製薬」を設立しました。設立後、すぐに生産ラインが稼動し始め、同年7月には出荷を開始しています。インスリンは武田薬品の流通網によって、全国販売されたのです。

　魚から抽出されたインスリンは、当時の漁獲高から計算して日本の必要量年間730万単位の66倍もの量を生産できることになります。しかも、小さな工場で安価に大量生産が可能で、庶民にも手の届く価格。ついに糖尿病は、「金持ち病」ではなくなったのでした。

福家三郎の異世界転生者疑惑？

なんか、福屋三郎さんチート過ぎるんですけど。

　入社日が4月1日ではなく3月28日なのは、清水食品の社長がその腕前にほれ込んで「1日も早く来

てくれ」と頼んで、卒業式の翌日から入社させてしまったせいだと社史に書かれています。福屋さんが在学していた当時の水産講習所は、4年制の専門学校という位置づけで大学に準ずる教育機関でした。後の東京水産大学（現東京海洋大学）の前身でもあり、当時としては難関校の一つです。

　水産学を専攻した20代前半の青年が入社後にいきなり研究室長に抜擢されて、2人の女子従業員と1人の助手だけで、小さな研究所でろくな設備も予算もなしに1年半で完璧な薬を完成させて、その半年後には、大手製薬会社と財閥を口説いて大量生産の工場作らせ、日本中に行き渡るようにしたとか…。それも戦時中にですよ？

　研究を始めたのが1939年で、1941年7月には製品を出荷して、論文発表が同年8月って、すごいハイペースなんですけど。しかも、論文の発表日よりも製品を出荷している日の方が早いんですけど。なんか時系列おかしくないですか？　当時の新聞でも福屋三郎の功績を取り上げていて、学位を持っていなかったため「福屋三郎技師」と書かれていました。

　確かに金持が大量に欲しがる薬がタダみたいな原価で安い設備の工場で大量生産できたら、儲かって笑いが止まらないから大手製薬会社と財閥が乗ったっていうのは分かりますけど…。水産化学という分野は、魚類を食品以外の医薬品などに利用する研究を行う学問ですけど…。福屋さん、異世界転生者か何かですか？　現代の研究者は福屋三郎さんを見習うべきって言われたら困っちゃいますね。研究費が無い、人手が無い、時間が無いとか文句を言ったら、それは甘えと言われそうで…。

　国産インスリン製造における最大の功労者である福屋さんは、1944年6月1日付けで中部第三十六部隊に召集され、一等兵となりました。その後、中部第三十六部隊は満州へ送られ、終戦を迎えるとソ連軍の捕虜となり、シベリアに送られたとの記録があります。シベリアから帰国できたとの記録は無く、福屋三郎一等兵がいつどこで死んだのかも記録はありません。大日本帝国陸軍は若き天才科学者を、無知にも兵士として戦地に送ってしまったのです。

　福屋さんは役目を終えて異世界から元の世界に帰ったのでしょうか？

　きっとそうだと信じたいです。

新設なった工場実験室での創立メンバー。男子右から大石、狩野、福屋、加藤。若者は皆明るく張り切っていた（昭和16年夏）

は田中これ

清水製薬として独立し、新設した工場実験室の写真。福屋と創立メンバーが写っている。真ん中のメガネをかけた男性が福屋三郎だ（「清水製薬五十年史」35ページ参照）

Memo:

スーパードクターMと福屋三郎の後継者

続・糖尿病患者を救った男たち

28～32ページでは、国産のインスリンを開発した福屋三郎を紹介した。ここからは、貧しい糖尿病患者を救い続けた天才医師と、福屋の意思を引き継いだ助手についての話をしよう。

　福屋さんが徴兵されていなくなった後、日本の海はアメリカ軍に制圧され漁業は不可能となり、インスリンの原料である魚が入手できなくなって生産はストップ。陸軍は清水製薬を勝手に指定工場にして、すべての在庫を押収し、海軍は鳥居薬品の工場を押収していきました。インスリンが手に入らなくなることが知れ渡ると、金と権力のある糖尿病患者の間で奪い合いとなりインスリンの価格は暴騰し、再び「金持ち病」へと逆戻りします。

　そんな中、東京・秋葉原駅から徒歩7分のところにあり、貧困者を無料で治療してくれる三井厚生病院には大量のインスリンの在庫がありました。それを聞きつけた金持ちからヤクザらが、札束やドスを持って病院に押しかけてきたそうです。しかし、「ここにある薬はすべて貧しき者のため、金持ちにやる薬は無い」と言って追い返した医師がいました。その医師こそ、東大医学部を主席で卒業し、20代で博士号を授与された上に柔術の達人で、現代の金額換算で年収100億円以上ある日本最大の財閥の御曹司。貧しい患者から一銭も受け取らず最高の医療を施してくれる、「スーパードクターM」こと三井

三井記念病院
Webサイト
https://www.
mitsuihosp.or.jp/
about/history/
「三井記念病院100年のあゆみ」のページに、三井厚生病院についての記載がある。1943年7月に「財団法人三井厚生病院」に改称。1945年、戦火により建物や諸施設が焼失したとある。三井二郎左衛門医師もこの時に亡くなったのか…？

二郎左衛門というチートキャラです。ちなみに内科医なので、メスを投げたりはしなかったようです。

　スーパードクターMは、莫大な個人資産をつぎ込んでインスリンを購入し、貧しい糖尿病患者に無料で与えていました。限られたインスリンの在庫をやりくりするために、飢餓療法とインスリン療法を交互にくり返し、戦争が終って再び薬が手に入るまで延命させる治療方針を取ったのです。

　多くの医師と糖尿病患者が、「大丈夫、清水港に福屋三郎という天才科学者がいるから、戦争が終ればすぐに薬が手に入る。もう少しの我慢だ…」と、儚い希望にすがって痩せ細りながら命をつないでいました。肝心の福屋三郎が、一兵卒として前線に送られてしまったことも知らずに…。

　そんなスーパードクターMもB-29には勝てず、1945年3月、東京大空襲で病院に爆弾が直撃して病院の建物は全焼。インスリンもスーパードクターMもすべて失われてしまいました。さらにその後、1945年7月7日、空襲により静岡県清水市のインスリン工場が焼失します。最盛期には国内需要を満たしていた国産インスリンの生産は、これで完全に終わったのです…。

　インスリンが無かった時代の1型糖尿病患者は発症後、数年以内に糖尿病性昏睡で死亡しており、生存年数は3年以下といわれていました。ゆえに、多くの患者は製造再開まで生き残れなかったでしょう。彼らもまた、知られざる戦争の犠牲者といえます…。

『日本農芸化学会誌』17巻(1941)11号
「Insulin資源としての魚類に関する研究」

『実験医学雑誌』25巻(1941)10号
「魚類『インシュリン』ニ關スル研究」

1941年、福屋三郎らは魚からインスリンを製造するための研究論文を発表している

Memo:

国産インスリン製造再開
戦死した福屋三郎の意思を引き継ぎ、かつての助手だった加藤重二が、魚から国産インスリンの製造再開を目指した。終戦直後より生産し始め、全国の糖尿病患者に届けたという。これは製造再開を知らせる広告で、魚のイラストが描いてある（「清水製薬五十年史」参照）

福屋三郎の意思を引き継いだ男

　終戦後、焼け野原になった静岡で、生き残ったインスリン研究室の助手だった加藤重二は、二又川組という土建会社の協力を得て、わずか40坪の平屋建ての小さな小屋を建ててもらいました。終戦直後のあらゆる物資が枯渇していたはずの時代ですが、二又川組の棟梁は「たまたま材木が余っていたんだ」と語ったといいます。

　旧制中学校卒（現在の高卒）の助手に過ぎなかった加藤重二は、福屋さんと共に研究に励んだ5年足らずの短い時を思い出し、女子従業員の手を借りて手作業で魚のハラワタを処理し、インスリンの生産再開を目指します。清水製薬は出資者であった武田薬品と三菱財閥から、出資金とすべての債務を放棄する代わりに廃業するよう勧告を受けたのですが、清水食品の支援により会社は辛うじて存続。極わずかではありましたが、終戦直後から生産を再開して、再び魚のインスリンが販売されることになりました。加藤は福屋の意思を継いで、清水製薬でインスリンの生産を続け、多くの糖尿病患者にインスリンを届けたのです。

　今ではインスリンの生産方式そのものが変わり、魚のインスリンは生産されなくなったのですが、福屋三郎の残したインスリンへの思いは今も受け継がれています。命は平等であり、薬は一部の金持ちだけのものではありません。薬に貴賎なし、「世界一の高貴薬」など存在してはならないのです。

　2020年現在、日本で糖尿病にかかる医療費は高い場合でも月額3万6,580円（自己負担額約1万1千円）、1年間の自己負担額約13万2千円にまで抑えられています。安いとはいえませんが、庶民の収入の3倍以上にもなる医療費を払えなければ死ぬということはなくなりました。

　もう、誰もインスリンのことを「世界一の高貴薬」などと呼ぶ人間はいません。

参考資料・画像出典など　●「清水製薬五十年史」　●「三井記念病院史」
●「Insulin資源としての魚類に關する研究」https://www.jstage.jst.go.jp/article/nogeikagaku1924/17/11/17_11_905/_article/-char/ja
●「魚類『インスリン』ニ關スル研究」https://www.jstage.jst.go.jp/article/jsb1917/25/10/25_10_1165/_article/-char/ja

骨格標本はかつて人間の死体から作られていた!?

理科室の怪談

理科室にある骨格標本。今では合成樹脂製だが、かつては本物の人骨で作られていた。夜中に理科室で骨格標本が動き出すという有名な学校の怪談の背景には、こんな事実があった…!?

　2016年頃から、学校で本物の人骨や人間の標本が発見されてニュースになりましたが、あれには歴史と文部省の指導があります。日本で骨格標本が本格的に製造販売されるようになったのは、1891年（明治24年）に、島津製作所の創業者である島津源蔵が標本の製作販売を始めたのが起源といわれています。明治以降、シェアを独占していた時期もあり、戦前に日本で製造販売された骨格標本の大半は本物の人間を材料にした島津製作所の製品です。残りは医大や医学研究機関などの限られた場所で製造され、自分たちで使用していました。輸入品などの例外を除けば、戦前からある学校の骨格標本は、ほぼ島津製作所の製品といえるのです。

　戦時中の1944年（昭和19年）に事業を中断していますが、戦後の1948年に島津製作所標本部から京都科学標本株式会社として、分離・独立し再出発。しかし、翌1949年に死体解剖保存法が制定されたことにより本物の人間を材料にした標本の製作ができなくなり、1954年に樹脂製標本を開発して販売するようになりました。こうして、日本では人間の死体を材料にした骨格標本の製造販売は絶滅したのです。

『毎日新聞』参照　　　　　　　　『産経新聞』参照

高校の理科室などから、本物の人骨で作られた骨格標本が見つかっている。2016年に鹿児島の県立高校で、生物講義室から人の頭蓋骨が見つかったのが発端。2019年4月時点で、全国14府県で発見されているという

Memo:
参考資料　●「日刊工業新聞」1993年3月19日38ページ

理科室の骨格標本
文部省の通達により、全国の小中学校には人間の骨格標本
が1体置かれている。骨格標本はかつて本物の人間の死体
で作られた時期もあり、合成樹脂製のものに入れ替えが進
められたが、見落とされている可能性はゼロではない。実際、
2019年に複数見つかっているので…

 なぜ学校に骨格標本があるのか？

　皆さんも授業で使った記憶が無くても、学校の理
科室に骨格標本が置いてあるのを見たことがある人
は多いでしょう。文部科学省が2011年（平成23年）
4月に策定した小学校と中学校の「教材整備指針」で
も理科教材として、発表・表示用教材で「人体模型A
（人体骨格、人体解剖など）」とあり、1校あたり1体
を整備するのが望ましいとしています。つまり、全国の小中学校に1体は、人間の骨格標本を置くよう
に文部省が指導しているのです。

　実際には経済的な事情などもあり、指導が始まった1953年からすぐに全国の学校で骨格標本が購入
されたわけではありませんが、1967年に文部省が国庫負担で必要な教材を購入するように指導して、
1967〜1976年にかけて総額1,600億円もの予算を投入。さまざまな教材を購入しています。この時、
1校に1体必要とされた教材の一つが、人間の骨格標本でした。文部省の通達により全国すべての小中
学校では、骨格標本を買わなければならなくなったのです。

　お役所仕事は非常に面倒で、文部省が獲得した予算は総務省から地方交付税交付金というかたちで市
町村に支給され、文部省から都道府県の教育委員会へ購入するように指導が行き、そこから市町村教育
委員会へ下達され、市町村教育委員会は市町村自治体から予算をもらい学校へ配分して教材が購入され
ます。教材メーカーは、9年間で1,600億円という巨額の公共事業が湧いて出たことで一気に事業拡大
に乗り出しました。この時代に京都科学標本は、合成樹脂製の標本などで売り上げを大幅に伸ばして資
本金を4倍にまで増資しています。

　こうして、どこの学校の理科室にも骨格標本が1体はいるようになったのですが…。しかし、骨格標
本ビジネスの隆盛はあっという間に終わりました。理由は簡単で、1度買えば今後2度と買う必要が無い
からです。毎年購入して理科室に骨格標本をたくさん並べようなんて、頭のおかしい教育委員会も校長
もいませんでした。日本全国の学校に行き渡ってしまえば、2度と需要は生まれなかったのです…。

京都科学　https://www.kyotokagaku.com/jp/
京都にある医療教育教材メーカー。島津製作所にて標本の製作販売を始め、シェアを拡大していった。現在は各種医療用のトレーニングモデルやシミュレータを製造し、海外でも幅広く事業展開している

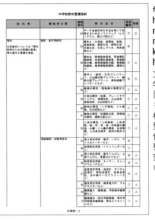

学校教材の整備
http://www.
mext.go.jp/a_
menu/shotou/
kyozai/index.
htm
文部科学省が小学校と中学校の「教材整備指針」を策定。理科教材では、「人体模型（人体骨格、人体解剖など）」を整備することを望ましいとしている

 ## 1971年に謎の標本販売会社が現る

　そんな中、安い骨格標本を売る「株式会社羽原骨骼標本研究所」という怪しげな教材メーカーが現れます。会社の登記簿謄本に「人体、動物の骨骼標本の製作及び輸入」と明記されているぐらい、骨格標本に特化したメーカーです。東京の自宅を本社に、獣医師が1971年に設立しました。現在、東京で動物病院を経営している人と同一人物らしく、現在の羽原骨骼標本研究所の所在地はその動物病院と同じです。平成になってからも会社として活動はしているようで、1993年に日立精工が動物の骨格本を作製する新規事業に進出した時に協力しています。茨城県にある日立市かみね動物園の、インド象みね子の骨格標本作製にも関わったようです。アルマジロである亜留間家の親族もお世話になり、標本になって国立博物館に今も展示されています。

　実質的に骨格標本を作るのが得意な獣医師の個人経営なのですが、動物業界内でかなり実績のある会社みたいです。しかしなぜか、1971年の会社設立後にインドから大量の人骨を輸入するという謎の事業も行っています。というより、人骨輸入のために株式会社を設立したんじゃないかって気がしなくもありません。2019年2月、その会社兼自宅の建物を所有していた親族男性が病死して警察が入ったところ、500人分の不良在庫になっていた人骨が発見されニュースとなりました。

　ここからは筆者の推測になりますが、上述したように文部省は1967〜1976年に学校教材購入費用として大金を投入しています。そこに食い付き、インド・カルカッタから本物の人間を材料にした骨格標本を安く仕入れたのではないでしょうか？　この当時のインドはパキスタンとの戦争で死屍累々の状態だったため、死体産業の中心地であるカルカッタは激戦地に近く材料に不自由しなかったはずです。インドの骨格標本製作は、イギリス植民地時代から200年もの歴史がある伝統産業であり、欧米先進国

Memo:

東京・足立区の住宅街に500人分の人骨

2019年、東京の住宅街から500人分の人骨が発見されたとしてニュースになった。羽原骨格標本研究所という教材メーカーが、骨格標本を作るためにかつてインドから人骨を輸入。それを捌ききれず放置していたものが見つかった。インドでは1985年に死体の輸出をNGとしたため、それ以前に輸入したものと思われる（TOKYO MX参照／YouTube）

の学校などに輸出していた歴史もあります。なので、新たに日本という顧客が増えても500人分ぐらいは余裕でカバーできたとの推測は可能です。

　しかし、本物の人間の死体から作った骨格標本を買いたいという、頭のおかしい教育委員や校長はいなかったようで、見事に処分不能な不良在庫の山になってしまった…。要するに、20代の獣医が起業し一発当てようとして大量の人骨を輸入してみたけど、買い手がつかず処分もできず黒歴史になっていたのがほじくり返されただけ…なのではないでしょうか？　会社設立時に1千万円もの資本金を用意して、500体分の購入費から輸入費用まで支払ったのに全損になって、それでも会社が潰れていないようなので、結構な金持ちの生まれだったということなのでは？

　なお、1985年にインドが死体の輸出を非合法化したため、合法的に輸入できなくなり本物の骨格標本は完全に日本市場から消えました。

そして理科室の怪談は伝説へ

　戦前から学校にある骨格標本が、本物の死体であることは平成になってから深刻な問題となり、全国の教育委員会は調査を行い該当する骨格標本を次々と処分しています。なので、現在の小中学校にある骨格標本が本物の死体である可能性はきわめて低いでしょう。それでも、戦争で亡くなったインド人の死体なんじゃないかって疑惑は、ゼロとはいえません。教育委員会が見落として、学校の先生も合成樹脂製だと思い込んでいるという可能性が存在するからです。

　最近は実物大は使わず、置き場所も取らないミニチュア標本になってきています。平成も終わり、新しい時代に生まれた子供たちは理科室の怪談など、もう知らないかもしれません。

ヤバイけどやめられない麻薬のような燃料

ガソリンの歴史と危険性

核燃料を除けば、ガソリンの殺傷力は燃料の中で最も高いといっても過言ではない。人体への影響、破壊力、兵器化…これまでの歴史が証明するガソリンの闇を改めて解説しよう。

　古い時代は人間1人の力で他人を殺すのはかなり難しくて、戦国時代に7人の敵を一瞬で斬り伏せた佐竹義重は「鬼義重」とか「坂東太郎」なんて異名が付いたほどです。敵をたくさん殺したほど偉かった戦国時代でさえ、1人で7人を瞬殺できたら伝説のトップランカーになれたわけですから、大量殺人は基本的に困難な作業だといえます。

第一次世界大戦でガソリンが普及

　時は進み、ガソリンエンジンで動く乗り物が普及した第一次世界大戦。頭の古い保守派軍人がガソリンをどう見ていたかというと、「ガソリンの詰まった乗り物で戦場に行くなど自殺行為」「ガソリンで焼け死ぬのは名誉ある戦死ではない」…とその採用に反対し、中世時代からの伝統に則って「馬が1番！」だと主張したのです。イギリス軍は第一次世界大戦でガソリンタンクを真っ赤に塗り、被弾したら火達磨になって全員死ぬ危険な部位として扱っていました。

　確かに、馬車も馬も被弾して燃え上がったりしないから安全です。1馬力という単位は馬1頭分の力に相当するから、「馬力」と呼ばれています。20馬力エンジン搭載の自動車は、馬20頭が引っ張る馬車と同じ力があるわけです。ただ、現実には馬20頭に牽引させることは物理的に不可能であり、馬が不要で自ら動くクルマだから「自動車」になりました。

　実際にガソリンエンジンで動いていた自動車や飛行機などが被弾して乗員が死ぬ事故が何度起きても、そのリスクをはるかに上回るメリットがあったからこそ、ガソリンエンジンは広く採用されたので

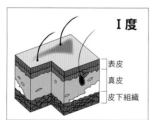

Ⅰ度

表皮
真皮
皮下組織

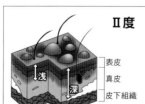

Ⅱ度

浅
深

表皮
真皮
皮下組織

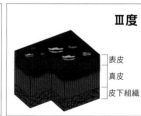

Ⅲ度

表皮
真皮
皮下組織

Memo:
参考文献・画像出典など　●「慶應義塾大学病院」http://www.hosp.keio.ac.jp/
●「東京ガス」https://www.tokyo-gas.co.jp ●「Wikipedia」https://en.wikipedia.org/wiki/Gas_engine　ほか

戦争では、ガソリンが兵器として使われてきた歴史がある。火炎瓶や火炎放射器よりも効率的に人と建物を焼き尽せるナパーム弾が、ベトナム戦争では利用された。なお現在、アメリカ軍では火炎放射器を戦闘用ではなく、あくまで作業用として採用しているという。写真は、テロリストが身を隠せないように茂みを焼却している様子(イラク)

す。ガソリンが普及したのが戦争中だったため、死ぬ人間の母数が大き過ぎて、ガソリンに殺される人間など大した数ではなかったという事情もありますが…。

　ガソリンを撒いて火をつければ、どんな強固な陣地に守られた敵も簡単に皆殺しにできます。火炎放射器よりもっとシンプルな火炎瓶も生まれ、今でも使用されているのはご存じの通りです。ただ、ガソリンは液体なので砲弾のように遠くに飛ばすことが難しく、火炎放射器や火炎瓶の射程距離の短さは解決されていません。そこで、一方的に敵を焼き殺せる超巨大強力火炎瓶ともいえる「ナパーム弾」という航空爆弾が開発され、ベトナム戦争で盛大に人々を焼き殺しました。

　そんな経緯もあり、刺殺・射殺・爆殺はともかく、「焼き殺すのは非人道的」だとして、ガソリンで焼き殺すのはダメ…と言われ続けています。このように、ガソリンの殺傷力の高さは普及した当時から知られ、戦争で殺人に多用されてきました。サリンやVXガスなどの化学兵器や核兵器が登場する前は、ガソリンこそ最強の大量殺人兵器だったのです。

　一方で、ライト兄弟が初めて空を飛んだ日からジェットエンジンが実用化する時代まで、ごく一部の例外を除けば、ガソリンだけが空を飛ぶことができる唯一の燃料でした。そして、何百kmも道を走り続けられる乗り物もガソリンが必須です。ガソリンは密閉した金属容器に閉じ込めれば安全に使えるので、人類はガソリンの魔力を手放せなくなりました。そう、ガソリンは封印術をかければ飼いならせる悪魔なのです。

ガソリンで火傷した時の人体への影響

　火傷は、深さと広さの二つの要素から重症度が決まります。そして、ガソリンの影響で火達磨になってしまった場合、その両方で最悪になります。さらに追い討ちをかけるのが、気化したガソリンが燃え上がり、その炎を吸い込んで気道や肺など内臓まで焼かれてしまうことです。

　このトリプルコンボを食らった状態で救急搬送された場合、助からないかもしれないとガチで医師に宣告されるほどヤバイです。火傷のランキングは下記のように4段階ありますが、ガソリンは簡単にⅢ度までいってしまうからヤバイのです。

Ⅰ度（EB）：数日で治癒
Ⅱ度浅（SDB）：2〜3週で治癒
Ⅱ度深（DDB）：4〜5週で治癒、場合により皮膚移植
Ⅲ度（DB）：基本的に皮膚移植が必要

　怖いことに、最も重いⅢ度の火傷をすると痛くありません。なぜなら、痛みを感じる神経が全滅しているからです。医学の世界で本当にヤバイ患者は、痛みを感じなくなっている患者なのです。

　そして、最もヤバイ犠牲者が、救急隊に「死亡不搬送」と断定されてしまうレベル。死亡の判断ができるのは基本的に医師だけなので、救急隊は心肺停止でも病院へ搬送します。ニュースなどで絶対に死んでいると思われる人でも、心肺停止と報道されるのはこのためです。医師ではない救急隊員が見ても明らかに死亡していると断定されると、死亡不搬送になるというわけ。

　死亡不搬送と断定できる基準は4種類あります。

1.首や胴体などが切断されている
2.腐乱死体になっている
3.白骨死体になっている
4.以下の6項目の条件を満たしている場合

> 4-1.意識レベルが痛みや刺激に全く反応しない最低レベル
> 4-2.呼吸が完全に止まっている
> 4-3.心臓が完全に止まっている
> 4-4.一般的に瞳孔が開いていると呼ばれる状態
> 4-5.一般的に冷たくなっているといわれる状態
> 4-6.四肢の硬直または死斑が認められる

　1〜3は素人目に見ても絶対に死んでいると断定できる場合ですが、2019年に起きた「京都アニメーション放火殺人事件」は、通常は判断の難しい4番目の状態だったと推測できます。しかしこの事件ではいきなり10人が不搬送になり、最終的に36人が死亡しました。10人もの人々が4番目の6項目をすべて満たしていたのは、かなりの異常事態です。現場は凄惨だったことでしょう。犠牲になられた方々には、改めてご冥福をお祈り申し上げます。

　ガソリン攻撃でトリプルコンボを食らったらヤバイと上述しましたが、ガソリンが急激に燃焼するということは、屋内の場合は急激な酸欠と二酸化炭素中毒と一酸化炭素中毒をいっぺんに引き起こすことを意味します。この四重攻撃を食らったら即死です。素人目に見ても、完全に亡くなっているレベルになるでしょう。

ガソリンの殺傷力の秘密

　ガソリン1kgが燃焼すると44MJ（ジュール）のエネルギーを出しますが、これは重油や軽油と比べて特に高い数字ではありません。TNT（トリニトロトルエン）爆薬などはもっと少ないですが、エネルギーの発生速度が速いので恐ろしい殺傷力を発揮します。TNT爆薬などの軍用爆薬では、1kgの爆薬がエネルギーを放出する時間は10ナノ秒以下です。ガソリンは、燃える速度が木材や石炭や重油などと

比べてケタ違いに速いのが特徴。そして、同じエネルギーを与えられた場合、エネルギーの発生速度が早いほど破壊力や出力が大きくなります。

　科学の基本で、ものが燃える時は物体の表面で燃焼反応が起きるので、表面積が大きいほど火力が強くなります。実際に石炭で蒸気機関を動かしていた軍艦では、戦闘中にボイラーの火力を上げるために機関員が石炭を砕いて細かくする作業がマニュアル化されていました。石炭の表面積を増やして火力を上げるためです。重油・軽油・ガソリンなどの液体燃料の場合も、表面積が大きいほど早く燃えて火力が強くなります。液体の表面積が最大の状態とは、細かい霧状になっている状態です。

　そして、ガソリンは火がつくと自分の熱で霧状になって高火力で燃焼して、その熱でさらに気化する連鎖反応で爆発的に燃え広がります。ガソリンが早く燃えるのは、気化しやすく着火しやすい性質によるためです。

　木がゆっくり燃えるのは、炭素でできたセルロースの塊が熱によって分解されることで燃えるからです。分解速度以上に速くは燃えません。じゃあ、あらかじめ化学処理して炭素を細かく分解しておいたらどうなるかというと、その究極系がガソリンなわけです。

　マンガ『Dr.STONE』第1話でも主人公の千空が、「ポリエチレンの分子構造考えろバカ　ガソリンの長さに炭化水素ぶった切ってるだけだ　見りゃ分かんだろ」と言っているように、炭素化合物を短く切ればガソリンになります。石炭をガソリンの長さに炭化水素ぶった切って作る人造石油は、第二次世界大戦でドイツ軍が大量生産しました。

　人類が使ってきた燃料は木→炭→石炭→油→ガソリンと、高出力化を求めるほど化学処理によって炭素の長さが短くなり、燃えやすく加工されてきたのです。これ以上は燃えやすくできないところまで化学処理された液体が、ガソリンというわけ。ガソリンスタンドでガソリンが軽油よりも価格が高いのは、軽油よりも多くの化学処理が行われているからです。

京都アニメーション放火事件
2019年7月、京都アニメーション第1スタジオに男が侵入し、ガソリンを撒いてライターで着火。イッキに燃え広がりスタジオは全焼し、多くの犠牲者を出した。この時、10人が「死亡不搬送」とされた。この死亡不搬送は、トリアージの黒とは関係なく、最初からトリアージは行われない（産経ニュース参照／YouTube）

1905年頃のガスエンジン（36馬力）。ガスエンジンを動かすための液体燃料としてガソリンが開発され、ガソリンエンジンが生まれた。小型軽量かつ高出力な上に、低コストで生産できたため、ガソリンエンジンは普及。オートバイや自動車の動力源として必需品となった

ガソリンはなぜ生まれたのか

　作るのに手間がかかる危険物であることを承知でガソリンが作られたのは、それなりの歴史と理由があります。近代化と共に、石炭で動く蒸気機関が登場して蒸気船や蒸気機関車が生まれました。その後、石炭ガスで灯るガス灯が誕生すると、都市ガス会社が街中にガスを供給するガス管を設置します。

　明治30年代を過ぎると、ガス灯のガスで動く小型軽量なガスエンジンが登場しました。小型軽量な上に燃料がガス管によって無尽蔵に供給されるので重い石炭を運ぶ必要がなく、運転するのに石炭をくべる作業員なども不要なため、多くの工場で利用されたのです。石炭ガスは気体なので配管によって送るのには適していましたが、これを燃料にした乗り物を作るのは、ガスタンクが存在しなかった時代では不可能でした。

　そこで、ガスで自動車を走らせるのが無理なら、ガスエンジンを動かせる液体燃料を作ればいいじゃない！…という発想で生まれたのがガソリンです。日本語で「揮発油」と呼ばれるほど蒸発しやすい特性は、簡単に気体（ガス）になる液体燃料が欲しいという理由から生まれました。

　こうして専用燃料であるガソリンの発明によって、ガソリンエンジンは小型軽量・高出力・低コスト・大量生産が可能なエンジンとして世界中に広まっていったのです。船や機関車など大型の乗り物ではその後も長く蒸気機関が使われ続けますが、オートバイや自動車のような小型の乗り物や、飛行機のような極端に軽く作る必要のある乗り物を動かせるエンジンは、長いことガソリンエンジンしかありませんでした。

　現在ではタクシーやバスなどのLPG自動車が普通に走っていますが、これはLPG（液化石油ガス）が登場したからです。ガソリン車をLPG車に改造するのが容易なように、本質的にガソリン自動車のエンジンはガスエンジンから生まれた同質のプロダクトです。LPGがガソリンよりも先に発明されていたら、ガソリンは特殊な化学薬品として一般に流通しなかったでしょう。

　そして、ガソリンではなく軽油を燃料とするディーゼルエンジンの中興の祖ともいえる企業が、「ヤンマーディーゼル」です。ガスエンジンのビジネスから始まり、世界初の小型ディーゼルエンジンの開発成功によって世界的なメーカーになりました。

　ジェットエンジンは軽油の一種であるジェット燃料を使うものが主流になり、ガソリン航空機は減少傾向に。科学の進歩によってガソリンを使わないエンジンが生まれ、増え続けています。石油製品の価格は、重油＜軽油＜ガソリンの順です。ガソリンが高いのは単純に製造コストがかかるからです。ガソリンエンジンは、高級燃料を使わなければ動きません。

　現代ではエコカー推進によってガソリンで走る乗り物は減り続け、規制される方向へ向かっています。鉄道や船舶は軽油か重油のみになり、ガソリンで動くものは希少になっているのです。

　恐らく50年後にはガソリンエンジンは消滅して、ガソリンは殺人にしか使えない危険物として生産自体が規制されているかもしれません。クラッシクカーマニアは、ガソリン自動車を走らせることが不可能に…。長い科学の歴史の中で見れば、ガソリンは200年間ぐらいしか使われなかった危険物として、過去の遺物として消えていく可能性は十分にありえます。

Memo:

電極アナル挿入・キンタマ注射針・精子ダダ漏れ薬…

強制射精の世界

特殊ニュースサイト「TOCANA」にて、公開と同時に驚異のアクセス数を叩き出した記事がこちら。真面目に医療行為を解説しているのだけど…。

　強制射精。読んで字のごとく、本人の意思とは関係なく強制的に搾り取る…。最近はエロマンガなんかで「搾乳」ならぬ「搾精」なんて言葉も出回っておりますが、まさにそうしたエロマンガ的な機械や技術というものは存在するのでしょうか？

　医学的には「人工射精法」というちゃんとした名称があり、オナニー目的ではなく、SEXできないけど人工授精で子供を作りたい人などに用いられています。適用対象者は成人では脊髄損傷などにより下半身の感覚が無くなってしまった人や、小児がんの放射線治療などで生殖能力を失ってしまう子供です。大人になってから子供を作る可能性を考慮して、精子を冷凍保存するために行われます。

　まずは「人工膣法」。要するにオナホール、「TENGA」などを使用する方法です。ただ、自立的な勃起が不可能な脊髄障害などの患者には適用できないため、用途は限られています。

　次に「振動刺激法」。バイブレーターを肛門に挿入することで直腸マッサージを行い、強制射精させる方法です。看護師が直腸マッサージする場合もありますが、うまく射精できないことが多いため、だんだんと用いられなくなりました。

がんと妊娠の相談窓口
がん専門相談向け手引き
結婚して子供を作る時に備えて、がん患者は治療前に精子を採取し、凍結保存しておく方法が採られる。精子の採取方法としては、直腸マッサージと電気刺激による射精があると解説されている

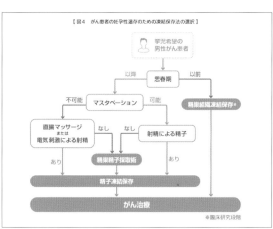

【 図4　がん患者の妊孕性温存のための凍結保存法の選択 】

参考資料・画像出典など　●「がんと妊娠の相談窓口 がん専門相談向け手引き」http://www.j-sfp.org/ped/dl/teaching_material_20170127.pdf
●「日本脊髄障害医学会雑誌」16巻184ページ

まあ、この辺までは想定している人も多いでしょう。強制射精といっても、電動オナホみたいなものか…と。しかし、これで終わりじゃありません。もっとすごい方法があります。

それが、「電気刺激法（electro ejaculation：EE）」です。

 ## 最強の人工射精法…電気刺激法

ぶっとい電極をアナルに挿入して、電気刺激で強制的に絶頂・射精させる「電気射精装置（Electronic Ejaculator）」という専用器具が存在します。元々は牛・馬・豚などの家畜から精子を採取するための道具で、現在でも家畜の精子採取の主流を占めている方法です。近年になって、人間にも適用できるようになったため、世界的に使用されています。

小児がんのガイドラインでは、オナニーをしたことがない思春期の少年が対象。思春期の少年のアナルに看護師さんが指を入れ、直腸マッサージして強制射精させたり、さらにはアナルに電極を挿入して強制射精させたり…というと変態というか虐待っぽいですが、これらは真面目な医療行為として認められています。ちなみに、少年から精子を採取する時はトラウマになったり、もしくは変な性癖に目覚めたりしないように全身麻酔をかけて行うことになっています。体験者がもれなく意識不明なので、どれくらい気持ち良いのかは不明です。が、一説によると、とんでもなく気持ち良いという話…。

海外サイトでは牛用が2,095ドル（約23万8千円）で、一般人でも買えるようです。どうしても電極アナルオナニーをしてみたいという人は、自己責任で試してみてはいかがでしょう？

精子の採取は医療行為
オナニー未経験の少年から精子を採取する際は、アナルに看護師が指を入れ、直腸マッサージをする方法が認められている。また、キンタマに注射針を刺して、吸い出す方法などもある。それらは全身麻酔された状態で行われるので、実際にどれほどの快感や痛みなのかは不明である…

Memo:
● 「京都大学学術情報リポジトリKURENAI」「ネオスチグミンクモ膜下腔内注入による人工射精で女児を得た男子脊損患者の1例」
https://repository.kulib.kyoto-u.ac.jp/dspace/bitstream/2433/119599/1/34_1047.pdf

Lane Pulsator IV Bull Electronic Ejaculator

家畜用の電気射精装置。牛をはじめ、トナカイ・ヒツジ・ヤギなどにも使える。プラグをアナルに挿入して、電気刺激を与え強制的に射精させる。5年保証付きで、ユーザー評価も高いようだ

Nasco https://www.enasco.com/p/C27112N

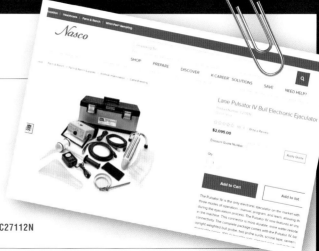

　装置の内容はシンプル。500mAの電流で、周波数60Hzの正弦波の交流を12～24Vの範囲で断続的に電圧を上げていくというものです。この機械で搾精すると、精子を含む濃厚な精液が得られるとこのマニュアルに書いてありました。

　電気に詳しければ自作することも難しくはないと思いますが、快楽のためだけに実行するにはリスクが高過ぎるのでやめておくべきでしょう。

 ## 注射器と薬で精子をゲットだぜ！

　他にも強制的に精子を採取する方法はいろいろあります。その一つが、「精巣内精子抽出法（testicular excision sperm extraction：TESE）。その言葉通り、キンタマから直接精子を注射器で吸い出す方法です。子供から重度障害者まで、あらゆる患者に対して最も確実性が高いとされている方法なのですが、キンタマに深く針を刺すためものすごく痛いので、全身麻酔が必要です。麻酔ナシであれば痛みで気絶するか、変な性癖に目覚めるかのいずれかなので推奨できません…。

　最後に、薬物で精液が出っぱなしになるという方法があるので紹介しましょう。

　エロマンガに出てきそうな、注射すると射精が止まらなくなる薬は実在して、しかも目薬などにも普通に配合されている一般的な薬剤だったりします。「ネオスチグミン」というコリンエステラーゼ阻害剤で、これを脊柱管クモ膜下腔に注入すると薬が切れるまで強制的に射精が止まらなくなります。

　ネオスチグミンは血液脳関門を通過しないため、目薬や静脈注射などでは脊髄などの中枢神経に作用しないので安全なのですが、強制射精させるには脊髄に直接注入する必要があるのです。当然、高い技術力が求められ、リスクもあって経験豊富な医師でなければ難しい方法といえます。とはいえ、実際に1986年にこの方法で採取した精液で妊娠・出産に成功しています。

　強制射精というと、エロマンガの世界だけの話のように聞こえるかもしれませんが、子供を残したいという切実な願いを叶えてくれる、極めて真面目な医療行為なのです。

秘部のさらに奥にある第2の処女膜の秘密

"子宮口の処女"を奪うとは？

実際の性医学書を元に、エロマンガに出てくる子宮の描写について、あくまで医学的に検証・解説しよう。"子宮口の処女"を奪う…といった行為は果たしてあり得るのか？

　処女と非処女。性交経験があるかどうかという基準にされている曖昧なものですが、実は処女には、もう一つあります。はい、アナルではありませんよ。"子宮の処女"というものです。

　かつて、アメリカの産婦人科医ロバート・ラットウ・ディキンソン（1861～1950年）は、「処女には入り口の処女膜のほかに、もう一つ"子宮口の処女"がある」という概念を提唱しました。

　48ページの画像では、左上に"処女"と書かれているのが、未使用の子宮の入り口です。出産や子宮拡張を経験すると、下の段のように裂傷ができて広がります。中には子宮口がめくれ返ったり、糜

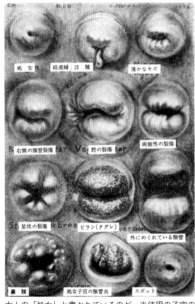

左上の「処女」と書かれているのが、未使用の子宮の入り口だ（3ページ参照）

『目で見る人体セックス解剖学』(新風社)

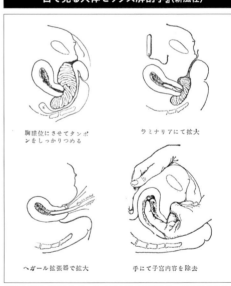

胸膝位にさせてタンポンをしっかりつめる

ラミナリアにて拡大

ヘガール拡張器で拡大

手にて子宮内容を除去

昭和中期まで行われていた人工中絶の手術方法。子宮に指を入れて胎児を掻き出していた（205ページ参照）

Memo:
参考資料・画像出典　● 『目で見る人体セックス解剖学』（R.L.ディキンソン著／新風社）
　　　　　　　　　　　● 「日本ラミナリア株式会社」 http://nipponlaminaria.com/

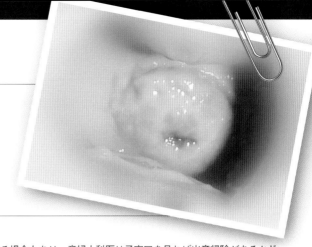

子宮口の実際の写真
（撮影／亜留間次郎）

爛（びらん）や浮腫などが生じたりする場合もあり、産婦人科医は子宮口を見れば出産経験があるかどうか分かります。つまり、女性の子宮の入り口は、出産を経験するまでは処女なのです。

　エロマンガでは"子宮の中に男性器が入ったりする描写"が出てくることがありますが、子宮口は硬く閉じていて、何かを挿入しようとしても普通は入りません。医学的には無理があり過ぎて、本当にチ○コが入ったら鼻からスイカが出るようなものすごい激痛を感じるはずです。「子宮にチ○コが入ると喜ぶのはファンタジー」といわざるを得ません。…が、エロマンガ家の皆さんにはこの事実に臆せず、これからも子宮口の処女喪失を描写し続けてほしいところです。というのも、現実には普通にSEXしている限り、子宮口の処女が奪われることはまずありえないものの、無理に拡張すれば不可能なわけでもないからです。真面目な医療行為として、子宮口から子宮の中に器具を挿入することがあります。こうなると、裂傷ができて出産もしてないのに子宮口の処女が失われるという状況になるのです。

 ## 子宮口を開く医療行為の実態

　エロマンガに出てくるような子宮の中まで手を入れるプレイは、指1本ぐらいなら現実に不可能ではないということ。48ページの右の画像は、実際に昭和中期まで行われていた人工中絶の手術のやり方を示したものです。子宮に指を突っ込んで、胎児を掻き出していました。「子宮内掻爬術」といって、現在は専用の器具を使って行われています。

　子宮に指が入るまでに拡張するには、まず膣の中にタンポンを入るだけ詰め込み、水分を吸って膨らむのを利用して膣を広げます。膣が十分に広がって子宮口が見えるようになったら、「子宮頸管拡張器 日本ラミナリア桿」という、子宮の入り口を広げる専用器具を子宮口に挿入。こちらもタンポンと同じく水分を吸って膨らむので、子宮口が広がるまで数時間ほど待ちます。

　ちなみに、このラミナリアとは昆布の学名である「Laminariacea」が由来で、本当に乾燥させた昆布の茎根でできた棒です。「日本ラミナリア株式会社」という、乾燥昆布の棒だけを販売している一芸特化した医療機器メーカーが実在します。会社のWebサイトを見ると、これしか商品がありません。

　子宮の入り口を乾燥昆布で拡張するのは、極めて真面目な医療行為であり、今でもコレに代わる便利

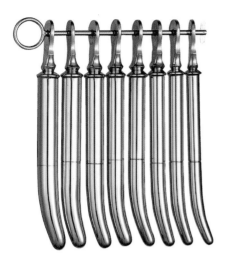

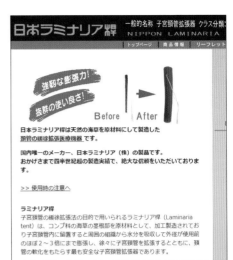

子宮頸管拡張器
子宮の入り口をさらに広げる、金属製の専用器具。破裂や裂傷などを防ぐため、長さや太さが制定されている（ヘゲール型）

子宮頸管拡張器 日本ラミナリア桿
昆布でできた医療器具。子宮の入り口を広げるために使う。周囲から水を吸うことで、外径が2〜3倍に膨張するという

な道具は無いのです。ラミナリア桿は中絶や腫瘍手術から不妊治療まで、子宮に関わる幅広い応用例があり、100年以上の実績があります。そのため、21世紀の現在も使われ続けているのです。

　ラミナリア桿で子宮口を広げるのは、かなりの苦痛を伴います。ラミナリアでググってみると分かりますが、中絶や人工授精などにおいて、最初の準備段階であるラミナリア桿の挿入だけで、激痛に耐えられない女性は珍しくないらしく、麻酔も使われます。子宮口が十分に広がったら、金属製の「子宮頸管拡張器」という棒を何本も挿入。指が入るまでさらに広げ、あとは指を入れて胎児を掻き出していたのですが、非常に乱暴で感染症の危険も高く、子宮に穴をあけてしまう子宮穿孔といった事故もありました。ゆえに、かつては中絶手術が原因で死亡することもあったそうです。上述したように現在では専用の器具を用いて処置するので、子宮に指を入れることはないため、ここまで無理に広げる必要はなくなりました。

あくまで医学の本ですヨ…

Memo:

闇の医学史

[KARTE No.012-023]

最強兵器はかつて医療機器だった!?

チェーンソーの殺傷力

ゲームではラスボスすら一撃で倒し、映画ではサメを真っ二つにしたり、はたまた殺人鬼が自由自在に人間を切り刻んだり…。最強兵器チェーンソーついて、さまざまな角度から検証しよう。

ドルルルルルン……というエンジン音と共に、刃が回転する構造はいかにも殺傷能力が高そうな「チェーンソー」ですが、実際に人間を切るとなるとどうなのでしょうか？　一説によると、肉が細かい刃に詰まってしまい、すぐに使い物にならなくなって、無双どころではないという話もあったりしますが、一体どこまでが本当なのでしょうか？

殺傷能力に関していうと、実は擬似実験で、人間は簡単にチェーンソーで真っ二つになるということが証明されております。股間にちょっとチェーンソーが当たっただけで余裕で死ぬレベルで切れ、仮に当たった瞬間にスイッチから手を離しても、骨ごとざっくり切れてしまうのです。

実際にチェーンソーによる死亡事故は多く、プロ用の高出力機では軽く当たっただけで即死レベルの大怪我になってしまうことは珍しくありません。厚生労働省労働基準局安全衛生部の調査によると、2015・2016年の2年間で林業の死亡者79人のうち、チェーンソーによる死亡者は49人と、なんと死因の過半数以上を占めています。チェーンソーで病院送りになった負傷者は247人なので、死亡率約20％と、かなり高いことが数字の上からもうかがえるのです。

しかも、この数字は安全装置が義務化されたチェーンソーを使用しての死亡事故なので、殺人目的で

チェーンソーで切られた股間のシミュレート。アメリカのプロ用チェーンソーショップが、ジーンズに骨付き肉を詰め込み、チェーンソーを当ててテストしたところ

Madsen's Shop & Supply Inc.
http://www.madsens1.com/

Memo:
参考文献・画像出典など　● 「世界初のチェーンソーの画像」など　https://en.wikipedia.org/wiki/Bernhard_Heine
　　　　　　　　　　　● 「キュアカッター」「大田区産業振興協会」https://www.pio-ota.jp/concours/c26/post_36.html

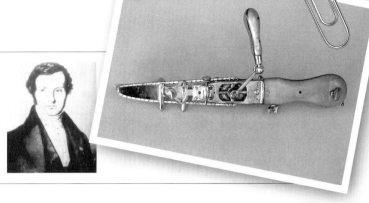

世界初のチェーンソー
ドイツ人医師ベルナルド・ハイネが、骨切り用のノコギリ「osteotome」として1930年に開発。クランクを回すと、小さな刃の付いたチェーンがガイドに沿って回る仕組みだ

ベルナルド・ハイネ
（1800〜1846年）

使用された場合の死亡率はもっと高いといえるでしょう。実際にチェーンソーで人間を切断して殺害した2009年の「横浜港バラバラ殺人事件」の裁判では、30秒もかからずに首が切断されたとの証言がありました。

　なお、チェーンソーが人間に当たるとどうなるのか、「chainsaw injury」でググると無残なグロ写真を大量に見ることができますが、検索はあくまで自己責任でお願いします。

 チェーンソーの軍事利用はアリエナイ？

　そんなに殺傷力が強いのに、軍用チェーンソーが無いのはなぜでしょうか？　それは、近代戦においてめったにない格闘戦のために、重くてかさばる武器を持ち歩くバカはいないという単純な理由のため。それどころか、チェーンソーは振り回すと何かに当たった瞬間に、自分自身に向かって跳ね返ってきて自滅するリスクが非常に高い諸刃の武器です。これは「キックバック」というチェーンソーの事故原因のトップで、講習会で絶対にやってはいけないこととして必修とされる現象。電動工具のパワーは人間などはるかに凌駕しているので、白兵武器としては自爆必至というわけです。

　そのため、チェーンソーを使う時は、ヘルメットとフェイスガードに防刃服の着用が推奨されています。チェーンソーを振り回すのであれば、最低でもジェイソンのようにホッケーマスクの着用が必須です。レザーフェイスのような皮のマスクでは役に立ちません。あれっ？　でもジェイソンはチェーンソーを使ったことないんですよねぇ…。

 サメを断ち切る最強のチェーンソー

　チェーンソーの出てくる映画といえば、超絶サメパニック映画『シャークネード』シリーズが有名です。主人公フィン・シェパードは、チェーンソーでサメを真っ二つにしたりと無双しまくっています。
　ここではシリーズ2作目（カテゴリー2）、アメリカ・ニューヨークの街中で飛んできたサメをフィンが見事に一刀両断する名シーンを振り返ってみましょう。持っている大型チェーンソーをよく見ると、

●チェーンソーの歴史について「Clinical Orthopaedics and Related Research」474巻5号1108〜1109ページを参照
●ベルナルト・ハイネの博士論文　「Das Osteotom und seine Anwendung」https://reader.digitale-sammlungen.de/de/fs1/object/display/bsb11025027_00001.html

サメパニック映画『シャークネード』シリーズの主人公フィン・シェパードは、大型チェーンソーを武器にサメを切りまくる。ガイドバーに「NYFD」と印字されているので、ニューヨーク市消防局の装備品という設定だろう

『シャークネード カテゴリー2』（YouTube参照）

刃にNYFDという文字が見えるので、このチェーンソーはNew York Fire Department（ニューヨーク市消防局）の装備だと思われます。これはチェーンソー中で最も高出力な「レスキューチェーンソー」と呼ばれるもので、タングステンカーバイト製の刃と小型バイク並みのエンジンで、鉄筋コンクリートの柱すら真っ二つに切断できるというニューヨーク市消防局最強の武器です。林業で使用されているチェーンソーが自動小銃なら、ニューヨーク市消防局のヤツは対物狙撃銃並みの大物。サメが真っ二つになるのも納得の凶器といえます。

　映画のチェーンソーはどうみても長さ40インチ（約1m）はあるのですが、実在するニューヨーク市消防局では40インチのレスキューチェーンソーは持っていないし、メーカーも製造していないそうです。というわけで、あれはあくまでも映画用のプロップチェーンソーと思われます。自爆しそうな持ち方？　娯楽映画だからいいんです！　そもそもサメが空を飛んでる時点でツッコミ無用でしょう（笑）。

✓ ■医療機器としてのチェーンソー

　ちなみに…人間をチェーンソーで切るのは外道の所業と思われそうですが、実は元々チェーンソーは人間を切るために、1830年にベルナルト・ハイネというドイツの整形外科医が開発した歴とした医療機器なのです。チェーンソーで人を切断するのは間違っているけど、間違っていないのです。

　ベルナルト・ハイネ医師は1836年、チェーンソーで人間を切る研究論文で医学博士号を授与されています。その後チェーンソーは、ドイツの医療機器メーカーで量産され、1876年の「フィラデルフィア万国博覧会」にも出品されました。アメリカでも1872年にGeorge Tiemann & Companyが量産を

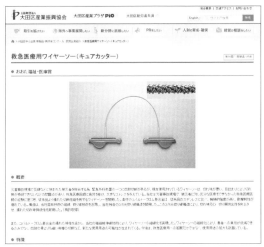

救急医療用ワイヤーソー
キュアカッター

災害現場で緊急的に手足を切断するための、人間用のワイヤーソーがある。こちらはコバルトクロム合金を採用し、従来品よりも切れ味をアップさせたもの。ワイヤーが細く、患者の負担が軽くなるという。東京ワイヤー製作所が開発した

東京ワイヤー製作所　www.twire.co.jp/

開始して、多数がアメリカ陸軍に納品されていました。1872年（明治4年）当時の定価が300ドル。現在の価値でいえば1千万円以上する、非常に高価な医療機器として販売されていたようです。同じカタログには、手足切断用ノコギリが5ドルで掲載されています。普通の病院では、こちらの5ドルのノコギリで間に合わせていました。

　ではなぜ、この時代、チェーンソーが医療用に必要とされたのでしょうか。それはなかなか残酷な理由です。当時は全身麻酔が無く、骨を切断する手術は痛がる患者を無理やり押さえつけて行うしかありませんでした。非常に苦痛の大きい方法しかなかったため、手術を短時間で終えることを重視し、そのため、人間の骨を短時間で切断できるチェーンソーが必要だったのです。

　麻酔が当たり前になり、数時間にわたる手術も普及した現代医学において、チェーンソーの費用対効果は著しく低下し、今では使用されなくなりました。ですが、昔は少しでも患者の苦痛を減らそうという人道的な理由から、チェーンソーで人間を切っていたわけです。チェーンソーで人間を切ることが、ギロチンなんかと同じで人道的とされた時代があったのは確かです。

　そして時は流れ、21世紀現在、災害現場で行われる緊急外科処置の一つとして、倒壊した建物などに挟まれた人間の手足を短時間で切断できる「キュアカッター」という、『プ○キュア』の技っぽい名前の人間用ワイヤーソーが開発されています。このコバルトクロム合金のワイヤーでチェーンソーを作ったら最強の対人兵器になりそうなので、誰かマンガに登場させてみて下さい。

　最後に。チェーンソー・回転ノコギリ・ドリルといったフィクションに登場する回転武器は、どれもすべてキックバックによる自滅事故を起こすリスクが非常に高い道具です。使用する際には、くれぐれも安全に十分に配慮して下さい。

「味もみておこう」は研究行為だった!

精液の秘密

苦い・甘い・しょっぱい…と、精液の味には個人差があるといわれるがそれには理由がある。
性的嗜好のためではなく、あくまで研究のために精液の味見が行われていた時代もある。

薬理凶室の怪人はバイトで、ワシの本業は種付け用家畜です。ワシは精液を吐き出すのが仕事なので、AV業界の人間より精液に詳しいです。ここでは精液について少しお話をしましょう。

精液は睾丸で作られているイメージが強いですが、実際には射精直前に複数の器官からの分泌物が混合し作成されるもので、普通の状態の人間の体内に精液自体はありません。その約7〜8割は精嚢(せいのう)で作られる「精漿(せいしょう)」と呼ばれる体液で、射精直前に前立腺分泌物と精子と混合されます。精嚢は前立腺の後ろにある5cmほどの袋であり、一般に精液と呼ばれているものの7〜8割は睾丸ではなくこの袋で生産されています。そして、精液に含まれているタンパク質は精嚢で生産されており、一般に精液として認識されている液体は精漿です。睾丸は精子だけを生産する専用器官なのです。前立腺で生産されるタンパク質分解酵素は精液の粘度を調整する役目をしており、精液のドロっとした粘液感は前立腺からの分泌物によって決定されています。

第1表　各種動物の精液内果糖含量　(mg/dl)						
	人	牛	羊	山羊	豚	馬	兎
範　囲	91〜520	280〜1500		270〜850	5〜25	9〜45	
平　均	224		247		12	15	935(μg/器官)

『日本獣医師会雑誌』12巻 (1959) 1号
「精液内果糖について」
精液に含まれる果糖の含有量に関する論文。人間の場合、91〜520mg/dL、平均224mg/dLというデータが示されている

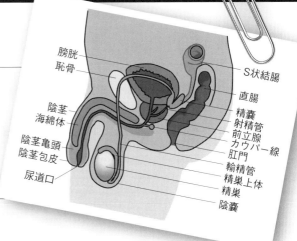

精液の生産ライン
精液は、射精直前に複数の器官からの分泌物が混合されて作られる。そのほとんどは精嚢で作られる精漿という体液であり、射精直前に前立腺分泌物と精子と混合される。精液の粘液感は、前立腺からの分泌物によるもの。睾丸では精子のみ生産されている

膀胱
恥骨
S状結腸
陰茎
海綿体
直腸
精嚢
射精管
前立腺
カウパー線
陰茎亀頭
陰茎包皮
肛門
輸精管
尿道口
精巣上体
精巣
陰嚢

 ## 射精のメカニズム

射精は、2段階の生理現象によって行われており、そのメカニズムはこんな感じです。

■フェーズ1

性的興奮によって射精準備状態に入ると、精管の平滑筋が精子を精管膨大部に送りこみ、休眠状態だった精子を活性化させる。同時に、精嚢で精漿の生産と蓄積が始まる。

■フェーズ2

各部の平滑筋が収縮して、精子・精漿・前立腺分泌物が射精管へ送り込まれて混合され、尿道を通過する時にカウパー腺液と混ざって射精される。

なお、精液がどれだけ勢いよく飛ばせるか、その能力は精嚢の平滑筋の筋力によって決まります。平滑筋は筋トレで鍛えることができないので、精液を飛ばす能力はまさに天与の才能なのです。

 ## 精液の味に違いが出る理由

精液に含まれている成分に関しては、古くから研究されていました。しかし、複雑な有機物やタンパク質の混合液である精液の成分を分析するのは難しく、1901年にオランダのフーローニンゲン大学のウイリアム・マン（William Mann）教授が244人の精液を味見して調査しています。その結果、精液の味に個人差があることが判明しましたが、具体的に何がどう違うのかまでの結論は出せていません。

当時はまだ分析器が発達しておらず、科学研究の分野において成分を分析・比較・同定するための手段として、味見という手法が主流を占めていたことによります。糖尿病が尿を舐めてみたら甘かったことから命名されたように、本当に昔の尿検査は医師が患者の尿を口に含んで味見して診断していました。糖尿病の診断基準は尿の味だったのです。

なので、いい歳した医学者が244人の精液を舐めてみるという研究は、当時としては別に変態でも頭がおかしかったわけでもないし、むしろ精液に関して珍妙な学説が唱えられたりしていたので、精液について真面目に研究するという面で意味がありました。その「珍妙な学説」については、69ページで解説しているのでそちらを読んでみてください。

　医学に限らず、有機化学の分野でも古い論文を読むと物質を舐めた時の味に関する記述が結構あるし、万有引力の発見で有名なアイザック・ニュートンはヤバイものの舐め過ぎで晩年、頭おかしくなったという説があるぐらいです。

　話を戻すと、その後1925年に、精液中の果糖を単離することに成功した学者が出現。精液中の果糖濃度を測定する反応が発見されたため味見という手法は廃れ、科学的分析法へと移行しました。

　精漿にはいろいろな成分が含まれていて、精子が泳いで卵子まで辿り着くためのエネルギーを精子自身は持っておらず、精漿に含まれる果糖からエネルギーを得て泳いでいます。人間の血液中には栄養としてブドウ糖が溶けていますが、なぜか血液から精漿が作られる時に、ブドウ糖から果糖へ変換されるという謎があります。これは精子の運動が無酸素運動であるため、果糖の方が都合が良いからではないかと考えられているようです。人間の精液内果糖含有量は91〜520mg/dL、平均224mg/dLというデータがあります。結構、個体差が大きいのです。

　体外に出た精液は、時間が経過するにつれてpHが低下します。これは精子が精漿中の果糖を分解して乳酸を生じるためです。この分解速度を示すのが「果糖分解指数」で、「37℃で10億の精子が1時間に分解する果糖のmg数」と定義され、この数字が大きいほど精子の活動が活発だと考えられています。

　ではなぜ、最初から精液という形にせず、射精直前に精子と精漿を混合するフェーズが行われているのでしょうか…？　それも、エネルギーを浪費しないためだと考えられています。

　ちなみに、フェーズ1のまま射精しないでいると、精子と精漿がジワジワと前立腺の中に漏出し始めて、カウパー腺液と混合して体外に排出され始めます。膣外射精しても妊娠するリスクがあるといわれてい

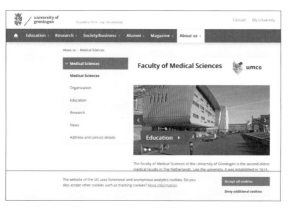

味見をするという行為は、古典的な研究手法の一つ。精液に関しても、1901年にオランダ・フローニンゲン大学のウイリアム・マン教授が200人以上の精液を舐めて調査している。なお、この研究に関する資料は孫引きだけのものしかなく、原文は残っていない。第二次世界大戦時にナチスが逃げる際、建物を爆破してすべて灰にしたからだ。その後再建されたため、現在のフローニンゲン大学医学部は近代的なデザインとなっている

フローニンゲン大学
https://www.rug.nl/

Memo:

るのはこのためで、フェーズ2が行われないまま萎えてしまうと精子と精漿は少しずつ尿と一緒に排出されてしまうのです。精漿は、フェーズ1の射精準備状態に入ると血液を原料に生産され、精嚢の中に溜まります。普段から体内に蓄積されているわけではなく、その時の血液中の成分が直接、精漿の成分に反映されるため、食べた物が精液の味に影響するのはちゃんと医学的なエビデンスがあるのです。

　なので、エロマンガに登場する男性キャラクターが射精する精液は、相手を妊娠させることが目的なのであれば、果糖含有量が500mg/dL以上あり、果糖分解指数200以上が理想的です。同様に、AV業界は男優を採用する時に精液の果糖含有量と果糖分解指数を調べてみて、数字が大きいほど精液の勢いが良いのでお勧めだといえるでしょう。

 ## 種付け用家畜からの助言

　精子は睾丸から直接射精されているようなイメージがありますが、現実には長い間、精管の中で待機していた精子が射精されます。精子の道のりは長く、睾丸の中で精子ができるまで、実に3か月近くもかかるのです。

精原細胞 ➤ 精母細胞 ➤ 精子細胞 ➤ 精子

　こういった流れで出来上がった精子はその後、精巣上体というこれまた長い遠回りな道のりを数日かけて移動して精管に辿り着き、そこで休眠状態になって射精の時を待つのです。この待機期間は1か月以上にも及ぶことすらあり、精子は意外と新鮮なものじゃなく長い時間をかけて熟成されているといえます。ゆえに、1回射精すると精管の中に備蓄されていた精子が放出され在庫不足になり、2回目以降の射精では精子の量が1/3程度にまで激減。そして3回目以降になると、1/10にまで減ってしまうのです。これが完全に回復するためには正常な人間で、3日以上の時間が必要です。

　なので、1回目を膣外で射精した後に、2回目を膣内に射精する…などということをすると、妊娠率が激減してしまいます。妊娠が目的なのであれば、最初から膣内に射精すべきです。逆に、妊娠したくない場合は、膣以外で2回以上射精しておくと妊娠率が激減するので、エロマンガ家の先生方にはぜひこのデータを参考にしていただきたいですね。もちろん現実にはオススメしません。

　また、こうした精子の減少に対して精漿の果糖含有量は、射精回数に関係なく一定値が維持されており、短時間に連続射精しても精液の成分はほとんど変化しません。これは精漿が短時間で製造可能な分泌物であることを示していますが、3回目以降は濃厚な精子が含まれていないので、もはや単なる体液といえるでしょう。

　精力絶倫で何回でも射精できる人間は、精子の生産能力が高いのではなく、精漿の生産能力が高いだけです。つまり、AV男優の中でも精液を吐き出す専門の男優は、睾丸よりも精嚢の性能を重視すべきでしょう。ダジャレじゃないよ…。

学科が良くても性病なら不合格になる…

東大入試のチ○コ検査

明治時代から戦後にかけて、名門大学では健康診断の一部として、男性器の検査も行われたという。素行調査などの意味もあったらしいが…。それを突破する試験対策もあったそうな。

現代人の感覚からすると変態にしか聞こえませんが、大昔は東大をはじめとする名門大学や名門高等学校の入試科目にチ○コの検査が実在していました。そして、チ○コ試験対策してくれる受験予備校みたいな病院まであったのです。

天才・羽太鋭治博士のお仕事

性科学者の羽太鋭治博士は速筆な文学作家でもあり、本人名義の医学書だけで74冊とドイツ語からの翻訳書1冊を刊行。さらに、『家庭の医学』など多くの医学誌への寄稿もしていた。他にもドイツ留学費を稼ぐため、ペンネームで多くの文学作品を執筆しており、中には映画化された作品もあった。当時の映画俳優や映画関係者とも交流があったようで、『キネマ・スターの素顔と表情』(南海書院)という映画本も本人名義で出版している。

俗に低俗文学と揶揄される、現代でいえば「サブカル作家」で、素性がよく分からない複数の作家の中の人だったという説もある。映画史研究家の牧野守は、「複数の民衆娯楽映画の原作者」であったと述べている。

当時はドイツ留学してドイツの博士号を取得すると、日本の医学博士よりも上位資格と思われていたらしく、雑誌などにはDoktor der Medizinのカタカナ表記である「ドクトルメヂチーネ」の肩書きで載っていた。

『読売新聞』1916年10月26日の新聞広告
『家庭の医学』の編纂として、「ドクトルメヂチーネ」の肩書きで羽太鋭治の名前が記載されている

Memo:
参考文献・画像出典など　●「日本皮膚科学会ケミカルピーリングガイドライン（改訂第3版）」
https://www.dermatol.or.jp/uploads/uploads/files/guideline/1372913831_1.pdf

「東北大学医学部入学直後、『M検』で全裸に Vol.8」
m3.com　https://www.m3.com/

M検の様子
これは戦時中に行われていた徴兵検査のもの。
素っ裸で身体検査が行われていた。東大など名
門大学でもこのように、男性器の性病チェック
が実施されていたという(写真／Wikipedia参照)

　このチ○コ検査、通称「M検」と呼ばれた試
験は、徴兵検査の一環として実施。しかし、
1906年（明治39年）、当時は実質的東大付属
高校ともいわれた日本一のエリート高等学校・
第一高等学校で生徒の健康診断を行ったとこ
ろ、生徒の1/3が性病に感染しているというと
んでもない結果が出てしまいました。当然です
が、全員高校生なので未成年。高校生が風俗店
に通い、性病をもらってくるのが日常茶飯事と
いうことが発覚し、教職員は激怒したのです。

　このため、翌年から入学希望者全員に性病検査を行うことになりました。試験の成績が優秀でも性病
だったら不合格になったのです。入試の時に完治していても、性病の痕跡があれば不合格という厳しい
基準でしたが、身体検査というより風俗通いしていないかどうかの素行調査だったというべきでしょう。
中学生の時点で風俗店通いしていたら、現代はもちろん、さすがに当時の高校入試でもダメな気がしま
す…。中学生や高校生の身分で風俗店に通うような男はエリート教育を受ける資格がない…、という判
断は妥当だと思いますが、エリートなら子孫を残せなければダメと、優生学的な将来性も評価対象とな
っていました。キンタマが袋の中に入っていない停留精巣など、子供が作れない先天性障害はもちろん、
包茎や恥垢がヒドかったり租チンでも不合格になったそうです。

● 『キネマ・スターの素顔と表情』(ゆまに書房) 牧野守 監修、羽太鋭治 著
　羽太鋭治が大正時代に出版した本の現代リメイク版。2006年に出版された

戦前には、抗生物質による治療がありませんでした。梅毒の感染後、10年目以降に起きる第4期の症状では、多くの臓器に腫瘍が発生したり、脳や神経を侵されて「麻痺性痴呆」と呼ばれる症状により頭がおかしくなって死亡したりします。そのため、高校や大学入学時点で梅毒に感染していると、30歳前に気が狂って死ぬ確率が高く、せっかく高等教育を受けさせたのが無駄に…。その上、結婚相手や生まれた子供まで梅毒に感染してしまい、エリート家系が断絶してしまう可能性もあります。「入学資格なし」とみなされるだけの事情もあったのです。

　東大では1956年（昭和31年）度入学者までは、M検が実施されていました。東大が廃止したことにより他の学校でも行われなくなり、昭和40年代中頃には実施されなくなったといわれています。1952年4月に東北大学医学部に入学した、東北大学名誉教授の久道茂先生も「M検を受けた」と証言していますが、ただこれは入学後のことで入試時ではなかったようです。

 ## 大学入試科目「M検」の謎

　まずそもそも、M検の「M」が何を意味しているのか諸説あってはっきりしていません。男根を意味する「魔羅（Mara）」からという説が有名ですが、M検自体が公文書に登場しない俗称であり、いつ誰が付けた名称なのか分からないのです。

　1928年にできた陸軍規則には「トラホーム及び花柳病の検査は全員に行う」と書かれていますが、それ以前は疾病ある者としか書かれていません。トラホームはクラミジアが原因でなる目の病気で、性病だけど診察する場所は目になります。戦前は失明や視力低下の原因になっていたのです。最初に徴兵検査に性病検査を持ち込んだのは、オランダ人医師アントニウス・ボードウィンという説があり、彼の専門は眼科でした。また、明治時代にヨーロッパで行われていた梅毒の検査は軍人ではなく、軍人の相手をする売春婦が対象だったといいます。当時のヨーロッパは、結婚するまで処女と童貞でいなければならないという社会規範だったためです。

　日本で梅毒の検査が始まったのは、1867年（慶応2年）に英国公使ハリー・パークスの要請によって横浜に梅毒病院が設立されたのが始まり。東京慈恵会医科大学の創立者でもある医師の松山棟庵が関わっていますが、これはイギリス兵を相手とする売春婦を検査するための医療機関です。少なくとも日本軍が性病検査を公式に始めたのは1928年からで、1871年の日本初の徴兵検査の時には概念すら存在していなかったと思われます。

　これらから推測できるのは、M検を始めたのは軍ではなく、第一高等学校→帝国大学→陸海軍の流れである可能性です。青空文庫や国会図書館デジタルコレクションや戦前の新聞記事を、「M検」で検索しても該当はナシ。もしかしたら、この呼び名自体が戦後の創作かもしれません。

Memo:

第十三條　醫官ハ受檢者中故意ニ身體ヲ毀
傷シ又ハ疾病ヲ作爲シ其ノ他詐僞ノ所爲
ヲ用ヒタリト認ムル者アルトキハ之ヲ徴

第十二條　「トラホーム」及花柳病ノ檢查ハ
受檢者全員ニ就キ之ヲ行フベシ

第十一條　微兵醫官ハ身體檢查上騎乘ノ適
否ノ斷力ノ强弱其ノ他兵種選定ニ關シ資
料ト爲ルベキ事項ハ之ヲ聯隊區司令官ニ
通告スヘシ

合ハ捺印セザルモノトス
ニスヘシ但シ規定上檢查ヲ省略シタル場
ノ上部ニ自印ヲ押捺シテ檢查ノ責任ヲ明
シ其ノ直下ニ「記載事項ナキトキハ空欄
壯丁名簿ノ各欄ニ当該檢查所見ヲ記入

ノ肩書上ニ「△」ノ符號ヲ附スヘシ
ノ異常(綜合シタル場合ハ主要ナルモノ)
等位ヲ定メタル疾病其ノ他身體又ハ精神
前項ノ記入事項二箇以上アルトキハ體格

入スヘシ
來參考ト爲スヘキ事項ハ之ヲ相當欄ニ記
其ノ他ノ身體又ハ精神ノ異常ヲ記入シ尚將
除クノ外ハ其ノ體格等位ヲ定メタル疾病
不足ノ故ヲ以テ丙種又ハ丁種ト爲ス者ヲ
第十條　壯丁名簿ニハ甲種ト爲ス者及身長

陸軍規則1928年3月26日陸軍省令第9号／昭和3年第15号(国会図書館デジタルコレクション参照)
第12条に、「トラホーム」と花柳病の検査の実施について書かれている

 ライバルに差をつけるチ◯コ模試対策

　梅毒が完治できるようになったのは、戦後になって抗生物質が一般化してからです。戦前は1度梅毒に感染すると、治ったように見えても体内に潜伏していて、一生治りませんでした。

　検査では全身裸にされて、体のどこかに「梅毒性薔薇疹」と呼ばれる淡く赤い発疹がないか確認。もしあれば、「梅毒の疑いあり」と診断されました。そのため、症状が出ていなくても不合格になることもあったのです。つまり、受験生は1度梅毒になったら、どんなに勉強して学科試験で良い点を取っても東大など名門大学への進学は不可能に…。

　受験競争が激化すれば受験対策する予備校が儲かるという理屈で、このM検対策をしてくれる医者が現れました。最初にM検と同じことをして、受験生のチ◯コに点数をつけてくれます。要するに、チ◯コ模試です。点数が低かったり不合格基準になる問題がある場合は、有料で治療してくれます。

　当然のごとく、受験生の間であそこの病院で診てもらった先輩は合格したという情報が流れるようになりました。東京・神田小川町にあった泌尿生殖器科医院は、M検対策をしてくれる受験予備校的なことをしていた病院として評判になり、実際に多くの名門校合格者を輩出しています。

　病院長は、正義の変態性欲で悪の変態性欲者を誅する「大正変態仮面」、ドクトル・羽太鋭治（はぶと えいじ、詳しくは69ページ）です。「花柳病科（かりゅうびょうか）」という診療科で、現代でいえ

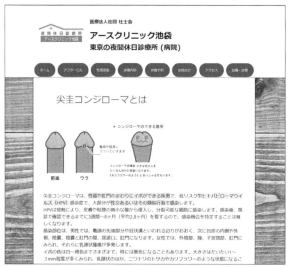

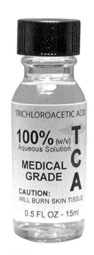

トリクロロ酢酸
ケミカルピーリングの薬剤として、美容整形や尖圭コンジローマの治療で使用される

アースクリニック池袋　https://www.earth-ikebukuro.com/

ば性病科になります。当時は皮膚科と花柳病科がセットになっていて、感染症というより特殊な皮膚病という扱いになっており、見た目をどうにかするのが主流でした。泌尿器科・皮膚科・花柳病科を標榜していた病院の多くは、受験対策として性病による症状の痕跡を消す治療も行っていたのです。

　とにかくチ〇コの見た目が大事なので、感染症治療が発達していなかった当時、美容治療に近いような見た目をきれいにする治療が行われました。

 ## 痛みに耐える…恐怖の受験対策

　まずは殺菌剤を染み込ませたガーゼで傷口を覆ったりして、体の表面に近い部分だけ殺菌します。場合によっては、外科的に壊死組織を切除するデブリードマンを実施。この場合は、感染症の症状が体の表面に出ている部分を切除し、細い絹糸で傷口を縫合します。傷痕はきれいに縫えばチ〇コのシワと見分けがつかなくなるのです。梅毒の病原菌は体内に潜伏しているので、一部だけ切除しても根本的な治療というわけではなく、あくまで見た目を整えて感染の事実をごまかしているだけです。

　膿が出ていたり変なタダレになっている部分は、酸で焼く「化学焼灼」というものすごく痛い治療法で対処します。トリクロロ酢酸を薄めたものを塗って皮膚再生を促す「ケミカルピーリング」と呼ばれる治療法で、俗に「性病でチ〇コがカリフラワーみたいになった…」といわれる尖圭コンジローマの治療に有効な方法です。トリクロロ酢酸の濃度が濃いほど皮膚が深く溶け、塗る量の加減で皮膚の溶け方

Memo:

去る卅日午前六時頃市外大井町立
阿出により大井署の検視取調べ
の結果阿氏は昨年十二月頃睡眠剤
血を起し以来健康すぐれず同
時に加えて神経衰弱に罹り最近は
薬のためうつうつとして面会も
謝絶され、比宮沙汰に罹る最近は
請求され、昨夜自邸にあった十
十留守宅でカルモチンの友人毒死を企て
四ツ四日午前七時自殺を図る十
ついて霧の消毒液沙汰状に
潮来形町収納事河合管師
竹の宅の凶のスターが引き切られて其の他
別宅は一日夜從囑懇醫師に宛て
裏は自殺した羽太博士

竹の宅のスターが引を切られて其の他
書四通の中には新記氏殺訟沙汰状に
ついて償り過激保護士に宛てて
たも

羽太鋭治博士
睡眠剤で自殺す
強度の神経衰弱から

大騒ぎとなり附近町収納事河合管師
の来診手当を求む手当中井一日午前十
蒔五十分頃に死起した

稀代の性科学者であった羽太鋭治博士
の自殺を伝える新聞記事。享年53歳。
医師法違反の一種で逮捕され、厳しい
取り調べによって脳に障害を負い、そ
れ以来体調が優れなかったという。こ
の辺に関しては、73ページでも説明し
ているのでご確認いただきたい
（『読売新聞』1929年9月2日夕刊参照）

が変わります。病状を診て、トリクロロ酢酸の薄め加減を決めるのは医師のカンと経験次第なので、ヤ
ブ医者だとヒドイ目に遭いますが名医だと見事に治ります。

　現代でレーザー治療として行われているものと原理は一緒ですが、レーザー治療とは比べものになら
ないほど苦痛が大きかったらしく、文字通り、生皮を剥ぐとか傷口に塩をすり込むような感じだったと
のこと…。それでも、名門学校に合格するために痛みに耐えながら受験勉強していたようです。

　しかも、治療中は末梢血管の収縮をおこして血流を悪くするタバコは厳禁だし、酒も飲めません。い
や、中高生なんだからどっちもダメだろって思うのですが、当時の医師が「チ○コが腐って無くなるぞ」
と厳しく指導しなければならなかったらしいので、彼らにとって飲酒喫煙は割と普通だったようです。
中高生が飲酒喫煙した挙げ句、風俗店に行って性病にかかるとか…ってツッコミたいところですが、そ
んなふざけた遊びが可能なのは金持ちの御曹司なので、病気になっても医者に金を積めば治ると軽く見
ていたのかもしれませんね。

　医療を尽くしてもチ○コが合格見込みにならない場合もあったのですが、その時は…。梅毒は治療し
なくても3年以内に症状が消えて治ったように見える潜伏期に入り、血液検査で梅毒の感染を検査でき
なかったため、梅毒の見た目の症状が消えるまで故意に浪人するという選択肢もあったようです。経歴
に「病気により」浪人とか留年という人がいたら、性病の疑いがありというわけ。

　ちなみに、トリクロロ酢酸を使った治療は現在でも行われており、日本皮膚科学会ケミカルピーリン
グガイドラインにも載っています。最近は花粉症の治療として、鼻の穴に麻酔をしてから薄めたトリク
ロロ酢酸で鼻の粘膜を焼き、花粉に反応しなくさせる治療もあります。また、家畜やペットなど獣医の
領域でも一般的に行われており、爪や角を切除した後の処置にも使用。

　なお、M検が無くなった21世紀現在でも、亀頭のブツブツを日帰りで治す病院があります。M検を
する女性でもいるのでしょうか？　それほどチ○コの見た目は人物評価に重要なのでしょうかね？

天才・性医学者による変態性欲の研究

大正時代の性教育論 前編

性教育の難しさはいつの時代も変わらない。その原点は明治時代に遡る。明治時代に、医師や大学教授など著名な有識者らの議論から始まった。そして、大正時代に花が開いた…。

　明治時代になると風紀の乱れや性病の蔓延など、性にまつわる問題が深刻な社会問題となりました。義務教育で性教育の導入が検討されたものの、教育界は学生の性の扱いに打つ手を持たず、何をどうしたらいいのか分からない状態。その結果、医学界が教育界を指導するかたちで、厚生省と文部省に新聞などのマスメディアまで巻き込み、医学者と教育者との議論による性教育の形成が試みられたのです。

　「性欲問題を子弟に教ふるの利害」というテーマで、1908年（明治41年）9～10月にかけて行われました。9人の有識者が参加し、計21回にわたり開催。その内容は読売新聞に掲載されて、当時大きな反響を呼んだそうです。決定的な結論こそ出なかったものの、日本の性教育の最初の一歩となった大きな議論の始まりでした。

　なお、この議論に参加した9人の有識者は、当時の日本における最高権威が集まったドリームチームだったのです。

『読売新聞』に掲載された、「性欲問題を子弟に教ふるの利害」の記事。慶応義塾大学教授の向軍次先生が解説している回

Memo:

変態性欲の研究
（学芸書院）
羽太鋭治

性教育界のパイオニアと
いえる、羽太鋭治医学博
士による著書。他に『性
欲教育の研究』もある
（国立国会図書館デジタ
ルコレクション参照）

■医学史研究家 富士川游

医学史研究の最高権威。医師で歴史研究で文学者で、日本医学ジャーナリズムの始祖という多才な人物。文学博士＆医学博士のダブル博士号持ち。

■東京女子医科大学校長 吉岡弥生

女医で東京女子医科大学の創立者。9人の中で唯一の女性。当時としては、産婦人科・性医学の分野において日本有数の権威でもあった。

■東京女子高等師範学校教授 下田次郎

東大哲学科大学院卒で女子高等師範学校の教員を務め、女性教育の最高権威の1人。現在でも「日本の女子教育の振興の祖」といわれている。

■日本女子大学校長 麻生正蔵

女性蔑視時代に男女平等の教育を説き、日本女子大学の創立に尽力した教育者。女性教育の最高権威の1人。NHKドラマ『あさが来た』に登場した絹田さんのモデルで、ドラマ通り貧乏で清貧の士だった。

■第一高等学校教授 三並良

プロテスタントの牧師でもあり、名門高等学校でドイツ語の教授をしていたドイツ哲学の最高権威。

■慶応義塾大学教授 向軍次

思想家として江戸時代から続く悪習の根絶と、近代人権思想の普及に貢献した文明開化の申し子。

■慶応義塾大学教授 稲垣末松

前時代的な儒教教育を否定して、現代科学に基づく教育を推進した人物。フランス教育学の最高権威。フランス語学術書の翻訳者でもあり、多くの近代フランスの教育思想を日本に持ち込んだ。

フランスとドイツに留学して、近代教育学を先導した文学博士。教育における倫理と道徳の分野では、当時の最高権威であった。

■東京音楽学校長 湯原元一

東大医学部卒だが医師にならず文部省の官僚になり、日本の教育行政を主導した。文部省を退官して教育者となり、東京音楽学校長に就任。生徒の自主性を尊重した自由主義教育を主張した。教育こそ最もローリスク・ハイリターンな投資であり、教育に金をかければかけただけ、国力増強となって返ってくると主張した偉人。

性教育を発展させ変態性欲を研究

「性欲問題を子弟に教ふるの利害」の議論の後も、時代の要請により性教育に関する議論は活発に行われました。大正時代に入ると性医学者が脚光を浴びることになり、多様な性医学書が出版されたのです。

特に、性欲の中でも「変態」に関する研究は大正時代に入ってから急激に発達し、1917年（大正6年）～1926年にかけて日本精神医学会より『変態心理』という雑誌が定期刊行され、変態とは何かを真面目に議論されるようになります。欧米ではキリスト教的価値観に基づき、変態は地獄に落ちる、変態には悪魔が取り憑いているとして、聖職者や庶民が拒絶反応を示したのに対し、日本はキリスト教的価値観が薄かったことで、変態の研究がきちんと進んだのではないでしょうか。

その中でも特筆すべきは、羽太鋭治医学博士という人物で、学芸書院より『性欲教育の研究』と『変態性欲の研究』を出版し、「家庭による私的性教育」と「学校による公的性教育」の両輪による教育システムの確立を訴えました。まさに性教育界のパイオニアといえます。題名からしてアレなのですが、ちゃんと内務省の国家検閲をパスしました（笑）。

変態性欲という題名だけあって、SMや露出狂どころか、「女性的男子」という名称で「男の娘」についてまで言及されているスゴイ本です。実際に読んでみると、日本の変態は大正時代に完成してたんじゃないだろうかと思います。大正浪漫物の作品を執筆されている作家の皆さん、大正時代に「女性的男子喫茶」という名称で「男の娘カフェ」を出しても時代考証的にOKといえそうですよ。

変態性欲の研究というと誤解を招きそうですが、何が正しくて何が悪いのか性欲の善悪をハッキリさせて、国民が悪い性欲に溺れないように正しい性教育を行い、「正しい性欲生活」に導くことが意図されていました。その中でもかなりのページ数を割いて、世界各国の刑法まで列挙して最も悪い変態性欲としているのが「強姦」です。

強姦魔に対して刑罰だけでなく精神病としての治療も必要と説いていますが、当時の精神病の治療って、死ぬまで精神病院に監禁することなんですけど、それって実質的に終身刑…。21世紀現在のアメリカに、コーリンガ州立病院というペドフェリアを死ぬまで監禁しておく専門の精神病院があることを

Memo:

考えると、日本の法務省が変態性欲の研究成果を無視したことは、女性には不幸だったとしかいいようがありません。大正時代の強姦の罪は軽かったのです。

　明治から大正時代の刑法第三百四十八条に、「婦女ヲ強姦シタル者ハ軽懲役ニ処ス」と強姦罪の規定があるのですが、長くても30日程度。しかも、被害者女性の大半が泣き寝入りし、警察に訴えても99.9％は被害届の受理すらしてもらえず追い返されるような時代でした。1933年（昭和8年）以前の統計に「強姦」「強制猥褻」などの項目が存在しないため、大正時代の強姦事件がどの程度あったのか正確な数字は不明ですが、「女の子は暗くなったら出歩いてはいけません」「門限は厳守しなさい」と言われていた理由がよく分かるでしょう。

　そんな暗黒時代に、強姦がいかに異常で悪で犯罪であるかを説いた『変態性欲の研究』は、もっと正当に評価されていいと思います。今の時代にこそ、変態性欲の再研究が必要ではないでしょうか？

フォオオオ！天才医学博士のチン説

　さて、羽太鋭治博士はドイツから持ち帰った学説として、以下の説を唱えています。

「精液は血液に吸収され、心臓に送られた精液が心臓の働きによって各組織に送られる。筋肉組織に送られた精液は筋肉を増強させ、脳に送られた精液は新しい思想や要求、希望を起こさせ精神により明瞭なる理性、より健全なる判断、より高き野心、より決定的な目的及びより強い意志を与える。しかし、精液の浪費は身体の健康を害する危険性があるから、自己抑制とは美しき教訓なり」

　現代人の目で見れば大変な珍説ですが、何しろドイツ留学した医学博士の高説なので当時は真面目に信じる人がいたそうです。変態性欲で筋力増強して精神力も強化されるヒーローといえばマンガ『究極!!変態仮面』の主人公ですが、変態仮面の変身プロセスって実は羽太鋭治説に基づいていて、おいなりさんから精液が全身の筋肉と脳に送られてパワーアップしていた可能性が…。

　ということで、誰か羽太鋭治博士を主人公にした『大正変態仮面』を書いてくれませんか？　普段は神田小川町で開業医を営む羽太先生は、婦女子が危機に陥ると正義の変態性欲がみなぎり、おいなりさんから精液が全身の筋肉と脳に送られ、愛と性技の使徒・超人「変態仮面」となって、悪の変態性欲者に天誅を下す…とかダメですか？　ソウデスカ。

究極!!変態仮面
（集英社文庫）
あんど慶周

フォオオオオ！

HK変態仮面シリーズ
（ティ・ジョイ）

『究極!!変態仮面』は、1992〜1993年に『週刊少年ジャンプ』で連載され、当時の青少年に圧倒的なインパクトを残した。それを原作に2013年、鈴木亮平主演で『HK変態仮面』が公開。2016年には続編『HK変態仮面 アブノーマル・クライシス』が製作・公開された

座薬と偽り少女に…「女子学生肉棒治療事件」

大正時代の性教育論 後編

66ページからの前編で、強姦されて警察に訴えても99.9％は被害届の受理すらしてもらえないと説明したが、受理してもらえた0.1％の事例がある。それが「女子学生肉棒治療事件」だ。

1923年（大正12年）、日本海員掖済会横浜出張所附属病院の病院長であり、東大医学部卒で医学博士の超エリート医師である大野禧一が強姦・堕胎未遂事件「大野博士事件」を起こしました。日本四大財閥の一つ安田財閥の系列企業で当時、資本金1,200万円の大企業だった群馬電力の専務・小倉鎮之助の6女で18歳女学生の哲子に、座薬と嘘をついて自分の男性器を挿入。妊娠させた上、秘密裏に強制堕胎させて隠蔽しようとしたのです。分かりやすく「女子学生肉棒治療事件」としましょう。

「俺は安田財閥幹部の小倉だ。俺の娘が強姦されたぞ、長官出せ！」

父親の小倉が弁護士を連れて横浜地裁に怒鳴り込んで、ようやく受理されました。こんなヒドイ事件なのに、当時の強姦被害者が被害届出すのがどれほど大変だったか、想像に難くありません。

幼い頃から慢性気管支炎に苦しむ娘のために、小倉鎮之助は当時最新最高水準の医薬品から医療設備を買い集めた私設診療所を自宅に作り、エリート医師に往診してもらっていました。真の富豪は病院に行くのではなく、病院を作って医者が来るのです。

大野禧一は「肺病は如何にして癒つて行くか」という肺病治療の研究で、京都大学から医学博士を授与された肺病の治療において当時最高権威の医師と見られていました。小倉鎮之助は、彼に6,000円もの莫大な額の謝礼を支払って娘の治療を依頼しています。当時の群馬電力の大卒社員の年収が約600

「大野博士事件」に関する新聞報道。なお、当時の小倉鎮之助の役職は専務だったが、社長は名義上だけの存在で、群馬電力の代表権を持つ経営者は小倉鎮之助だった。ゆえに、当時の新聞報道などでは「小倉社長」と書かれている。また、小倉鎮之助は安田財閥最高意思決定機関の幹部でもあり、長者番付に載るほどの富豪だった（『読売新聞』1923年3月3日参照）

Memo:
参考資料・画像出典など　●国立国会図書館デジタルコレクション『肺病は如何にして癒つて行くか』https://dl.ndl.go.jp/info:ndljp/pid/934136
『明治・大正・昭和歴史資料全集 犯罪篇』下巻　https://dl.ndl.go.jp/info:ndljp/pid/1920457/178

『肺病は如何にして癒つて行くか』
（横浜評論社）大野禧一
（国立国会図書館デジタルコレクション参照）

大野博士事件（女子学生肉棒治療事件）
1923年、東大卒の医学博士であった大野禧一が起こした強姦・堕胎未遂事件。被害者となった18歳の女学生は、自分が強姦されていることを理解できていなかったという。性教育の重要さが再認識される契機の一つとなった

円だったことを考えると、ブラックジャック並の報酬といえます。しかし、小倉邸に呼ばれた大野禧一は密室で2人っきりになると治療などせず、「座薬を入れるからね」「痛いかもしれないけど我慢してね」と言って自分の男性器を生挿入し、3回にわたって中出ししていただけだったのです。

　それにしても哲子は、犯されていることをなぜ両親に言わなかったのでしょうか？　それは両親が彼女の周りから有害図書を徹底的に排除し、子供に対して一切の性教育を行っていなかったからです。性知識ゼロで、母親からは「偉い東大博士のお医者様だから、おっしゃる通りにするのよ」と言われていたので、哲子は医師の言うことをすべて信じて医療行為が行われていると疑わず、レイプされている自覚そのものが無かった…らしいのです。今でいう、無知シチュってヤツでしょうか。

　不信に思った父親が哲子を病院に連れて行くと、妊娠していることが発覚。横浜地裁に告発して大野禧一は逮捕されました。この事件は当時、新聞の一面記事となり抗議デモが東大病院に押しかけ、警官隊ともみ合いになったり、投石により窓ガラスが割れたりと大きな騒動になったようです。

　さらに当時のマスコミには、プライバシーという概念などなく大野禧一の自宅の住所まで報道してしまったため、「ここが強姦魔の家だ！」と横浜中に知れ渡ってしまいました。怒り狂った民衆に打ち壊しに遭い、家族はどこかに逃げたそうです。

　事件後、マスコミで盛んに「大野博士」と報道されため、博士号を授与した京都大学に保管されていた博士論文が多くの医学者に査読されることになりました。結果、デタラメな不正論文だったことが発覚し、大野禧一は肺病の治療などできなかったことが明らかになり、さらに炎上。「京大ならデタラメな論文でも博士になれる」とマスコミに叩かれ、京大の権威失墜にまで波及して、京大から医学博士を授与されていた医師が誹謗中傷される惨事になるなど、東大だけでなく京大にまで盛大に飛び火して大正時代の終わりまで炎上し続けました。こういう事件は昔からあったんですね。

　強姦罪が実質的に犯罪扱いされていなかった時代に、懲役6年の実刑判決を受けたのはかなりの重い判決に見えますが、強姦がメインだったわけではなく、堕胎罪・医師法違反・詐欺など余罪山盛りでの結果です。その上、警察も裁判所も弁護士も、父親の小倉から「安田財閥を敵に回す覚悟で言ってるんだろうな」ってガチギレで脅迫されての判決だったようです。

　大正時代の少年の間で将来なりたい職業ベスト3は、大臣・大将・博士だったそう。しかし、博士が

悪質な強姦詐欺師だったことが連日報道されたことで、子供の夢は木っ端微塵に砕かれてしまいました。そういう意味でも罪は重いといえるでしょう…。

　裁判の判決後、小倉鎮之助はマスコミの取材に応じて「娘を立派な淑女に育てるため、芝居や映画や小説や女性雑誌など、一切の刺激から遠避けた私に罪がある」と懺悔しています。

　大野禧一はというと、治療費として小倉から受け取った6,000円の大金を使って弁護団を編制。保釈金を積み釈放されると、姿を隠して逃げ回りながら最高裁まで徹底的に無罪を主張して争いました。最終的に最高裁で懲役3年の実刑が確定して服役し、医師免許も博士号も剥奪され、東大の卒業者名簿からも抹消されたのです。なお、彼は出所後にマスコミの取材を受け、「南米へ行く」と言って当時流行っていた南米開拓団の一員として日本を出国しました。それ以後は消息不明です。

　刑期を半分にした弁護団は頑張ったといえなくもないけど、この弁護団による無罪主張に安田財閥は激おこです。安田財閥代表・安田善次郎の名前で、横浜から東京一帯の弁護士全員に「強姦犯を弁護したる者は安田の敵と見なす」という勧告書を送りつける騒ぎまでになっています。戦後の財閥解体で安田財閥が消滅するまで、弁護士はうかつに強姦犯を弁護できなくなり、非常に強姦魔にとって不利な状況になったのでした。なお、被害者の小倉哲子は強姦によって妊娠させられた子供を産み、小倉家と親交のあった公爵家の養子の陸軍将校と結婚してさらに2児を授かり、76歳まで生きています。持病の治療をしなくても平気だったようです。

　女子学生肉棒治療事件と同年には、当時ベストセラー作家だった島田清次郎が、海軍少将舟木錬太郎の娘を誘拐・監禁・強姦して起訴された事件が発生。この大正二大強姦事件を契機に、社会では性について無知であることの無防備さが認識され、性教育の必要性が再確認されるようになったのです。そして、明治末期にストップしてしまった日本の学校教育における性教育に関する議論が再燃することになりました。本題から逸れていたようで、実は逸れていないのです。

　これ以後、警察は真面目に強姦罪を犯罪として扱うようになり、「女性を強姦してはいけない」とい

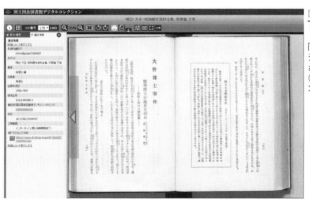

『明治・大正・昭和歴史資料全集 犯罪篇』
下巻(有恒社／1933年刊行)

「大野博士事件」という項目で、8ページにわたって事件の詳細について解説されている
(国立国会図書館デジタルコレクション参照)

Memo:

う社会常識ができました。しかし、これでめでたしめでたし…とは、ならなかったようです。

性教育の暗黒時代の始まり

　時代はあまり良くない方向に進んでおり、1923年に文部省が女学生の性教育には反対で、生理衛生で教えられる範囲以上の知識を教えた場合は厳重に処罰すると通達。性欲の害から子供を守るために学生が読む図書の検閲に乗り出し、教育現場は有害とされた自然主義文学・雑誌・新聞の取り締まりを実施して「女性に性欲はない」「子供の手淫は有害」といった、今となっては馬鹿げた論説を作り上げました。性別アイデンティティを構築し、男性による性支配を基盤とする近代国家を構築するための「性的欲望の装置」を完成させたのです。

　以後、性教育において教育界と医学界は断絶し、性教育から医学的な要素を排除するようになってしまいました。男子学生はひたすらに禁欲すべきとの価値観を強要し、自慰もSEXも厳しく禁じられるようになったのです。女子性教育に関しては、処女の貞操保護を目的に掲げた性教育論に傾倒し、結婚するまで処女でいることを強要しました。その辺の弊害が、この令和の時代にもあちこちに残っているように思えますね。その後、昭和初期に行われた変態性欲の抹殺は、焚書とか発禁なんて生易しいレベルではありません。関係者が次々と逮捕・殺害されたのでした。

　『変態性欲の研究』で名を馳せた羽太鋭治博士は、1928年（昭和3年）の年末に医師法違反としては極めて珍しい、医師としての品位保持義務に違反した罪状で逮捕。警察で厳しい尋問の後に脳に障害を負ったらしいのですが、一体何があったのでしょうか？　拷問か暴行か…。

　脳に傷害を負い体が不自由になった羽太鋭治博士は、翌年の1929年8月31日に自殺しました。少なくともワシは、この他に日本で医師が品位保持義務違反で逮捕された話を聞いたことがありません。

　同年の1929年3月5日には、性教育論を提唱した衆議院議員の山本宣治が右翼に刺されて死亡しました。1922年に日本語の手淫に代わる英語のオナニーの日本語訳として、「自慰」という言葉を広めた人物です。刺した右翼の男は正当防衛で無罪を主張。警視庁も殺されたのは左翼の変態性欲者だから当然と言わんばかりの態度で、犯人を擁護する対応を取ったそうです。

　しかし、東京地裁は独自の現場検証を行い、警視庁の発表を否定し殺人罪での実刑を宣告します。殺人犯を擁護したことで、内務省は警視庁に対して厳重警告を行うほどの異常事態にまで発展しました。犯人は実刑をくらいましたが、異例の模範囚扱いで刑期の半分で出所。その後、右翼の仲間に「変態性欲者を殺したのだから無罪で、十万円と良い身分がもらえるはずだったのに刑務所にぶちこまれてしまった」と話したそうです。しばらくは日雇いなどの仕事をしていたものの、精神病院に強制入院となり死亡しています。

　大正時代ならセーフ、昭和になったらアウトという基準の変化がなぜ起こったのか、教育界の陰謀を疑わずにいられません。そしてその後、軍国教育に傾倒していった日本がどうなったのか…皆さんご存じの通りです。

未知のトラブルを科学的に解決できる学問

スゴイぞ疫学

「疫学」とは元々、伝染病の発生原因や予防などを研究する学問として始まった。この科学的な手法を用いることで、マンガやアニメがどれだけの悪影響を及ぼすのかも証明できるのだ。

マンガやアニメの影響で、人は犯罪を犯すのでしょうか？　実はこれ、疫学によって証明できるんです。

疫学というと医学の理系分野みたいに聞こえますが、法学や犯罪学の分野でも重要な概念であり、疫学的な証明は裁判の証拠となります。実際に勝訴して法律すら変えさせたのが、水俣病や四日市公害などの公害裁判です。医師免許を取得してから司法試験に合格する人が結構いるように、理系と文系で畑違いみたいに見えますが、畑と田んぼ程度の違いで、農業と漁業ほどかけ離れたものではありません。

疫学がスゴイのは、どうしてそうなるのか理由が分からなくても原因を特定して排除し、治したり解決できるところにあります。ということは逆に、理由はよく分からないけど、ソレが原因だから法律で規制するという論法に持っていける怖い科学でもあるのです。

医学の分野で大きな成功を収めたのは、当時は原因不明の難病だったコレラや脚気などの病気を激減させたこと。法学の分野では、水俣病や四日市公害などの公害裁判で環境汚染を違法行為と認めさせたことや、タバコの有害性を認識させ、禁煙活動を行い受動喫煙まで規制に成功したことなどがあります。犯罪学の分野で大きな成果を収めたのが、「割れ窓理論」に代表されるアメリカ・ニューヨークの治安改善です※。

このように社会から公共の害となる原因を取り除いて、安心して暮らせる社会を作るために疫学は重要な科学なのですが、大失敗した例もあります。アメリカでエイズ患者5人が発見された時、偶然にも5人全員が男性の同性愛者だったことから、"エイズはホモがなる病気"という偏見が広まってしまいました。サンプル数が少ない場合は、統計を活用する疫学は機能しません。なので、少数の犯罪者がオタクだったからといってオタクは犯罪者予備軍とはいえないわけです。

マンガやアニメを規制するのは正しいのか？

では本題。マンガやアニメの影響で犯罪が増えるということを証明して、公害のレッテルを貼って法律で規制するためには、それらが「疫学4原則」すべてを満たしていることを統計学的に証明しなければなりません。もしも、この4原則を有意水準0.0001以下で帰無仮説を棄却できる学者がいたらマンガやアニメをすべて禁止にできます。これを法学では、「合理的な疑いを超える証明」と呼びます。

Memo:
※「割れ窓理論（ブロークウインドウ理論）」…軽微な犯罪や小さな不正を徹底的に取り締まることで犯罪を抑止し、結果的に凶悪犯罪や大きな不正を防げるようになるという、環境犯罪学の理論。アメリカの犯罪学者であるジョージ・ケリングが考案した。

ブロード街の12日間
（あすなろ書房）
デボラ・ホプキンソン

ジョン・スノウ
（1813〜1858年）

疫学の祖といわれるジョン・スノウ

1831年、イギリス・ロンドンでコレラが流行した時に、ジョン・スノウ博士が取った行動はたった1か所の井戸水を汲み上げるポンプのレバーを外しただけだったが、それだけで現実にコレラの流行は終息した。なぜコレラが流行するのか、その理由が解明されるのは数十年後になるが、博士が原因を突き止めた統計的手法が現代の疫学の始まりである。この史実を元にしたフィクションが『ブロード街の12日間』（あすなろ書房）。中学生の課題図書になるぐらいの名作なので、興味がある方はどうぞ

疫学4原則

1 時間的関連性　　　　　**2** 量的相関性

3 質的相関性　　　　　　**4** 原因と結果の関連性

---

1 時間的関連性

　まず、原因→結果の順番になっていることを証明しなければなりません。これは幼女に性犯罪を犯したペドフィリアがロリコンマンガを大量に所持していた場合、ペドフィリアだからロリコンマンガを買っていたなら、原因がペドフィリアで結果がマンガになるので、マンガの有害性は否定されます。ロリコンマンガを読んでいるうちに、その影響でペドフィリアになった場合は、原因がマンガで結果がペドフィリアになるので肯定されるわけです。

高木兼寛
(1849〜
1920年)

東京慈恵会医科大学　http://www.jikei.ac.jp/univ/

1911年にビタミンB1が発見された。しかし、その27年も前に脚気の原因が不明のまま疫学によって、脚気を治したのが高木兼寛男爵だ。「日本の疫学の父」と呼ばれ、成医会講習所(現東京慈恵会医科大学)の創始者でもある

② 量的相関性

　マンガの影響する程度が著しいほど、その犯罪の発生率が高まることを統計学的に証明しなければなりません。これは犯罪者がどれくらいマンガを読んでいるか統計を取って、相関係数を求めます。公平を期すために、マンガを読まない犯罪者にも統計を取らなければなりません。マンガを読まない犯罪者が多いほど、相関係数は下がります。具体的には相関係数が0.8以上あり、相関が強いと認められなければ裁判の証拠にはならないのです。

③ 質的相関性

　例えば、サッカーマンガが好きな人が、その影響でサッカー選手になったなど、犯罪以外の肯定的な影響も含めてマンガを読むとどのくらい影響を受けて実行に及ぶかを証明しなければなりません。これは相関が無ければダメで、「マンガの影響でサッカー選手になった」は証明になるけど、「マンガの好きなサッカー選手」は証明になりません。読んでいたマンガのジャンルがサッカー中心ならマンガの影響を受けていると考えられますが、好きなジャンルがファンタジーモノだったら、ただのマンガの好きなサッカー選手と考えられます。

　つまり、強姦魔がエロマンガを読んでいただけでは相関が無いので証明になりません。女性がレイプされて喜ぶエロマンガを読んで、喜ぶと信じて強姦魔になったアホな人だけが証明になります。

④ 原因と結果の関連性

　ロリコンマンガを読むとペドフィリアになること。そして、暴力マンガを読むと暴力をふるうことが、

Memo:

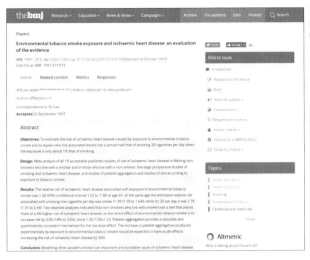

『BMJ』1997年10月号
https://www.bmj.com/
content/315/7114/973
イギリスの医学誌『BMJ（British
Medical Journal）』に、間接喫煙に
おける信頼の高い論文が掲載されてい
る。これによると、喫煙者の夫と同居
する非喫煙者の妻は、相対危険度が
1.23倍になることが示されているの
だが…。この数字では、間接喫煙の不
法行為責任を問うのは難しいだろう

矛盾なく精神医学的に説明できなければなりません。

　というわけで、誰か疫学的知見からマンガやアニメの有害性を研究した人がいないか論文を検索して
みたのですが、見つかりませんでした。

　仮に疫学4原則がすべて証明されてしまった場合、マンガやアニメは公共の福祉に反する公害だと認
定されることになります。すると表現の自由を制限されることになり、四日市公害のようにすべての出
版社による共同不法行為が成立すると認定されるようになり、今まで以上に厳しい規制を課せられるよ
うになるでしょう。さらに、全出版社が莫大な賠償金を科せられることになり、倒産が続出します。

　しかし、すべてのマンガやアニメが世界から抹殺されるのかといえば、恐らくそうはならないでしょ
う。これだけ危険性が問題視され、禁煙が強要されているにも関わらずタバコが販売され続けているの
がいい例です。すべてのマンガやアニメに有毒性が無いか第三者機関による検査が入るようになったり、
18禁になったりするかもしれませんが、それでも消えて無くなることはないハズです。…なんかそれ
ってAV業界の現状のような気がしますが…おいといてと。

　疫学には「相対危険度」という指標があり、この場合はマンガを読む人と読まない人の犯罪率を比べ
て、マンガを読む人が読まない人より何倍、犯罪を犯しているのかを求めます。イギリスの労働年金省
の機関である労働傷害諮問会では、ある職業または作用物質が疾病発症の原因であるとするには、相対
リスクが2以上を示す一貫性のある堅固な疫学的証拠が必要だとしているので、日本の裁判においても
少なからず影響があると思われます。

　間接喫煙について、イギリスの医学誌『BMJ』1997年10月号に掲載された論文「Environmental

tobacco smoke exposure and ischaemic heart disease: an evaluation of the evidence（環境タバコ煙曝露及び虚血性心疾患：証拠の評価）」では、根拠に基づく医療において最も質の高い根拠とされるメタ解析で37篇の研究を精査。喫煙者の夫と同居する非喫煙者の妻では、相対危険度が1.23倍になることを示しました。しかし、1.23倍というリスクは裁判で疫学的証拠が排除されるのに十分低い数字であり、間接喫煙の不法行為責任を問うのは難しいということになったのです。

　ちなみに、喫煙者の肺がんの相対危険度は2.25倍、飲酒＋喫煙の食道がん発症の相対危険度は7.8倍になるのですが、どちらも国は禁止していませんね。

 ## マンガは悪ではない！

　つまり、マンガを読む人と読まない人を比べた時、実際そんなことはないですが、読む人の犯罪率が仮に高かったとしても表現の自由を制限されるほど、公共の福祉に反する公害にはならないと判断される可能性が高いということです。自由を重んじる現代法理において、公共の福祉に反すると認定されるハードルは物凄く高くなっています。仮にマンガやアニメに対して疫学4原則が証明されたとしても、最低でも相対危険度10倍を超えないと…、要はオタクの犯罪率は一般人の10倍以上という統計でも出ない限り、マンガやアニメを「パブリック・エネミー（公共の敵）」と国が認定してオタクの人権を制限することはやむ得ないとする法整備は無理ということ。なので、安心して大丈夫そうです。

マンガやアニメに対する「危惧感説」

「危惧感説」とは何らかの危険があるかもしれないという、漠然とした不安感や危惧感がありさえすれば過失が成立するという考え方のこと。つまり、マンガやアニメに悪影響があるかもしれないことが社会的に認知されている以上、出版社は過失責任を負うべきであり規制すべき…というかなり暴論な主張である。あまりに暴論なので現代の法曹界では支持されていないが、出版社を自主規制に走らせる原因になっているかもしれない。なお、日本の裁判史上では、「森永ヒ素ミルク中毒事件」（1955年）の1例だけが有罪になっている。

補講1 あらゆる分野で利用されている疫学

　スピード違反などで違反キップを切られた経験のある方も多いだろう。この免許の違反点数制度は、疫学的なシステムによって作られイギリスで始まった。免許の点数によって免停にして運転できなくするのは、罰を与えるのではなく、免許の点数によって事故の原因になりやすい個人をスコアリングすることで発見し、交通社会システム全体の健全性を維持するために危険因子として排除するのが目的なのだ。

　現在、中国では国民全員に対して社会的信用度の点数を付ける制度を開始した。アメリカでも実質的にFICOスコアに代表されるクレジット点数が個人の社会的信用を測る指標となっている。信用の低い返済できそうにない人間に金を貸さなかったり、商品売買などの取引を拒否したり、交通機関の利用を制限することで、パブリック・エネミーを排除しようという発想は既に現実のものになっているのだ。

日本の免許の点数制度は0が基準で、違反をするたびに加算されていく累積方式。6点で免停など、一定の点数になると処分される。持ち点があって、そこから点数が引かれる減点方式ではない
「警視庁」点数制度(http://www.keishicho.metro.tokyo.jp/menkyo/torishimari/gyosei/seido/)

補講2 各業界における疫学の定義(参考資料)

日本疫学会による定義
http://jeaweb.jp/

明確に規定された人間集団の中で出現する健康関連のいろいろな事象の頻度と分布、及びそれらに影響を与える要因を明らかにして、健康関連の諸問題に対する有効な対策樹立に役立てるための科学

日本弁護士連合会による定義
https://www.nichibenren.or.jp/

「疫学とは、人間を集団として把握し、その集団について疾病その他の事象の分布を多角的に観察し、その規定因子、成立因子を研究する学問である」
(『刑事裁判と疫学的証明』17頁参照)

犯罪学による定義

ある期間、ある集団において、ある特定の犯罪発生率が上昇した場合、その犯罪発生の原因を調べ、その原因を除去することにより犯罪行為そのものを抑制するための学問

IIAC(労働傷害諮問会)による定義
https://www.gov.uk/

イギリスの労働年金省(Department of Work and Pension)の機関であるIIAC。IIACでは、ある職業、または作用物質が疾病発症の原因であるとするには、相対リスクが2以上を示す一貫性のある堅固な疫学的証拠が必要だとしている

参考資料 「事実的因果関係の疫学的証明について」 https://ci.nii.ac.jp/els/contentscinii_20180506165544.pdf?id=ART0008465892

「トライ・アンド・エラー」は時代遅れの学習法!?

正しい教育学のすゝめ

「教育学」という科学において、「トライ・アンド・エラー」は明治時代に発見された、今では時代遅れな教育法といえる。本当に頭が良くなる勉強法は実在する。その一端を解説しよう。

そもそも「トライ・アンド・エラー」は、インチキ和製英語で英語にも日本語の科学用語にも存在しません。英語で「trial and error」という似たような学術用語はありますが、これは生物の進化において適者生存になれるまで変異を繰り返す意味で用いられる用語です。つまり、人間が科学研究において用いる手法ではなく、莫大な生物の絶滅の繰り返しによって現在の適者生存した生物が誕生した地球規模のスケールの話で、エラーになった生物は絶滅して死ぬことを意味しています。ゆえに「トライアル・アンド・エラー」が正しいとドヤ顔をするのも、間違いなわけです。

じゃあ、日本でトライ・アンド・エラーという言葉がどこから生まれたのかというと、試行錯誤を横文字にしたインチキ英語です。元々はアメリカの心理学者＆教育学者であるエドワード・ソーンダイクが提唱した、「Law of effect」の訳語として作られた造語が「試行錯誤」で、現在では「効果の法則」と訳されています。

エドワード・ソーンダイクの弟子であり1912年（明治45年）に、アメリカでPh. D.（Doctor of Philosophy、博士号）を取得した最初の日本人女性である原口鶴子が、大正時代に教育学の概念として日本に持ち込みました。ゆえに、日本でエドワード・ソーンダイクの業績を調べると試行錯誤説の提唱者として出てきますが、これは弟子である原口鶴子が日本の教育学界に残したもので「試行を繰り返すことで、誤反応が少なくなり正反応に達する時間が短くなる」という学説を四字熟語にまとめたのが「試行錯誤」です。

つまり、教育を受ける生徒に試行を繰り返させることで正解に到達させる教育法が試行錯誤であり、日本では「試行錯誤学習」と呼ばれ、練習するほど上手になる単純明快な学習法として定着しました。昔から日本で行われている、できるまで練習させることのインチキ横文字がトライ・アンド・エラーなのです。このため、日本の教育学では成功するまで何度も挑戦させるという思想が刷り込まれ、あらゆる科学分野で支配的になりました。しかし、成功するまで繰り返す手法は、科学の世界では最も原始的な最悪手です。

そして、現代日本では失敗した時の定番の言い訳になったり、評価してもらえなかったり予算が付かなかった場合に、評価や予算を手に入れるための詭弁として用いられています。「失敗するかもしれないけど、僕のやりたいことをやらせてよ」という言葉を、オブラードに包んでカッコヨク横文字にした

Memo:
参考資料・写真出典など　● 「Alchetron」 https://alchetron.com/
● 「Classics inthe History of Psychology」 http://psychclassics.yorku.ca/

日本の教育方法の変遷	
明治	試行錯誤学習
大正	洞察学習
昭和	潜在学習

試行錯誤学習は、いわゆる「トライ・アンド・エラー」。無能な教師でも一定の成果を出せるが、できるまで繰り返すのでとにかく効率が悪い！

のが「トライ・アンド・エラー」になってしまっているのです。まともな評価ができる人間ならそんなヤツに実験も研究もさせるわけがありませんが、日本では多くの人間が、予算もポストも無い…と被害者面しています。

日本の教師は低レベル

　試行錯誤学習（トライ・アンド・エラー）は、単純明快でどんな無能な教師でもできる教育法なので、教師の教育水準が低い日本で定着しました。なぜ、日本の教師の教育水準が低いのかというと、明治時代に義務教育が始まった時に教師の人数が致命的に足りなかったからです。江戸時代は一部の人間しか受けられなかった教育を、国民全員が受けられるようにする明治政府の政策は、富国強兵のために絶対に必要でした。しかし、教師が大量にいなければ国民全員教育は不可能で、まさに「服を買いに行く服が無い」問題にぶち当たったのです。

　そこで、師範学校という教師を養成する学校を作って教師を大量養成したのですが、どうしても粗製乱造になることが避けられず、教師の行う教育は最も単純明快な試行錯誤学習に偏らざる得ませんでした。とにかく生徒を長時間学校に拘束して、できるようになるまで繰り返させます。これなら全員が一定の水準に到達できるので、義務教育の目的は達成できるわけです。エラーによって消費されるものは時間と体力なので、9年間学校に拘束して繰り返させれば目標は達成できます。しかし、効率が悪いと言わざる得ません。

　この方法でスポーツや受験競争で勝者になろうとすると、使える時間を限界まで長くしようとして、睡眠時間を削り徹夜の連続など無理をしなければならなくなります。その結果、受験生も教師も徹夜で勉強しろという無茶を許容するようになり、受験競争で勝者になって高学歴で社会人になって管理職とか経営者になると、ブラック労働へ一直線に向かうのです…。

　それではトライ・アンド・エラーがダメなら、エラー無しに成功できるのか？となるでしょう。ズバリ、できます。

　試行錯誤学習は猫や犬で実験した結果に基づいており、霊長類の中でも最高の知能を持つ人間様には

もっと良い方法がないのかと考えた人がいました。1917年（大正6年）、ドイツの心理学者であるヴォルフガング・ケーラーによって試行錯誤学習よりも効率的な学習法として、「洞察学習」が発見されます。

　チンパンジーが天井に吊り下げられたバナナを、棒を使って手に入れる実験を通して発見しました。チンパンジーが洞察力により、問題を構成している諸情報を統合し認知構造を変化させ問題を解決したのです。ネズミ・猫・犬などにはマネできませんが、同じ霊長類である人間なら可能です。

　試行錯誤学習が何度も繰りかえすことで正解を手に入れるのに対して、洞察学習は正解が突然現れます。洞察力が高いほど正解に辿り着くまでの時間が短くなり、消費する時間も体力も最小で済むのです。これは、チンパンジーよりもはるかに高い洞察力を持つ人間様なら、初手から正解を得られることを意味していて、エラー無しに成功できるということになります。

　ひと言でいうと、体を動かすより頭を使えというだけの話です。全否定なことをいうと、トライ・アンド・エラーは明治時代に下等生物を対象に得られた研究成果であり、大正時代にチンパンジーで発見された学習法よりはるかに劣る時代的にも技術的にも最低の学習法なのです。

　バナナを取る実験が異常なほど有名なのは、チンパンジーが道具を使えたからじゃなくて、洞察学習という失敗せずに成功できる学習法が発見され、人間の学力が飛躍的に向上したことが人類にとって物凄い大発見だったからです。日本は試行錯誤学習によって教育された生徒が次世代の教師になり、同じ試行錯誤学習を生徒にやらせる悪循環から完全に抜け出せなくなっています。洞察学習ができない教師は、何かの比喩ではなく客観的な科学的事実として、チンパンジー以下なのです。

もっと頭が良くなる方法

　明治から大正へと時代が進み、昭和になるとより画期的な学習法が生まれました。「潜在学習」です。アメリカの心理学者であるエドワード・トールマンが提唱した概念で、「ネズミの迷路実験」で発見されました。棒を使ってバナナを取るみたいな単純な問題ではなく、迷路を最短距離で走破するという難しい問題を解決するための学習法です。

　具体的にどうするかというと、自分の中に「認知地図」を作ります。認知地図とは、環境に存在する手がかりを元にして形成された心理的な構造のことで、物理的に迷路の地図を暗記するのとは根本的に意味が異なるのです。この認知地図は、「サイン・ゲシュタルト」と呼ばれる認知過程を繰り返し経験させることによって構築されていきます。ゲシュタルト（Gestalt）とはドイツ語で形・形態・状態を意味し、「ゲシュタルト心理学」という学習において重要な意味を持つ心理学の用語です。人間の精神を部分や要素の集合ではなく、全体性や構造に重点を置いて捉える心理学の学説で、人間の学習と密接に結び付いています。

　サイン・ゲシュタルトのサインとは部分や要素のことで、ゲシュタルトは全体性や構造といった意味。部分や要素の集合は学習において単語や公式を暗記することに相当しますが、その単語や公式が何を意味しているのか理解して全体の構造に組み込む作業をしろということです。

Memo:

洞察学習

ドイツのゲシュタルト心理学者である、ヴォルフガング・ケーラーによって導かれた学習法。天井から吊り下げられた手の届かないバナナを、チンパンジーが棒を使ったり箱を重ねて手に入れる様子などを通し発見した。試行錯誤するのではなく、洞察によって解決策を導き出せる

ヴォルフガング・ケーラー
（1887〜1967年）

The Mentality of Apes（W W Norton & Co Inc）
ヴォルフガング・ケーラー

　そして、認知地図に書き込まれた記憶は、忘却しにくいという特徴があります。一夜漬けの勉強はダメと言われますが、単純な反復作業によって記憶した情報は忘れやすく思い出しにくくなります。さらに、1つの記憶が1つの要素としか結び付いていないので覚えていても応用することができません。

　記憶力＝知能と誤解されやすいのは、教科書とノートをすべて暗記すればテストで良い点数が取れる教育システムの欠点が要因です。情報機器が発達して外付け記憶装置が巨大化した現代ほど、認知地図が重要になります。見たものや問題が何か分からなくても、認知地図が大きければ関連キーワードがすぐに浮かび検索して短時間で答えに辿り着けるからです。認知地図が大きいことは探す能力が高いだけでなく、出てきた情報を評価する能力が高いことも意味します。つまり、誤情報を排除して正しい情報を選択することができるわけです。

　本当に潜在学習している人間と試行錯誤学習している人間を比較すると、人間とチンパンジーぐらいの差があります。同じ学力を得るのに必要な時間がけた違いに短いから、学校生活が同じ6：3：3年なら学力に決定的な差が付くことに…。マンガも読まず、遊びにも行かず、徹夜で勉強した学力は残念なほど低いのです。

　高学歴の頂点である医師や弁護士は、普通にマンガを読んでるし、遊びにも行って、プライベートを楽しんでいます。成績が悪いのは努力が足りないのではなく、手段が間違っているのです。勉強法を間

違えていたら限られた子供時代を残念な勉強に浪費することになり、そこそこの学歴があっても社会人として使い物にならない残念な人間になりますよ。

　潜在学習によって、医学部在学中に司法試験に合格するような卓越した学力を持った人間は、持って生まれた才能が違うなどといわれます。しかし、現実に違うのは科学的な教育学に基づいた勉強法や思考法であって、生まれつきの能力に差があるわけではありません。

✓ 教育学の遅れは深刻…

　多くのエリート私立学校では、徹底的に洗練された教育学を用いた教育を行っています。公立学校の教師が時代遅れの試行錯誤学習を行う中で、私立では洞察学習や潜在学習を実施しているため学力格差は開く一方です。公立学校の教員の大半が定年退職まで勤めるので、新しい世代の教員が入ってこない老害問題も重なり、事態は悪化し深刻化しています。

　教育学という科学技術の遅れは、2世代後にダメージが出てきます。具体的には、明治時代生まれの人間が第二次世界大戦で失敗して、戦後の昭和20年代に生まれた団塊の世代を教育した教員は大正時代の教育学による教育を受けた世代です。大正時代の初めに日本に入ってきた試行錯誤学習による教育を行っていた時点で、手遅れは確定していました。

　少なくとも団塊の世代には、洞察学習による教育を受けさせるべきだったでしょう。軍国主義に傾倒

エドワード・トールマン
（1886～1959年）

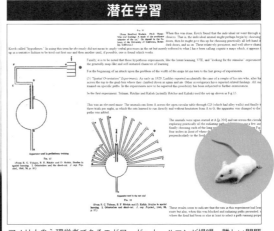

潜在学習

アメリカの心理学者であるエドワード・トールマンが提唱。難しい問題を解決するための学習法で、「ネズミの迷路実験」により発見した。迷路の形を変えても最短でゴールまで辿り着くことから、単なる暗記ではなく、環境全体を把握した「認知地図」が形成。この認知地図を利用すると、効率的な学習が可能になる。

Memo:

した教育界が大正時代生まれの教師をチンパンジー以下にしてしまったツケは、団塊の世代の学力に反映され、次の世代が新しい教育学による教育を受ける機会自体を奪ってしまい、試行錯誤学習が今現在も続いています。今から大学の教育学部で新しい教育法を教えてもその生徒が教員の主流になって、さらにその生徒が社会人として活躍するのは半世紀以上も先で、もはや完全に手遅れです。

　結論としては、教育学という科学技術の遅れが2周回って日本人をチンパンジー以下にしてしまったのです。もう、イエローモンキーと罵られても反論できません。

　心理学から生まれ、教育学に応用された潜在学習ですが、最近では情報工学にも応用されています。その成果が、皆さんご存じのAIです。潜在学習とベイズ統計学の活用により、AIの能力は飛躍的に向上しました。

> **（心理学＋教育学＋統計学）×情報工学＝ディープラーニングの発明＝AI**

　複数の科学がつながった認知地図を持つ人間がAIを開発して、AIはその学習法を利用して急激に進歩しています。日本に残された道は、まだ世界第3位の経済大国の体力が残っているうちに、リソースをAIにとことん投入して、チンパンジー以下の人間をAIに世話してもらうしかないでしょう。

　そうして稼いだ時間で、半世紀後の日本人に未来を託すしかありません。

次の世代に
任せるよ…

人工呼吸器を自作して子供らを救った英雄の物語

海賊王と呼ばれた男たち 前編

「ポリオ」とは、ポリオウイルスによって発生する病気のこと。「急性灰白髄炎」「脊髄性小児麻痺」とも呼ばれ、主に小さな子供がかかる。1930年代、この治療に尽力した英雄がいた。

　　現代で「海賊王」といえば、アメリカでもマンガの『ONE PIECE』が有名です。第二次世界大戦前、アメリカとカナダにまたがる巨大な湖である五大湖を荒らし回った伝説の海賊王とクルーたちが実在しました。ただし、彼らが海賊だったのは、海賊版製品を原価で配りまくり、正規品を作るメーカーを経営破綻させたからです。そして、乗り物はヨットを使用していたので、本来は海賊ではなく、「湖族」と呼ぶべきかもしれません。そんな微妙な義賊たちのお話です。

金が無ければ呼吸もできない

　　1937年、アメリカとカナダの国境付近の五大湖周辺で、ポリオが流行してパンデミックになりました。主に子供がやられ、21世紀現在ですらポリオの特効薬は存在せず、とにかく自分の免疫力でウイルスに勝つまで対処療法で延命させるしかありません。ワクチンが実用化してパンデミックが防げるようになるのは、1954年以降の話です。

　　1928年にポリオによる呼吸不全の治療装置として、人工呼吸器が開発されてから死亡率は下がりました。しかし、正規メーカー・コリンズ社が製造販売していたこの人工呼吸器1台の価格は、自家用車4台分あるいは家1軒が買えるほど高価だったのです。「鉄の肺」と呼ばれ多くの病院が導入していましたが、高価な装置を1人の患者が7〜14日も占有しなければならず、大量の患者が出ると治療できない患者が続出して死んでいました。

　　ある時、アメリカからカナダにまたがる五大湖でパンデミックが発生し、ポリオ患者を救える唯一の道具である人工呼吸器が大量に必要になる事態に。富豪が寄付してくれたり、募金を集めて購入したりしましたが、全く足りません。

　　そんな悲惨な状況の中で、1937年8月26日、カナダのトロント小児病院にポリオに感染して入院していたゴードン・ジャクソン君4歳の容態が悪化します。呼吸不全を起こして、このままでは翌日までに死んでしまうだろうと医師は残酷な診断を下しました。救命する唯一の方法は、回復するまで人工呼吸器を使って生命維持させるしかありません。しかし既に、何人もの患者が人工呼吸器を使用しており満員で、しかも高価な医療機器を何日も占有できるような金は庶民には出せるはずもなく…。金が無け

Memo:

参考文献・資料出典　●鉄の肺：Canadian Bulletin of Medical History 1996年 Volume13:297ページ

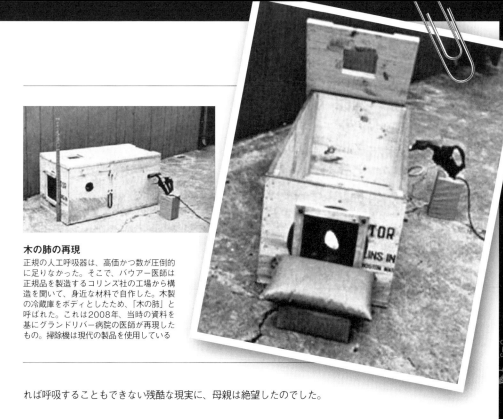

木の肺の再現
正規の人工呼吸器は、高価かつ数が圧倒的
に足りなかった。そこで、バウアー医師は
正規品を製造するコリンズ社の工場から構
造を聞いて、身近な材料で自作した。木製
の冷蔵庫をボディとしたため、「木の肺」と
呼ばれた。これは2008年、当時の資料を
基にグランドリバー病院の医師が再現した
もの。掃除機は現代の製品を使用している

れば呼吸することもできない残酷な現実に、母親は絶望したのでした。

人工呼吸器を激安DIYして伝説へ

　息子が病院のベッドで苦しみながら死ぬのを待つだけの母親を見たバウアー医師は、コリンズ社の工場に電話して人工呼吸器の構造を聞き出し自作することを決意します。8月26日14時、バウアー医師の呼びかけにより病院の地下倉庫にスタッフが集まりました。ウィリアム・ホールが木の冷蔵庫を拾ってきて、ハリー・バームフォースは掃除機を持ってきたそうです。20時半、それらを組み合わせて人工呼吸器を作り上げると、そこにゴードン君が入れられました。程なくして無事に呼吸を開始し、1時間足らずで、ゴードン君の顔色は正常に戻ったのです。朝日を見ることはできないと診断されたゴードン君は、生き延びたのでした。

　成功を確信したバウアー医師は、8月29日に2台目、8月31日には4台目を作り上げます。さらに量産を進めて、他の病院に譲ったりしています。パンデミックの恐怖の中に射した一筋の光明となった発明は、1937年9月13日の『TIME』誌に掲載され称賛されたのです。

　この即席で作られた人工呼吸器は、木製だったことから「鉄の肺」に対して「木の肺」と呼ばれました。木の肺の作り方は非常に簡単で、材料もすぐに手に入るものばかり。子供を救った伝説の1号機の材料は、半分ゴミだったので、原価厨も文句の付けようがありません。

●木の肺の再現：2008年5月29日にグランドリバー病院で発表された人工呼吸器のプレゼンテーション資料
　「Building a Pandemic Ventilator Part 1 of 4」　https://www.youtube.com/watch?v=1P2YeBcfaQw

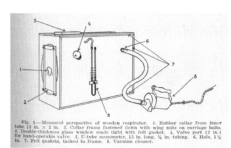

オリジナル人工呼吸器「木の肺」の動作の仕組み

1. 首から下を覆う箱の内部は、掃除機で空気を吸い出すことで減圧される
2. 圧力が下がると、首から上と下の気圧差で胸が膨らみ、空気を吸い込む
3. 一定まで圧力が下がると、皮でできた弁が開いて外気が入り、箱の内部は常圧1気圧に戻る
4. 膨らんでいた肺が縮んで空気を吐き出す
5. 箱の内部が常圧1気圧になると弁が閉じて、掃除機が空気を吸い出し1に戻る

Fig. 2.—Measured perspective of wooden respirator. *1.* Rubber collar from inner tube 13 in. × 3 in. *2.* Collar frame fastened down with wing nuts on carriage bolts. *3.* Double-thickness glass window made tight with felt gasket. *4.* Valve port (2 in.) for hand-operable valve. *5.* U-tube manometer, 15 in. long. ¼ in. tubing. *6.* Hole, 1¼ in. *7.* Felt gaskets, tacked to frame. *8.* Vacuum cleaner.

木の肺の組み立て図

木の肺の主な材料

1　ゴミ捨て場にあった木製の冷蔵庫　　2　病院にあった掃除機

3　自動車のタイヤチューブ　　　　　　4　革靴

　動作原理はシンプルで人間の首から上は露出させ、首から下を気密構造の箱に入れます。箱内の気圧を上げ下げして、呼吸を補助する仕組みです。ポイントになったのは「木製の冷蔵庫」。冷蔵庫は内部の冷気が漏れないよう気密構造になっているので、本体のベースにするのに最適だったのです。「掃除機」が気圧を下げる排気装置の役目、「自動車のタイヤチューブ」が首の周りから空気が漏れるのを防ぐパッキングの役目をしています。「革靴」は排気と吸気を切り替える弁の材料です。後の改良型では、5番目の材料に「レコードプレーヤー」が加わり、患者のバイタルをフィードバックして弁が開閉するタイミングを調節し呼吸数を自動調節できるまで進歩しました。

 海賊版王に俺はなる！

　ミシガン州マーケットにあるセイント・ルカ病院の理事（日本の聖路加国際病院とは無関係）で、爆薬を製造する工場のプラント・エンジニアをしながら趣味でスペリオル湖ヨットクラブのリーダーをしていた地元の名士、マクスウエル・ケネディ・レイノルズ。TIME誌の記事を読むと自家用ヨット・フィリス号に乗り、五大湖を疾走してトロントの病院に向かいました。このパンデミックから子供たちを救える奇跡が降臨したと確信したのです。

　それからスペリオル湖ヨットクラブの仲間に呼びかけて、木こりや船大工や電気屋を集めて、木の肺の量産を開始しました。1台ずつ手作りだったのですが、1台4時間弱で完成。製造原価は材料費と職人

鉄の肺
1937年、アメリカとカナダの国境付近でポリオ（急性灰白髄炎／脊髄性小児麻痺）が大流行。その際、コリンズ社の人工呼吸器が使用されたが、1台2,000ドルもした。その金額の半分は特許料だった。この写真は、カナダ・トロントの病院で使用されていたもの

の人件費込みで、1台40ドル弱だったそうです。正規の医療機器が1台2,000ドル、納品まで数か月待ちとはイッタイ何だったのでしょうか？

　超速で量産された人工呼吸器はレイノルズ氏の呼びかけにより集まった五大湖で活動していたヨットクラブの手によって船に積まれて運ばれ、1937年9月後半ごろから3週間足らずで五大湖周辺の23か所の病院に配られたといわれています。

　パンデミックが終息するまでに何台作られたのか、誰も管理していないので正確な台数は不明ですが、数百台規模だったことは確実でしょう。そして、数百人の子供たちの命が救われたことも確実です。

 鉄の肺の価格の半分は特許料だった!?

　ここで騒ぎ出したのが、1928年に鉄の肺を開発したフィリップ・ドリンカーとルイス・アガシス・ショウ Jr.のコンビでした。2,000ドルもする人工呼吸器の価格の半分は、彼らの特許料だったのです。つまり、人工呼吸器が1台売れるたびに、彼らの懐にはそれぞれ新車が1台買えるほどの特許料が入ります（当時、最も安い自家用車だったTフォードの新車が290ドル）。

　裕福な家に生まれ、親が学長をしているリーハイ大学を出てハーバード大学医学大学院の研究者をしていたフィリップ・ドリンカー。そして、「ボストン・ブラーミン」と呼ばれる上流階級出身で、ハー

バード大学卒のエリート科学者だったルイス・アガシス・ショウJr.らは、貧しい家に生まれた子供たちが次々と死んでいくのもガン無視で、パンデミックで需要が激増していたのをいいコトに、2,400ドルに値上げしてさらに暴利を貪っていました。

　2人は五大湖周辺で次々とDIYで量産されていく人工呼吸器に、特許侵害で訴訟を起こします。呼吸器内科医師のジョン・ヘブン・エマーソンも、このDIYに参加して多数の人工呼吸器を自作していたため訴えられました。しかし、エマーソン医師は特許無効を主張して、裁判で徹底的に争います。結果、裁判で特許無効の判決を勝ち取ったのです。なまじ訴えたため、クロスカウンターを食らってしまったのでした。ドリンカーとショウJr.の2人は、特許料を請求する権利をすべて失い、これで鉄の肺の価格は半額の1,000ドルに値下げされたのです。

　裁判に勝利したエマーソン医師は、医療機器メーカーを設立して合法のエマーソン式人工呼吸器を、さらに半分以下の価格で堂々と発売するようになります。そしてさらに、手動式人工呼吸器の「アンビューバッグ」など、多くの医療機器の製造販売を手がけたのでした。

　製造原価で売られ、配達設置もすべてボランティアが無償でやってくれる原価厨も納得の海賊版人工呼吸器が一般化したことにより、コリンズ社は経営破綻…。海賊版が正規品を駆逐してしまったのです。しかしなぜか、フィリップ・ドリンカーは特許が無効になったにもかかわらず、2007年に科学技術の進歩を促進する米国の特許を持っている人間だけが入れる全米発明家殿堂入り（NIHF）しています。まあ、当人は1972年に死んでいるので、どうでもいいのですけれど。

 ## 木の肺も違法に…海賊王の汚名を受けて

　時期が悪かったのは、木の肺と呼ばれた人工呼吸器の登場と同じ年に、製薬会社S.E.マッセンギルが売っていた子供用サルファ剤シロップに使われていたジエチレングリコールによる中毒で、100人以上の子供が死ぬ事件が起きたことです。粉末のサルファ剤は子供には飲みにくかったので、甘いジエチレングリコールに溶かして子供用シロップとして販売。当時はワインの味付けに使用されたりしていて、ジエチレングリコールの毒性が認識されていませんでした。薬ビンのラベルには、成分表示に「スルファニルアミド」「ジエチレングリコール」「水」「香料」と記載されています。なぜ売る前に毒だと気が付かなかったのかというと、当時は臨床試験を行う義務が無かったからです。製薬会社が薬だと言い張れば、毒でも何でも売れました。

　当時からポリオがウイルスによる病気であることも、サルファ剤が効かないことも分かっていたのですが、21世紀ですら有効な薬が開発されていない難病です。頭痛を訴える患者の頭に赤チンを塗るようなものですが、有効な薬が無かったので気休めでも子供用サルファ剤シロップを飲ませるしかありませんでした。S.E.マッセンギル社も「どんな病気でも治る薬」「治るまで飲ませ続けなさい」と宣伝していたので、医師や親たちは藁にもすがる気持ちで飲ませたのでしょう。当時は、誇大広告にも規制がありませんでしたから…。

Memo:

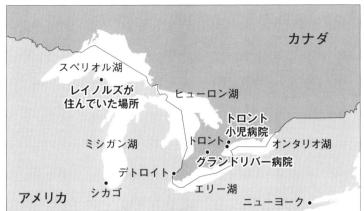

五大湖周辺の地図
アメリカとカナダの国境付近に5つの湖があり、この物語の舞台となっている。1895年に設立されたカナダ中東部のオンタリオ州にあるグランドリバー病院（Grand River Hospital）は、五大湖周辺都市の1つにある。1937年のポリオパンデミック時に、木の肺を受け取っている

人工呼吸器に入れられた子供にサルファ剤シロップを飲ませた結果、助かるはずの子供たちは無意味な薬に含まれていた毒で死んだのです。この事件が原因でパンデミック翌年の1938年に、「連邦食品・医薬品・化粧品法（Federal Food, Drug, and Cosmetic Act）」が作られ、超高速立法で可決されました。本法案の成立に死力を尽くしたウィーラー・リー上院議員は、法案成立後に徹夜の連続がたたって過労死しています。文字通り死力を尽くしたのです。

彼の功績を称えた議会は、誇大広告や虚偽広告を取り締まる法律に「ウィーラー・リー法」という名前を付けました。しかし、この法律では医療機器も対象となり、木の肺と呼ばれた人工呼吸器は違法な医療機器とされたのです。皮肉にも同じ年に、同じ場所で、同じ病気にかかった子供たちを「助けた違法な医療機器」と「殺した合法な薬」が一緒に規制されたのでした。

この事件を知った子供用サルファ剤シロップを開発した科学者は自殺しましたが、もしかしたら会社に殺されたのかもしれません。アメリカ式の莫大な賠償金を請求されたS.E.マッセンギル社は責任逃れするために、100人以上の子供たちが死んだ原因は薬ではなく違法な人工呼吸器の使用によるものだと主張して、大企業を敵に回したレイノルズ氏とその仲間たちは刑事告訴され犯罪者にされました。この当時の警察と弁護士は、大企業が賄賂を握らせれば簡単に言うこと聞きましたから…。

レイノルズ氏とその仲間たちは、「100人以上の子供を殺した海賊」という事実と真逆の汚名を着せられ、国際指名手配されることに…。多くの人命を救い続けている木の肺は誕生から1年で、使うと犯罪になる違法機器になってしまいました。病院はタダ同然の木の肺を捨てて、高価な正規の医療機器である「鉄の肺」を使わなければ犯罪者になってしまうように法改正されたのです。

再び、絶望の時代が訪れることになったのか…。92ページからの後編に続きます。

犯罪者の汚名を受けても信念を貫き伝説へ…

海賊王と呼ばれた男たち　後編

違法な機器と認定されてしまった「木の肺」だが、これで終わりではない。子供たちを救うという義のために男たちは戦い続け、その信念は遠く離れたオーストラリアにまで届いたのだ…！

　高価な正規品の人工呼吸器の代わりに、安価にDIYしたものは違法機器とされ、使用は規制されてしまいました。たった1年で、金が無ければ呼吸も出できない絶望の時代に逆戻りしたかに見えましたが、医師をはじめとした臨床現場のスタッフらはそんな法律には従わなかったのです。

　違法とされた人工呼吸器「木の肺」は、ゴミと家電製品で作られています。分解すれば「壊れた木製冷蔵庫」「掃除機」「自動車のタイヤチューブ」「破けた革靴」「壊れたレコードプレーヤー」というゴミの山に。そして、それらは3分以内に合体させることができるのです。普段は病院の倉庫にゴミとして置いておき、人工呼吸器が必要な患者が出ると倉庫という建前の集中治療室に運び込み、即座に木の肺を組み立てて救命処置を実施。人工呼吸器が外せるようになったら患者を倉庫から一般病棟に移して、人工呼吸器をまた分解してゴミに戻します。違法な医療機器の使用が常態化していたわけです。

　違法であることは全員分かっていたので、国際指名手配犯になってしまったレイノルズ氏の名前は記録には残されず、彼の本業がプラント・エンジニアだったことからメディカル・エンジニア（Medical Engineer）を略して「ME」という隠語で語られるようになりました。日本で国家資格になっている、「臨床工学技士」の語源です。

　国際指名手配犯として追われることになったレイノルズ氏は、近づくと死ぬ伝染病患者という建前で病院に匿われたり、ヨットクラブの仲間に助けられたりしながら、彼らとともにDIY人工呼吸器の普及とポリオ根絶のために、ヨットで五大湖を駆け巡ります。時にはアメリカ沿岸警備隊（USCG）からも逃げたそうで、なんと時効まで逃げ切りました。そして、木の肺はエマーソン医師など多くの医療関係者らの尽力により、ついに安い合法医療機器として認められたのです。

　なお、S.E.マッセンギル社は責任転換に成功し、100人以上の死者は海賊王が殺したことにして賠償金を踏み倒し倒産を免れ、1971年に会社を売却するまで創業者一族経営で存続して逃げ切りました。今でもS.E.マッセンギルでググると、殺人シロップ「エリキシル・スルファニルアミド」の瓶がオークションに出ていたりして、負の歴史遺産になっています。

　アメリカとカナダにまたがるレイノルズ氏の国際指名手配は、その後も取り消さたりせず、5,000ドルの賞金首になってしまいましたが、誰も指名手配を信じていなかったので手配書が張り出されても破かれ、警察も沿岸警備隊も手配書をゴミ箱に放り込んで無視していました。そのため、現在では海賊王

Memo:
参考資料・画像出典など　●「1952年製造の木の肺」：2008年5月29日にグランドリバー病院で発表された人工呼吸器のプレゼンテーション資料

マクスウエル・ケネディ・レイノルズ
（Maxwell Kennedy Reynolds）
1936年にスペリオル湖沿岸で撮影されたレイノルズの写真。手配書にも使われている。なおこの写真は、曾孫であるレイノルズ7世から送ってもらったもの

の手配書は、オークションに出品されると手配書コレクター（Wanted poster collector）の間で100万ドル以上の値が付くといわれています。賞金よりも手配書の紙の方が高額って…？

 カナダからオーストラリアに届いた黄金の手紙

　1937年末、オーストラリア南部でもポリオによるパンデミックが発生していたことが『ニューヨークタイムズ』で報道されました。この時、「オール・レッド・ライン」と呼ばれたイギリスが敷設した世界一周海底ケーブルが既に完成しています。そこで、カナダのバンクーバーからオーストラリアのブリスベンへつながる海底ケーブルを利用して、レイノルズはオーストラリア南部にあるアデレード大学のテレックス・ナンバー宛に、木の肺のマニュアルを送ったのです。当時の通信費は、1文字1英国ポンドと非常に高額。彼は自分のヨットを担保に借金して、文書を送るために2,800英国ポンドの通信費を支払いました。月収100ポンドあれば高給取りといわれていた時代にです。

　船でマニュアルを送れば4か月以上かかり、それでは間に合いません（当時の貨物船や客船の北米東海岸～オーストラリア間の航路は100日以上かかり、そこから港の積み下ろしや陸路輸送を考えると最短最速で4か月かかり、半年以上を要するのが普通だった）。アデレード大学できちんとテレックスを受け取り、人工呼吸器を作ってくれる人がいるのかどうかは分からない、一方通行の手紙でした。

　幸いなことに当時のテレックスは料金が超高額であり、親書でわざわざカナダから悪戯やデマが送られてくるとは考えられません。1枚で月給4か月分もする文書が送られてきたら真剣に読むはずです。そ

The Middle-Class Plague: Epidemic Polio and the Canadian State, 1936-37*

CHRISTOPHER J. RUTTY

Abstract. During the pre-Salk era, paralytic poliomyelitis was one of the most feared diseases of twentieth-century North America. This perception, held most strongly by the middle class—polio's principal target—shaped a unique Canadian response to it based on comprehensive, standardized, and unconditional programs of "state medicine" at the provincial level. Of Canada's four major waves of provincial polio epidemics, the second struck Ontario to an unprecedented degree in 1937, generating a similarly unprecedented response from the Ontario government in its control, treatment, hospitalization, and aftercare measures. As this article discusses, the severity of this epidemic led the provincial, and other Canadian public health authorities, to face a central question: How far should governments be compelled to go to ensure the advantages of modern treatment for their people? This article helps place the social impact of, and political and scientific response to, epidemic polio within the context of Canada's evolving public health and state medicine infrastructure at the time.

Résumé. Durant l'ère pré-salkienne, la poliomyélite paralytique était l'une des maladies les plus redoutées de l'Amérique du Nord de ce siècle. Cette perception, ressentie le plus fortement dans la classe moyenne — qui était la principale cible de la poliomyélite — donna forme à une réponse canadienne unique à ce problème, basée sur des programmes provinciaux de «médecine d'État» globaux, standardisés et non assortis de conditions. Des quatre vagues principales d'épidémies canadiennes provinciales de poliomyélite, la seconde frappa l'Ontario à un degré sans précédent en 1937, provoquant une réaction également sans précédent de la part du gouvernement ontarien au niveau du contrôle, du traitement, de l'hospitalisation et des mesures de posture. Cet article montre que la sévérité de cette épidémie a confronté les autorités de santé publique ontariennes et canadiennes à une question centrale: jusqu'où pouvait-on obliger les gouvernements à intervenir pour assurer à leurs ressortissants les avantages d'un traitement moderne? Cet article permet de situer l'impact social de l'épidémie de poliomyélite ainsi que la réponse politique et scientifique qu'on lui a

Christopher J. Rutty, Health Heritage Research Services, 35 High Park Ave., Apt. 1006, Toronto, Ontario M6P 2R6.

1952年製造の木の肺

1952年に製造された最終型の人工呼吸器。完全に専用部品で作られている。これ以降は、現代でも使われている挿管型人工呼吸器に世代交代する

Canadian Bulletin of Medical History
1936・1937年のカナダにおける、ペストとポリオの流行に関するリポート

こには「アメリカではこの装置で、大勢のポリオ患者の命が救われた」と書かれてあり、信じる人がいるのも当然だったでしょう。もし普通郵便だったら読まれずに放置されたか、読んでもらえても本気にされなかったかもしれません。まさに黄金の手紙だったのです。

大学の研究生だったエドワード・トーマス・ボスは、そのテレックスを読んで即座にこれこそ救世主からの啓示だと理解しました。彼はその資料を元に木の肺1,700台を量産し、オーストラリアをパンデミックから救ったのです。

その後、イギリス・ロンドンに呼ばれ、英連邦から人工呼吸器を広めた天才医学者としての名声を得ます。1941年、「大英帝国勲章」を受賞するとオーストラリアに戻ってボス電気会社を設立。現在でも使われている携帯用心電図、携帯用脳波計、加湿器、ウイルスを単離できる遠心分離機など、数多くの発明をして「オーストラリアのエジソン」と呼ばれることになりました。後に彼が発明した遠心分離機により、ポリオウイルスの単離に成功した科学者が現れ、ワクチンの製造が可能になります。ワクチンを作るために必要な道具を発明したというかたちで、間接的にパンデミック根絶に貢献したことになったのです。他にも多くのウイルスのワクチンが製造可能になり、世界中からパンデミックを根絶することになりました。

もしもレイノルズがアデレード大学に莫大な通信費をかけてテレックスを送らなかったら、オーストラリアのポリオパンデミックは最悪の事態に陥ったと思われます。そして、ボスがそれを受け取らなけ

ジエチレングリコール

エリキシル・スルファニルアミド
S.E.マッセンギル社がかつて販売した、子供
用のサルファ剤シロップ「エリキシル・スル
ファニルアミド」に、有毒のジエチレングリ
コールが混入していた。ジエチレングリコー
ルは甘みがあるので飲みやすくするために使
われたが、100人以上の子供が亡くなるとい
う不幸な事件となった。その瓶は、海外のオー
クションに出品されることもあるようだ

ればただの大学の助手として一生を終えていたでしょう。ポリオワクチンだけでなく多くのワクチンの
誕生が、10年以上遅れていたかもしれません。

　ちなみに、アデレード大学にテレックスが導入されたのは1934年。当時最新式の通信手段であり、
同時に長文を送れる唯一の通信手段でした。1938年当時、オーストラリア南部でテレックスがあった
学術機関はアデレード大学だけ。つまり、電話帳を見たレイノルズが見つけることができたただ1か所
の送り先だったのです。そこに天才科学者がいたのは、偶然だったのでしょうか？

　アデレード大学が黄金の手紙の送り主が誰なのか知るのは、1992年のことです。まさか、送り主が
国際指名手配されている男で、逃亡中に送ってきたとは夢にも思わなかったでしょうね。

海賊王は永遠に…

　21世紀現在、海賊王と仲間たちの功績を称える「フィリス＆マックス・レイノルズ財団」があります。
フィリスとは川の女神のことで、海賊王の乗船の名前であり、五大湖と大西洋をつなぐ川の女神と海賊
王を記念した財団という意味です。海賊王と仲間たちをはじめ、五大湖周辺の病院にて命を救われた人々
が出資して作られた慈善団体です。

　不思議なことにググってみても登記情報や散発的な情報が見つかるだけで、財団のWebサイトも

SNSもEメールも無く、メンバーも運営内容もどこで寄付を受け付けているのかすら公開されていません。しかし、政府公認の公益法人なので寄付すると税金控除の対象になります。あまりにも不思議なので、財団の登記上の住所（アメリカミシガン州）に物理メールを出してみたら、物理メールで返事が返ってきました。しかも筆記体の手書きで。

　財団の登記住所は、レイノルズ氏の自宅でした。現在の家長でレイノルズ財団理事長であるレイノルズ7世は、インターネットはナードのオモチャという認識の人で、ネットもPCも一切使わないそうです。どうやら、アメリカ田舎町の頂点に君臨する、典型的なジョックの人みたいです。

　こちらの海賊王の仲間にガイ骨の音楽家がいたのかは不明ですが、レイノルズ財団が出資して作られたレイノルズ・リサイタルホールという収容人数300人のコンサートホールがあり、今も演奏会が行われているようです。Googleマップで周辺を調べたら、レイノルズ図書館、レイノルズ記念病院、レイノルズ公園…などめっちゃ地元の名士でした。海賊王の仲間には、司書とか医者とか園芸家がいたのでしょうか？

　そして、レイノルズ家は先祖代々、長男に同じ名前を継承させる家だったため、子孫も同じ名前を名乗っています。その子孫であるマクスウエル・ケネディ・レイノルズ7世、通称「海賊王マックス」は、今日も人々を救うためにレイノルズ財団が所有する船、フィリス号に乗って五大湖を駆け巡っているのです。今も海賊王と仲間たちは生き続けているのでした。

　スペリオル湖ヨットクラブの子供たちに、「マックスおじさん海賊王なんでしょ、ゴムゴムのピストルやって」とかせがまれたりしているのかどう知りませんが、多分、マンガとか読まない人だからやってくれないでしょうね。残念（笑）。

フィリス&マックス・レイノルズ財団(Phyllis and Max Reynolds Foundation Inc)

海賊王とその仲間たちの功績を称える財団。フィリスは川の女神のことで、海賊王マックスの乗船の名前でもあった。五大湖と大西洋をつなぐ、川の女神と海賊王を記念した財団という意味だ。

財団のWebサイトはなく、登記上の住所が確認できるのみ。なお、レイノルズ氏の自宅だ

https://www.charitynavigator.org/index.cfm?bay=search.profile&ein=383354883

レイノルズ・リサイタルホール(Reynolds Recital Hall)

地元では病院や図書館などを運営。コンサートホールもあり、定期的に演奏会が開催されているようだ

Memo:

いつの時代も監視の目をくぐり抜けて持ち込まれる…

麻薬と密輸の科学 前編

心を惑わす悪い薬…「麻薬」。その多くは使用はもちろん、単純所持だけでも違法とされているのに、なぜか流通している…。麻薬ビジネスの裏側を前後編で解説しよう。　　　　文／くられ

　日本は世界的に見て、麻薬の流通量が極めて低い国ではありますが、それでも日々、麻薬スキャンダルなどで芸能人が逮捕されて、大河ドラマを撮り直すだの、CDを売らないようにするだの、それは関係ないんでは？みたいな過剰反応まで、メディアをあげてしております。しかし、よくよく考えれば、単純所持すらアウトなものがどうして流通しているのでしょうか？

　それは密輸によるものです。密輸とは読んで字のごとく、違法なモノや申請の必要なモノを無許可で国をまたいで移動させること。密輸内容は多岐にわたり、麻薬はもちろん、関税のドサっとかかるタバコや飲食物、金や大量の現金（地味に重罪）。最近では、トカゲなどの保護動物を密漁して密輸…なんてニュースもありました。

　麻薬の密輸ビジネスは、全世界を合わせると推定で年間30兆円規模の取引と考えられており、世界全体の貿易の1％近くを占めているといわれています。違法な取引であるにもかかわらず、それだけの需要があり、輸出入されているということです。

　つまり、麻薬は一つの産業として成立しており、その交易や販売を巡ってマフィアや国家がしのぎを削っているのです。その辺の話は、亜留間次郎氏の著作『アリエナイ理科式　世界征服マニュアル』に寄稿させていただき、製造者・販売者のお財布事情を紐解いてみました。今回は、麻薬と密輸という観点で、ブラックマーケットをもう少しマクロに見ていきましょう。

麻薬と貿易の歴史

　麻薬と貿易…といえば、イギリスと現中国の清朝で起こったアヘン戦争はご存じの方も多いと思います。一応ざっくりまとめておくと、イギリスは中国から陶器の食器、茶、絹などを輸入していたのですが、対価となるものが乏しかったため、別の利権で獲得していた麻薬であるアヘンを売りつけ、その結果、清朝に麻薬中毒者があふれ返りえらいことに…。そこでアヘン断ちをしようとしたら、イギリスが全力で殴りに来て、しかも清朝は負けてよりヒドくなった…みたいな話です。

　麻薬を全面的に合法化して、貿易を行うと、相手国から消え物を対価に金品を得ることができて、しかも相手国は中毒者の世話などで国力が低下するという実績があるため、基本的にそうした薬物は、先

進国の多くは「麻薬」として規制し、取り締まりを強化しているわけです。

　一方、貧しい国としては、麻薬だろうがなんだろうが基本的に需要があるなら作りたいし、高く買ってもらえるものなら売りたいということから、それをとりまとめるマフィアや国ぐるみのセーフティネットがあり、その結果、先進国側が厳しく取り締まるが、緩い国ではバンバン作られるという状況になっています。

　こうみると、先進国は麻薬をしっかり取り締まっているちゃんとした国で、貧しい国は麻薬でもなんでも売りつけようとする悪の帝国みたいに思われるかもしれませんが、そう単純ではありません。麻薬原料の中には医療用として必要なものも多く、それらを全面的に禁止することは先進国側の医療用麻薬（疼痛緩和のモルヒネなど）の供給を絶つことにもなるので、あくまで「違法取引」を摘発するしか方法が無いという状況になっています。

　では、そうした麻薬の原産国はどの辺なのか、この前編ではざっくりと解説しましょう。

■大麻

「大麻」「マリファナ」「ハッパ」「ポッド」…などと呼ばれる。世界中で最も知られていてポピュラーな麻薬であり、国によっては違法ではないため（アメリカは州法により規制がまちまちだが、大半が合法）、そうした国では普通に栽培されている。

　産地としては、大麻合法化を真っ先に行っていたオランダが有名だが、オランダは冬が長く露地栽培には向かないため、室内での栽培がメイン。日本でも栽培免許（大麻取扱者免許）を取得することで栽培可能であり、やや寒冷な水はけの良い土壌で作られている。

　世界的に貿易品として生産している国としてはモロッコが知られる。ヨーロッパで押収される8割近くが、モロッコ産の大麻樹脂（大麻の成分を集めた樹脂）である。

ヒロポン錠（大日本住友製薬株式会社）　https://www.ds-pharma.co.jp/
覚せい剤は日本でもごく一部で、合法的に生産・処方されている。取扱説明書には「劇薬」「覚せい剤」「処方箋医薬品」と記載

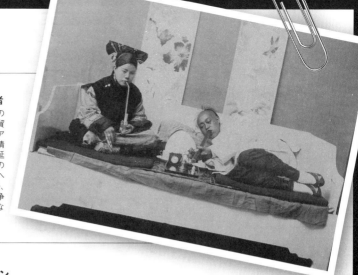

清朝時代のアヘン中毒者
1700年代半ばの明朝末期の頃から、イギリスとの三角貿易によりインドから大量のアヘンがもたらされた。次の清朝時にはアヘン中毒者が蔓延し、国力が大幅に低下。その国家的危機に対し清朝がアヘン全面禁輸を断行したため、イギリスとのアヘン戦争（1840～1842年）へとつながった

■アヘン／モルヒネ／ヘロイン

「アヘン」は、特定の種類のケシ科の植物のつぼみのような未熟な果実を傷付けることで染み出してくる白い液体を集め、乾燥させたもの。さまざまなアルカロイドを含む。そこから抽出・精製してより効き目を上げたものが「モルヒネ」、さらに上げたものが「ヘロイン」となる。

人間の脳の痛みをコントロールする仕組みにうまく入り込むことで、痛みを抑える強い働きがあり、がんなどのどうしようもない疼痛に医療用としてモルヒネが使われている。しかし、これを健常者が使うと、止めどない快楽を得られることから、廃人化しやすい麻薬の中でもぶっちぎりの危険性を持っているものとして知られる。

ケシは暖かい地域を好む植物であり、日本でも栽培は可能だが、年に何回も収穫できる温暖な気候の国で主に作られている。栽培地としては、2004年までは東南アジアの3か国（タイ・ラオス・ミャンマー）が、「ゴールデントライアングル（黄金の三角形）」と呼ばれ知られていた。しかし、国をあげての規制強化により現在はかなり下火になっている。

また、南米のメキシコやコロンビアも暖かいため栽培が盛んで供給国として有名だが、現在、最も世界的な生産地としては、イラン・パキスタン・アフガニスタンの3か国だ。横並びで存在する国なので、ゴールデントライアングルになぞらえて「ゴールデンクレセント（黄金の三日月）」と呼ばれている。

どうでもいいが、戦前の日本は征服した東南アジアでケシを栽培させてそれを加工出荷する、アヘン生産量世界一の国であったこともある。

■コカイン

アヘン／モルヒネ／ヘロインに並び、キングオブドラッグといわれるのが「コカイン」だ。日本では流通量が少なく知名度は低めだが（近隣に生産国が無く密輸ルートが乏しい上に、覚せい剤という競合があるため）、ヨーロッパやアメリカでは犯罪組織の資金源として重宝されている。犯罪組織にとって最大級の稼ぎ頭のトップ商品。実際に成人の数％がコカインの経験があるという。

大麻（Cannabis）　　　　　　　　　　　　　　ケシ（Opium Poppy）

　コカインはコカ（コカノキ）という植物の葉から成分を抽出され、化学的な調整を経て塩酸塩として流通する。大半が麻薬としてだが、局所麻酔薬としても多少の需要があり、アメリカなどでは医療用で使用されることもある。

　製造元はコカの原産地でもある南米。ただ、やや寒冷多湿な環境を好む割とニッチな性質があり、栽培地はアンデス山脈に連なる高地があるコロンビア・ペルー・ボリビアになる。コロンビアでは9万ヘクタール、ペルーとボリビアは足して7万ヘクタールほどで栽培されている。

■覚せい剤

　「覚せい剤」は、元々は麻黄（マオウ）という漢方薬にも多く使われる植物の主成分であるエフェドリンを化学的に加工したものである。1885年、日本の薬学者・長井長義が麻黄からエフェドリンの抽出に成功する。そして1887年に、ドイツでアンフェタミンが製造。6年後の1893年、長井と医学者・三浦謹之助によってエフェドリンを原料にアンフェアタミンよりも強力なメタンフェタミンが合成された。その後、完全合成法も日本とドイツでほぼ同時に完成している。

　非常に分子構造が単純であり、鎮咳作用や元気を出す作用（賦活作用）から万能薬かと期待されたが、乱用が相次ぎ、非合法化されたという経緯がある。現在もアメリカでは、アンフェタミンは割とポピュラーに睡眠発作やADHDの治療などに使用される。日本では、大日本住友製薬株式会社が「ヒロポン錠」として生産・販売しており、極めて限定的に処方されている。

Memo:

コカ（Erythroxylum Coca）

麻黄（Ephedra Herb）

　一方、ブラックマーケットでは、合成が容易であるがゆえに、原材料を調達しやすい国（多くの国では主要原料が麻薬指定されていて買いにくい）にて、アンダーグラウンドラボで製造。その多くが文字通り、カモフラージュされた地下施設のようなところだ。

　主な製造国は、エフェドリンの原材料として麻黄が潤沢に手に入る、麻黄の原産地でもある中国。そこから地続きの北朝鮮では、外貨獲得の国策として大量に作っているとされている。また、ベトナム・シンガポール・ロシアなどの原料規制の緩い国、ナイジェリア・ウガンダ・ケニアなどのアフリカ諸国でも合成プラントが摘発されている。また、本来は麻薬の仲介ビジネスで利益を得ていたメキシコマフィアも合成プラントを所有するようになり、地下工場が多く摘発されている。

■その他の合成麻薬

「MDMA」「LSD」などの合成麻薬は、ロシア・メキシコ・ベトナム・インド…などかなり点在している。メジャーなドラッグに比べて非常に原価がかかる上、合成工程も煩雑なものが多いので、犯罪組織が組織的に行っているというより、下っ端がアルバイト感覚で作らせていることが多いようだ。

　また最近は、法規制されていない新麻薬などの開発や、102ページから解説する分子的偽装麻薬など法の網をかいくぐる研究も海外の犯罪組織では行われているようです。

物理的隠匿から分子的偽装に進化…

麻薬と密輸の科学 後編

97ページからの前編で　麻薬の種類と原産国などをひと通り押さえたところで、ここからは密輸方法の変遷を解説していく。分子的に別の物質に偽装する手口も登場…。　　　　文／くられ

　麻薬の輸出入は、陸路・海路・空路と普通の貿易ルートと変わりません。ただし、それぞれの検問に引っかからないようにさまざまな偽装工作をして密輸されてきました。ここでは戦後から現代までの、麻薬と密輸の手口の移り変わりをまとめておきましょう。

物理的に隠して持ち込む

　戦後間もない1946年（昭和21年）あたりに、内政の混乱に乗じて暴力団が台頭してきます。彼らは元々あった東南アジアとのパイプを活かして、原料のアヘンを輸入し、それを精製しヘロインとして販売。凄まじい量の中毒者を生み出し社会問題化しました。この頃は、賄賂や書類改ざんなどで堂々と持ち込んでおり、密輸という技術自体はあまり重要ではなかったようです。

　その後、戦後の政府の横流しによる覚せい剤ブームなどから麻薬の規制がいっきに進みます。高度経

gh at al of a m gs ble is- ed on the spot and one Nigerian was arrested by a

スーツケース二重底
スーツケースが二重底に加工され、14kgの大麻を収納。X線にて発覚した

On 18 August 2008, acting on intelligence, custo Airport Customs seized 329g of methamphetamine from Shenyang, China. The drugs were concealed o Korean was arrested on the spot.

二重パンツ
二重パンツにして隠し持っていた。この太いブツは、メタンフェタミン（329g）

（Korea Customs Serviceによる資料「Combat against Drug Smuggling in Korea 2009」参照）

Memo:
参考資料・画像出典など　● 「Combat against Drug Smuggling in Korea 2009」韓国関税庁（Korea Customs Service）Webサイト
http://www.customs.go.kr/kcs/main.do

t-BOCメタンフェタミン

（覚醒剤と構造が類似、簡単に覚醒剤が製造可能）

厚生労働省「日本で規制されていない
薬物や使用形態が変化した薬物」参照

覚せい剤（メタンフェタミン）にアミノ基の保護基「t-BOC基」を付けることで、別の物質「t-BOCメタンフェタミン」になる。2017年12月にそれらも指定薬物として規制され、摘発されたことで知られるようになったが…。成田国際空港の税関では、足つぼ用オイルなどに偽装されたものが見つかった
　　　　　　　　（『朝日新聞DIGITAL』参照）

済成長とともに1970年代に入ると安定し始めた社会をベースに、LSD・大麻・コカインなどが海外から入ってくるようになり、それにまつわる法規制も後手後手だったものの徐々に進んでいきました。

　1980年代に入り、日本の経済が世界に対し強くなってくると、国内の暴力団だけでなく、海外の犯罪組織もその資金調達のため日本市場を狙うようになります。密輸が本格的に巧妙化してきたのです。

　1990年代に入ると、変造テレカと麻薬密売はセットでブラックマーケットのベースとなり、乱用者もかなり増え始めました。芸能界における麻薬汚染スキャンダルも増えてきましたが、実際は氷山の一角だったといわれています。

　日本は麻薬を持ち込む場合、陸続きの他国が無いため陸路ではなく、海路と空路の2パターンです。特に大型密輸の場合は、海路での荷物混入がよく使われる手口。最初はビニール袋に入れて丸めたものを、民芸品やピアノなどの空洞の多い貨物に隠すだけでしたが、年代を経て、タイヤ内部や、加工済みの缶詰に偽装して普通の缶詰のコンテナに紛れさせるなどに進化しました。

　一方、空路の方も、スーツケースを二重構造にするなどして、板状に成形した麻薬をみっちり詰めて持ち込むとか、人の目をごまかす工夫が取られるようになります。擬装グッズも巧妙になり、機内持ち込みのペットボトルにカモフラージュしたもの、ヘアブラシや歯ブラシなどの内部に入れ込むものなどが登場。小規模ながらも密輸するのに、そうした擬装グッズが使われました。

　しかしこうした所持品は、麻薬探知犬やX線検査によって判明してしまうため、それを回避するために1990年代後半から使われ始めたのが、人間自体を運び道具にするという手口です。具体的にはコンドームなどで麻薬を梱包し、それを飲み込み体内に麻薬を隠し持って密輸するという方法。非常に危険

●「日本で規制されていない薬物や使用形態が変化した薬物」厚生労働省Webサイト　https://www.mhlw.go.jp/content/11126000/000341873.pdf

そうに思われますが、実際にかなり危険です。胃の中でうっかり破けて、致死量の何百倍もの麻薬を服用することになったり、腸閉塞を起こし搬送されるケースが続出したため、この手口が判明しました。現在は、疑わしい場合は別室でレントゲン検査をされ、専用トイレにて排泄したところで逮捕という流れになっています。

　2000年代に入り、海路では、位置ビーコンを埋め込んだ浮きを付けていったん洋上に投棄し、それを漁船などにまぎれて船で回収するという複雑な手口が横行するようになりました。

　また、海外の事例でも驚きの手口が発覚。メキシコでは湾岸線の海底を運ぶための密輸潜水艦が押収されています。2015年あたりから、アメリカの国境付近ではドローンも盛んに利用されているとか…。

分子的に偽装して密輸

　麻薬の密輸において、現在、最高の手口といわれるのが、分子的な偽装を施す手法です。

　多くの国では、覚せい剤などの麻薬を分子構造で指定し、「この物質は禁止」と制定しています。日本でも完全に分子構造が違法なモノと合致しなければ、違法とは認めないという法規制となっています。この法律の善し悪しはおいといて、その分子構造から外れているのに、作用自体は麻薬的な効果を持たせたものとして出現したのが、一時期大ブームとなった脱法麻薬の類いです。

　日本ではそうした脱法麻薬（危険ドラッグ）は2014年から何年かに分けて、包括指定という今後作られそうな脱法麻薬をあらかじめ大量に追加しておくことで、大幅に激減しました。2014年に1,370種、その後も増え続け2千数百種が指定されています。

　脱法麻薬は、それまで法律的に違法ではなかったので合法的に堂々と持ち込まれていました（「合法ドラッグ」とも呼ばれた）。そのため密輸とは無関係でしたが、そこで培われた技術をベースにしたのか、近年、新たな密輸手段が台頭してきています。少し前置きの説明が長くなりましたが、ここからがいよいよ本題です。

　誰もが知っている麻薬自体を、全く別の分子構造に偽装して国内に持ち込み、その分子構造を元の麻薬に戻すという手法。分子的に偽装して持ち込むという点では、従来の何かに物理的に隠すという手段とは根本的に異なる、極めて未来的な、化学的な密輸手口といえます。

　古典的麻薬である覚せい剤があるとしましょう。そのままでは通関の品目検査の段階で当然通れませんし、また巧妙に隠したところで、厳しい訓練を受けた麻薬探知犬に、鋭い嗅覚で見つけられてしまいます。しかし、この覚せい剤を分子的に別の物質にしてしまえば、それ自体は違法ではないため、規制されてなければ通関で止めることはできませんし、麻薬探知犬がメタンフェタミンを検知することも不可能です。

　ここ最近ニュースをにぎわせたその手口は、覚せい剤に分子的装飾を施すといういうもので、ペプチドの合成などに用いられるアミノ基の保護基を付ける技術自体が悪用されたかたちです。2017年12月に指定薬物として規制されるまで「違法な物質」ではなかったので、事実上、堂々と輸入し放題な状

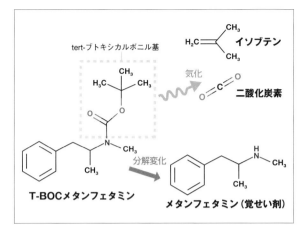

T-BOCメタンフェタミン

tert-ブトキシカルボニル基

イソブテン

気化

二酸化炭素

分解変化

メタンフェタミン（覚せい剤）

t-BOCメタンフェタミンを分解
「t-BOCメタンフェタミン」を熱水に溶かして、塩酸処理することでメタンフェタミンを取り出せる。分解された保護基は、無害なイソブテンと二酸化炭素になる。なお、「t-BOC」はターシャリーブトキシカルボニルのこと

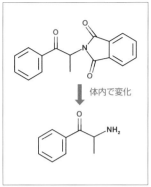

体内で変化

フタルイミドプロピオフェノン
プロドラッグ型の麻薬「フタルイミドプロピオフェノン」。体内で分解されると、麻薬成分を示すカチノンという覚せい剤に近いものになる。なお、2015年にカチノン系化合物群は、危険ドラッグとして包括指定されている

態だったといえるでしょう。

　この「t-BOCメタンフェタミン」は、「t-BOC基」という保護基構造を持ちます。覚せい剤に保護基を付けたものなので、それによってある程度安定して覚せい剤を含むものの、見かけ上は別の分子になります。そしてt-BOC基は、強酸や熱によって分解するのが特徴で、しかも分解物はイソブテンと二酸化炭素というほぼほぼ無害な物質。つまり、密輸したt-BOCメタンフェタミンを熱水に溶かし、塩酸処理することで塩酸塩の覚せい剤として再生することができるのです。その手順自体は、カップラーメンを作るレベル。

　また、プロドラッグ型の麻薬も登場してきています。「プロドラッグ」とは、摂取すると体内で代謝作用により活性代謝に変化して薬効を示す医薬品のこと。その技術を麻薬に適用し、体内で分解されて麻薬成分に戻るというものです。現在見つかっているのは「フタルイミドプロピオフェノン」というもので、体内で代謝を受けるとカチノンと呼ばれる覚せい剤に近い性質の麻薬に変化します。

　このように密輸といっても、トランクに擬装して忍ばせる時代から、現在は分子構造に装飾したり、もしくは麻薬のキー物質となる前駆体を装飾して持ち込む…などに進化。そうなると、単純にこの物質は違法…という従来の規制は意味が無くなると考えられます。

本物のエリート医師が開業している!?

合法的な闇病院

医師免許を持たない凄腕の元医師が、訳あり患者を診てくれる…というのがフィクションにありがちな「闇病院」のイメージ。しかし現実は少し違うようだ。その一例を紹介しよう。

情報化社会の発展により、誰でもネットで医療情報を手に入れやすくなった現代。薬の名前や効果にちょっと詳しい、素人に毛が生えた人が大量に生まれました。患者はとにかく、すぐに効く強い薬を欲しがりますが、それらは医師の処方箋が無ければ買えないものばかりです。その結果、来院すると「○○○○○を処方してくれ」と医師に注文する患者が激増しました。とはいえ、普通の医師はプロなのでそんな注文は聞きません。

しかし、中には聞いてしまうダメ医者もいて、やたらと薬を欲しがる患者は自分の言う通りにしてくれる医者こそ名医と思い込むようになりました。そのダメ患者の代表例がアドルフ・ヒトラーです。彼は独裁者の権限で、やたらと薬をくれる医者を主治医に任命しました。

そして現代の日本社会でも、すぐに望み通りの薬を処方してくれる病院に患者が集まる傾向があります。でも、保険診療だと「○○薬は△日分まで」など、さまざまな制限がががあって患者の望み通りには処方されません。すると、「保険が効かない自由診療でもいいから」と言う患者が出てきます。ならば患者の言う通りに薬を売れば儲かるのでは？…そんなことに気が付いてしまった医者が現れるのは時間の問題でした。

場末の雑居ビル辺りに経歴がやたらとエリートな医師がいるという診療所があれば、そこは怪しいかもしれません。その理由が分かる、あるエリート医師の転落の物語をここから語りましょう。

 ## エリート医師の転落人生

昔々あるところに、県1番の名門高校を卒業して、3浪の末に名門大学医学部に入学し、1留して何とか卒業し医師になった人がいました。

しかし、出身校附属病院の循環器内科勤務になった彼を待ち受けていたのは、周囲の冷たい仕打ちだったのです。世間一般から見れば、彼は名門大学医学部卒のエリート医師なのですが、超エリートが集まる病院内では3浪1留の田舎者は落ちこぼれ扱い。冷たい目で見られたのです。

翌年、彼は外部の病院へ出向させられます。名門の序列からいえば左遷です。地方医大卒ながらも頑張って、名門大学医学部附属病院で働かせてもらっていた高校の後輩も一緒でした。

本物の医師が反社の手先となり、薬を売りまくって稼ぐ闇病院は実在する。マンガ『カイジ』シリーズに出てくる金融会社・帝愛にむしり取られる負債者のように、その医師もこれから一生…。貧相な場末のクリニックなのに、やたらとエリートな経歴を持つ医師がいる場合、訳ありの可能性がある

　出向先でもめげずに働いた彼は、その翌年には元の附属病院内科へ戻ることができたのですが…。しかし、特に医師としての業績も実力もない彼に対して、周りの態度は相変わらず冷たいものでした。

　有能な若手が下からどんどん上がってくる中で、無能な先輩に居場所はありません。彼は病院を辞めさせられました。その後、名門大学医学部附属病院の医師だった肩書きを利用し、大手医療法人が運営する地方病院の雇われ病院長になります。オーナーとしては、名門大学医学部出身の医師がいるという看板が欲しかったのでしょう。

　しかし、雇われ生活も2年しか持たず、病院長を辞めて後輩と2人で開業医になる準備を始めます。そしてある年の夏、2人で医療法人社団を設立して都内で開業したのです。

　ところが、病院経営はうまくいかず、1年目にして1千万円以上の赤字を出して資本金のほとんどを取り崩す事態に。何とか儲けようと謎のエキスとか得体の知れない漢方に手を出したりして、必死に頑張ったのですが…。開業からわずか2年後、900万円以上の債務超過に陥って経営破綻してしまいます。

　そして、後輩は先輩に借金を押し付けて逃げたのでした。

親切な悪魔に魂を売ってみた

　すべてを失い、借金漬けになった彼に残されたものは医師免許だけ。そんな彼に仕事を世話してくれた親切な的屋がいました。病院が潰れた翌年、彼は借金のカタに名義貸しをして、都内のビルの狭い一室に診療所を開業。的屋は合法的に薬を仕入れるために病院の名義が欲しかったので、借金で困っている医師を利用したのです。的屋は自分の病院も全財産も失った彼に、その診療所で医師を続けることを勧めました。診療所として最低限の設備すら置けないような狭い貸しビルの一室でしたが、的屋は「薬を欲しがる患者は多い。合法的に病院で処方できる薬を、自由診療で相場よりも高い価格で売れば儲かる」と入れ知恵したのです。

　そして、悪魔に魂を売り渡し、医師としての誇りも倫理観も捨て、薬売りに専念すると、あっという間に年商1億円以上を稼ぐ診療所になりました。それから10年…、彼の診療所は「患者の言う通りにすぐに欲しい薬を売ってくれるクリニック」として今も繁盛し続けています。まさに、「当たれば儲か

る的矢」が的屋の語源とはよく言ったものです。

　つまり、彼は受験勉強では勝ち上がったけど、医師として無能過ぎて闇医者としても使い物にならないので、的屋に合法薬物の売人をさせられているというわけ。売り上げの大半は、借金の返済に消え続けているのでしょう。

　転落し過ぎて名門大学の同級生や同僚医師からは相手にされなくなってしまい、的屋の売り子になってしまった彼ですが、今でも地元高校の同級生や先輩後輩相手には「俺は名門大学医学部卒の開業医」だと自慢しているのか、同窓会の事務局長を引き受けています。彼の自尊心を満足させてくれる場所は、もうそこしか残っていないのでしょう…。

　このお話は、実話を元にしたフィクションです。ですが世の中には、妙に貧相なクリニックの割に、医師の経歴がやたらエリート過ぎる謎の診療所が実在します。それは決して経歴詐称しているわけではなくて、その裏にはいろいろと事情があってのことです。

　そういったクリニックを利用すれば、ドラッグストアでは買えない処方薬を合法的に手に入れることは確かに可能ですが、患者の健康のことなどは一切考えてくれません。ひと昔前に消費者金融のテレビのCMであったように「ご利用は計画的に」…すべては、自己責任になります。

　借金は自己破産できても、不健康は清算できません。

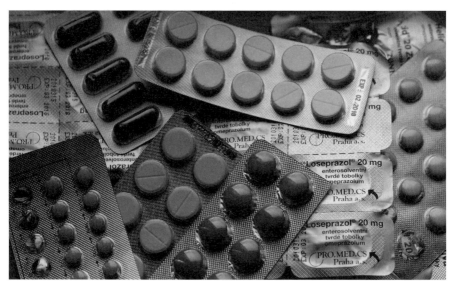

「名医がいる病院」といわれる中には、患者が望んだ薬を何でも好きだけ出してくれるから…という理由で支持されているところがあるかもしれない。合法的に処方薬を入手できるからといって、そういうクリニックを利用するのは、リスクが高いことを覚えておこう

Memo:

裏基礎医学

[KARTE№.024-039]

アミバ様が新しい経絡秘孔を発見したら儲けられるのか？

医療特許とは何ぞや？

怪しげなサプリメントや健康グッズの広告に、「医療特許」という言葉が出てくることがある。
医学的なエビデンスがあって、効果がありそうなものに見えるが、その実態は…？

　特許制度の一つに、分類指標を国際的に統一すべく設けられた「特許国際特許分類（IPC：International Patent Classification）」というものがあります。Aが生活必需品、Bが処理操作；運輸、Cが化学；冶金…と大きな分野ごとにA〜Hまでセクション分けされていて、その中のA61が、いわゆる「医療特許」になります。セクションはさらに、クラス→サブクラス→メイングループ→サブグループと階層ごとに分類。特許情報を検索するためのインデックスとしての役割があるのです。

　つまり、医療特許とはあくまで特許事務を円滑に処理するための分類であり、特許を扱う弁理士の仕事道具の一つということ。医療従事者が使用する医薬品や医療機器限定の特許ではなく、医学とも何の関係もないのです。また、特許分類は特許出願時に書類に自己申告で書くので、特許の内容を見て特許庁が分類しているわけではありません。某前立腺マッサージ器具が「医療特許取得済み」とは、つまりこういうことなのです。

　例えばA61Hというサブクラスを見てみると、「A61H 31/00：人工呼吸 心臓刺激」という人工呼吸器やAEDなどの特許と、「A61H 19/00：生殖器のマッサージ」といういわゆる「大人のおもちゃ」も入っています。さらに、「A61H 21/00：人体の腔部をマッサージする用具」はかなりカオスで、電動歯ブラシとリモコンバイブが同じグループです。繰り返しになりますが、医療特許とは特許事務処理上の都合で存在しているのであり、医学とは無関係で、医療特許があったとしても、医薬品でも医療機器でもありません。

　もう1つ、サプリの例を見てみましょう。「20150806：黒酢グルコサミン混合物を含有する錠剤」の特許は、「A61K 9/00：特別な物理的形態によって特徴づけられた医薬品の製剤」に分類されています。しかし、特許の内容は「苦みやえぐみを感じることなくグルコサミンを摂取しやすい形状にすること」です。グルコサミンに関節の痛みなどの改善効果があるかどうかは出願者の自称であり、医学的根拠は保証されていません。何の意味も無い医療特許を掲示しているのは、違法な不当表示にならないギリギリのラインを攻めているからです。こういうのはインチキ商品だと疑っておきましょう。

Memo:

A61H :

公知日 - 公報の名称

- 20170727 - 大人のおもちゃのスマート無線制...
- 20160407 - 往復運動を行うマッサージ具
- 20131128 - 口腔内マッサージ器
- 20120315 - マッサージ具
- 20060706 - 前立腺マッサージ器

国際特許分類カテゴリ A61

A61B 診断 手術 個人識別
A61C 歯科 口腔 歯科衛生
A61D 獣医用器具、器械、器具 用法
A61F 血管へ埋め込み可能なフィルター 補綴 人体の管状
構造を開存させる 虚脱を防ぐ装置, 例. ステント 整形外
科用具, 看護用具 避妊用具 温湿布 目 耳の治療 保温 包帯
被覆用品 吸収性パッド 救急箱
A61G 病人 身体障害者に特に適した輸送, 乗りもの, 設
備 手術用台 いす 歯科用のいす 葬儀用具
A61H 物理的な治療装置, 例. 人体のつぼの位置を検出
刺激する装置 人工呼吸 マッサージ 特別な治療 人体の特
定の部分のための入浴装置

A61J 医療 製剤目的のために特に適合させた容器 医薬品
を特定の物理的形態 簡用形態にするための 特に適合させ
た装置 方法 食品 医薬品の経口投与装置 おしゃぶり 唾受
け用具
A61K 医薬用, 歯科用または化粧用製剤
A61L 材料 ものを殺菌するための方法 装置一般 空気の消
毒 殺菌 脱臭 包帯, 被覆用品, 吸収性パッド, 手術用物
品の化学的事項 包帯, 被覆用品, 吸収性パッド, 手術用
物品のための材料
A61M 人体の中へ、表面に媒体を導入する装置
A61N 電気治療 磁気治療 放射線治療 超音波治療
A61P 化合物 医薬組成物の治療活性 [7]
A61Q 化粧品 類似化粧品製剤の使用[lpc8]

Copyright 2007 © Ken Tanaka 国際特許分類データの著作権は、日本国政府にあります。

国際特許分類カテゴリ A61

「A61」に、いわゆる「医療特許」に関する情報がまとめられている。「A61H 21/00：人体の腔部をマッサージする用具(5)」
には、リモコン式の「大人のおもちゃ」と電動歯ブラシである「口腔内マッサージ器」が記載。あくまで特許事務処理上の都
合で分類しているだけで、医薬品や医療機器というわけではない
「国際特許分類メニュー＆検索システム」http://www.publish.ne.jp/ipc/

 認められない医療特許

　逆に特許があっても良さそうなのに、医療特許が認められないものがあります。

　例えば、医療マンガで有名になった「バチスタ手術」は、特許を取ることはできません。医療従事者
が行う手技、いわゆる診断方法や治療方法などには特許が認められないのです。というのも、医師がい
ちいち特許処理を行わないと診断や治療ができない状況になると、患者が死ぬからです。医師は論文で
見つけた治療方法を実践する際、その技術に特許があるかどうか考慮する必要はありません。

　ちなみに、医薬品や医療機器を開発し、特許を取ることは認められています。そして仮に、それら医
薬品や医療機器に特許侵害があったとしても、製薬会社や医療機器メーカーが訴えられて責任を取るべ
きことであり、購入して使った医師が特許処理に関わる必要はありません。人の生き死にがかかってい
るので、この辺はなんだかんだでよくできているのです。

 経絡秘孔の特許は取れるのか？

　さて、ある意味、ここからが本題（笑）。マンガ『北斗の拳』に登場する、自称天才のアミバ様が新
しい経絡秘孔を発見して、病人の治療に使ったら医療特許で儲けられるのか？という話ですが…、以上
のような理由から、医療特許は取れないでしょう。治療方法は特許が取れないので、新秘孔を特許出願
しても認可されず、他の誰かが同じ秘孔を利用して治療を始めても訴えることはできません。

A61H 35/00：人体の特殊な部分のための入浴，例．胸部
灌注浴〔6〕

- A61H 35/00：人体の特殊な部分のための入浴，例．胸部灌注浴
  〔6〕(71)
- A61H 35/02：・目のためのもの〔6〕(1)
- A61H 35/04：・鼻のためのもの〔6〕(3)

A61H 36/00：発汗着

- A61H 36/00：発汗着(8)

A61H 37/00：マッサージ用補助具〔6〕

- A61H 37/00：マッサージ用補助具〔6〕(12)

A61H 39/00：物理療法のため人体の特定のつぼの位置を
検出 刺激する装置，例．鍼術〔2〕

- A61H 39/00：物理療法のため人体の特定のつぼの位置を検出 刺激
  する装置，鍼術〔2〕(39)
- A61H 39/02：・つぼの位置を検出する装置〔2〕(9)
- A61H 39/04：・つぼを圧迫する装置，例．指圧〔2〕(573)
- A61H 39/06：・つぼを細胞の生命限界内で加熱 冷却する装置
  〔2〕(44)
- A61H 39/08：・つぼに鍼を適用する，すなわち鍼療法の，ための用
  具〔2〕(18)

A61H 99/00：このサブクラスの他のグループに分類され
ない主題事項〔8〕

- A61H 99/00：このサブクラスの他のグループに分類されない主題事
  項〔8〕(3)

A61H 39：物理療法のため人体の特定のつぼの位置を検出 刺激する装置

アミバ様が新しい経絡秘孔を発見したならば、誰でも使える特定のつぼを
押す装置を開発して特許申請すれば、みんなが幸せになれるかもしれない。
アミバ様が儲かり、患者は病気が治って救われる…

　なので、医療特許を取って儲けるには、別のアプローチが必要になります。具体的にいうと、メイングループ「A61H 39：物理療法のため人体の特定のつぼの位置を検出 刺激する装置」で、新秘孔の位置を正確に適正な力で突ける装置を開発して特許を取ればいいのです。サブグループの「A61H 39/02：つぼの位置を検出する装置」として新秘孔の位置を検出する装置を出願し、「A61H 39/04：つぼを圧迫する装置」として新秘孔を突く装置を出願すれば完璧でしょう。

　誰でも北斗神拳と同じことができるようになるデバイスを開発すれば、特許で儲けられるだけでなく、北斗神拳が使えない普通の医師でも経絡秘孔を使って患者を治療することができるようになり、大勢の人間が救われます。しかも、秘孔を間違えて患者がひでぶする事故も防げるでしょう。

　もしも、世紀末が訪れずに平和な時代が続いていれば、北斗神拳は平和な社会で存在が許されない殺人術に過ぎません。現実のような世紀末にならなかった世界線では、アミバ様が北斗神拳を医療に応用して大勢の人間を救っていたかもしれないのです。まあ、99.9999％の確率でマッド・ドクターになっているでしょうけど…。

　ならば、トキやケンシロウが特許を申請すればいいのかというと、それは不可能です。北斗神拳は一子相伝の拳法なので、経絡秘孔を公にはできません。つまり、経絡秘孔の特許を申請してしまうと、その情報が公開され北斗神拳が一子相伝ではなくなってしまいます。正当伝承者でないアミバ様は一子相伝とか関係ないので特許出願できますが、トキやケンシロウは家庭の事情でそれが許されないのです。

　技術の中でも特に医療技術は、秘匿すべきものではありません。公共の福祉のために、北斗神拳は一子相伝をやめるべきです。そうすれば北斗四兄弟は、平和な世界で全員仲良く暮らせるのです。

Memo:

ホントに同じ？違いを分かった上で選びたい

先発薬とジェネリック医薬品

「ジェネリック医薬品」は、「新薬（先発医薬品）と同じ有効成分を使っており、品質、効き目、安全性が同等」とされている。しかし、必ずしも「新薬と同等」というわけではないらしい。

そもそも、「ジェネリック医薬品（後発医薬品）」とはなんでしょうか？　日本ジェネリック製薬協会では、このように説明しています。

ジェネリック医薬品は、新薬（先発医薬品）と同じ有効成分を使っており、品質、効き目、安全性が同等なおくすりです。（日本ジェネリック製薬協会「ジェネリック医薬品ってどんなおくすり？」より引用）

　しかしながら、日本ジェネリック製薬協会は同時に「効能効果、用法用量等に違いのある後発医薬品リスト」も公開しています。つまり、ジェネリック医薬品と先発医薬品が"完全に同じ"というわけではないのです。なぜこういうことが起きるのかというと、それは下記の理由から。

- 特許が切れたからといって、先発薬を開発したメーカーが企業秘密である製造工程を公表するわけではないため、ジェネリックメーカーが独自の製法で製造している
- 主成分の特許は切れていても、副成分の特許が残っているので、その部分が異なる
  （先発薬メーカーが成分・製法を許諾した「オーソライズド・ジェネリック」もあるが、まだ少ない）

ゆえに、「ジェネリック薬に変えたら効かなくなった」ということは、アリエルわけです。

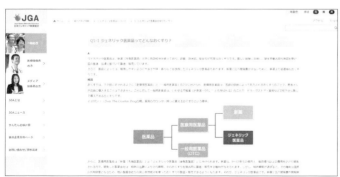

「ジェネリック医薬品ってどんなおくすり？」
日本ジェネリック製薬協会
https://www.jga.gr.jp
ジェネリック医薬品は、新薬をベースに作られるため、開発費などを抑えられるので安価に提供できる。同じ有効成分を同じ量含み、新薬と同じ4項目の試験も実施し、効き目や安全性は保証されている。ただし、効果に影響がないとされる添加剤などは異なっており、新薬と全く同じというわけではない

参考文献・画像出典など　●日本ジェネリック製薬協会「効能効果、用法用量等に違いのある後発医薬品リスト」
http://www.jga.gr.jp/library/medical/effectiveness/170922_effectiveness.pdf

「先発品と同等」ではなかった例

　具体例を見ていきましょう。2007年に、「後発医薬品の適正使用と医薬品添加物に関する研究」という論文が発表されました。これは、睡眠鎮静剤（ハルシオンなど）とそれらの後発医薬品を用いて、マウスに対する催眠作用の比較及び主成分含有量と血中濃度を比較検討したものです。この論文では、Triazolam（トリアゾラム）の含有量が先発品のハルシオンと同等であったにもかかわらず、作用が有意に弱い後発薬があったことが報告されています。あくまでも動物実験の結果であり、人間にそのまま当てはめることはできませんが。

　また、2008年には切迫流産・早産治療薬であるウテメリン（先発薬）のジェネリックに不純物が入っていて、問題になったケースもありました。主成分にも添加剤にも問題はなかったのですが、製造工程で加熱処理時にリトドリンに亜硫酸イオンが付加し変質したものが、不純物として混入していたのです。その後、各メーカーで改善が行われ、現在流通しているものについては、不純物含有量に問題ないことが確認されています（「第2回ジェネリック医薬品品質情報検討会で品質課題が指摘されたリトドリン塩酸塩注射液の再試験結果報告」を参照）。

日本ジェネリック製薬協会
「効能効果、用法用量等に違いのある後発医薬品リスト」

YAKUGAKU ZASSHI 127(12) 2035—2044 (2007)
「後発医薬品の適正使用と医薬品添加物に関する研究」

Memo:
●YAKUGAKU ZASSHI127(12) 2035—2044 (2007) 「後発医薬品の適正使用と医薬品添加物に関する研究」
https://yakushi.pharm.or.jp/FULL_TEXT/127_12/pdf/2035.pdf

医師・薬剤師の皆さ

ジェネリック医薬品(後発医薬
適切であれば、処方(調剤)を
希望します。

一生と一緒にご本人

医療費の増大が社会問題になっている昨今。価格の安いジェネリック医薬品が推奨されている。病院でもらう処方箋にも「ジェネリック医薬品を希望する」という欄がある。メリットとデメリットをきちんと理解した上で選ぶようにしたい

ジェネリック薬に医師の7割が不安

　2015年（平成27年）に行われた行政改革推進会議「歳出改革WG重要課題検証サブ・グループ（第6回)」では、医療関係者へのヒアリングでジェネリック医薬品について以下のようなネガティブな意見が出ていました。

> ● 後発医薬品のメーカーは医薬情報担当者（MR）が少なく、来る回数も少ない
> ● 中小メーカーが製造しており、安定供給に懸念がある

　新薬メーカーは企業規模が大きい分（新薬開発には何百億円もの資金が必要）、人材が豊富でサポートもしっかりしています。それに比べると、ジェネリックメーカーは規模が小さく、サポート面も不十分というケースもあるのでしょう。そういった事情などもあり、「医師の7割も、漠然としてであれ品質に不安を感じているのが現状」と、現場の医師たちもジェネリック医薬品に対して不安を抱いているようです（「歳出改革WG重要課題検証サブ・グループ（第6回)」配布資料「資料4 これまでのヒアリングで出された主な意見」より引用）。

　日本の薬はかなり厳しく管理されているため、重大な不良品が流通する可能性は極めて低いでしょう。そして、先発薬と同等といえるジェネリック医薬品もたくさんあります。ブラッシュアップされ、飲みやすく形状などが改良されているものも多数出てきています。ですが、効果に違いのあるものが存在していることは事実です。ゆえに「先発薬」と「ジェネリック医薬品」を選べるならば、価格が高くても安全性などがより長く確認されている「先発薬」を選択する方が、現状においては無難といえるかもしれません。もちろん一概にはいえないので、結局のところは薬剤師にきちんと確認するのがベターという結論になりますが…。

● 「歳出改革WG重要課題検証サブ・グループ（第6回)」配布資料「資料4 これまでのヒアリングで出された主な意見」
http://www.kantei.go.jp/jp/singi/gskaigi/working/dai6/siryou4.pdf

大災害が起きて極限サバイバル時の選択

期限切れの薬は飲むべきか否か?

**期限切れの薬は、医療従事者が口を揃えて言う通り飲んじゃダメ。しかし物事には例外がある。
大災害が起きて、極限状況下だったらどうすべきなのか?　知識として知っておこう。**

「期限切れの薬って飲んでいいの?」と聞かれたら、医療従事者全員が飲んじゃダメって怒ります。皆さんもお手元の薬が期限切れだったら絶対に捨てて下さい。しかし、もし仮に、最悪の非常事態に陥った場合に、手元に期限切れの薬しかなかった場合はどうすべきなのでしょうか?

実際に、いくつかの大震災で防災倉庫などから医薬品を出してきたら期限切れだった…、そんなことが起きているのです。

防災グッズって1度買うと、そのまま何年も放置ということが珍しくありません。2011年に起きた東日本大震災から9年以上経過している現在、あの直後に防災グッズを揃えたけど放置したままという人は、今から中身の期限を確認しましょう。医薬品とか保存食の使用期限は5年以下が多いので、9年近く前に買った物は期限切れになっている可能性が高いです。

地方自治体などには「災害対策用医薬品等の備蓄」という制度があり、地域防災計画に基づいて医薬品等卸売業者との委託契約により防災基地に医薬品を備蓄しています。ちゃんと卸売業者が管理しているはずなので、期限切れの薬が備蓄されていることはないと思うのですが、お役所の予算の都合で、委託契約は最初の納品だけでその後は何もしてないとかヒドイ対応が東日本大震災時に明らかになりました。さすがに現在は、そんなことはないでしょうけど…。

さて、被災地で防災倉庫を開けてみたら、入っていた薬がすべて期限切れで目の前に患者がいるという極限状態に追い込まれた時はどうすべきでしょうか?

ワシが考える正解は薬を使用するです。すべての医薬品は、安定性試験を行った結果により使用期限が決められています。そして、期限切れになった薬がどうなるかまで検証されています。ごく一部に毒性を持つ薬もありますが、効果が減る、効果が無くなるが最多です。そして、使用期限は絶対確実に保障できると断言できる余裕のある期限となっているため、期限の2倍以下までならほとんど品質に影響しないといわれています。人の命に関わるだけに、安全率が大きく取られているのです。

 ## リスクがあると分かっている…究極の選択

アメリカ人がラムネみたいにボリボリかじっている、消炎・解熱・鎮痛剤の「アスピリン」。使用期

Memo:
参考資料・画像出典など　●「薬剤師のための災害対策マニュアル」　平成23年度厚生労働科学研究「薬局及び薬剤師に関する
災害対策マニュアルの策定に関する研究」研究班 報告書　https://www.nichiyaku.or.jp/assets/uploads/activities/saigai_manual.pdf

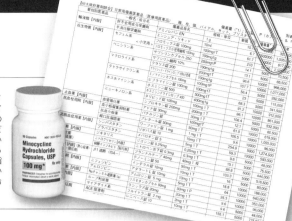

薬剤師のための災害対策マニュアル
大阪府薬剤師会が災害用備蓄医薬品としてまとめている中に、テトロサイクリン系の薬として「ミノマイシンカプセル」と「ビブラマイシン錠」がリストアップされている。仮に使用期限が切れたものを服用すると、腎臓疾患を引き起こす恐れがあると指摘されている。そんなものを飲みたくないなら、自宅の薬箱を今すぐチェックしておくべし

限は5年で、それ以上経過するとアセチルサリチル酸が分解してサリチル酸になり、飲むと胃腸障害を起こすようになります。

　また、広範囲の感染症に有用な抗生物質であるテトラサイクリン系抗菌薬。衛生状態の悪化した被災地に蔓延しそうな肺炎球菌・大腸菌・赤痢菌など、そして蔓延したら確実に大惨事になる病気に効きます。しかし、期限が切れて古くなると毒性を持つようになるのです。使用期限は2～3年しかなく、期限切れを服用した場合は「後天性ファンコニ症候群」という腎臓疾患を起こす恐れがあると医療事典「MSDマニュアル」に書いてあります。なので、使用期限を厳重に管理して、切れたら確実に廃棄しなければなりません。

　なお、このテトラサイクリンは、炭疽菌にも強い抗菌力を示すため、テロで炭疽菌を撒かれた場合にも頼りになります。3年おきに全廃棄、全交換するのは大変ですが、それほど高額ではなく、1万錠買っても40万円程度です。それだけあれば1,000人以上は確実に救えるので、費用対効果はバツグン。ぜひとも備蓄しておいてほしい薬です。実際に、大阪府薬剤師会が災害用備蓄医薬品としているリストにも入っています。

　そして、ここで再度、クエスチョンです。防災倉庫を管理する役所が手抜きをし、被災時に期限切れの抗生物質しかない場合はどうすべきでしょうか？　投与しなければ目の前の患者が死んでしまうという極限状態で、毒性があると分かっている薬しかないとしたら…。

　この場合も、正解は投与するしかありません。

　薬効による利益が明らかに副作用のリスクを上回る場合は使用するという、医療の原則に従った行動です。この場合はリスクが腎臓疾患であり、即死するような毒性ではないため、とりあえず患者に生きてもらうことを優先します。腎臓疾患を治療できる名医はいても、死人を生き返らせることができる名医は存在しないからです。

　そんなリスクのある怖い薬は嫌だと思った皆さん。今からすぐに、ご自宅の薬箱と防災グッズの日付を確認して下さい。

● 「MSDマニュアル プロフェッショナル版」 テトラサイクリン系　https://www.msdmanuals.com/ja-jp/

尻の穴から食べる究極のグルメ!?

はじめての滋養浣腸ガイド

グルメな話題が目白押しの昨今だが、料理の常識を覆す究極のメニューを紹介しよう。題して「尻の穴から食べる料理」。医療行為として開発され、現在も実在している…。

人類誕生以来、どんな料理でも口から食べるという常識に縛られてきました。しかし、科学の進歩は数万年にわたるそんな常識も打ち破っているのです。

歴史を振り返ると、意外と近代というべきか、昔というべきか、始まりは1880年代フランスの精神病院だったそう。拒食症の患者に栄養を取らせる方法として、ブドウ糖液を浣腸したというのが始まりみたいです。それ以前は無理やり口をこじ開けて流し込む乱暴な方法で、患者が傷付くことが多く、看護士も噛まれたりして大変だったので、一気にこの方法が広まったといいます。

拘束台に固定されてケツの穴丸出しで浣腸されるキ○ガイって、絵を想像するとなかなか刺激的ですね…。とにかく、この方法は21世紀の現在も実在しており、医学用語で「滋養浣腸」といいます。

1865年にドイツの科学を世界一ィィィイイイイ!!にした天才科学者ユストゥス・フォン・リービッヒが発明した肉エキスが販売され、広く滋養強壮薬として飲まれていました。これが、「ユ○ケル」みたいな栄養ドリンクの始祖だったりします。

これで滋養浣腸しようと考えたのは当然の帰結で、ドイツで幅広く行われたそうです。まあ、この肉エキス、ユ○ケルなんかと同様に気休め程度の栄養しかなかったんですけどね。

ちなみに、このリービッヒ博士は育児用粉ミルクも作っていて、粉ミルクを使った滋養浣腸も広く行われました。そしてこれが、現代のSMプレイの一種である、牛乳浣腸の始まりだった…とはいわれておりません…。

明治になって日本の医学会に、世界一ィィィイイイイ!!なドイツの最新医学として滋養浣腸が伝わると、日本でも広く実施されるようになりました。その後、大正時代に入ると民間で滋養強壮のために変

明治時代の浣腸器 ドイツ・チューリヒ大学医学史博物館の所蔵

Memo:

現在のアナルプラグ
アダルトグッズとして販売されている。元々は医療器具だった…！

アナルプラグ
アメリカのヤング博士が開発した直腸拡張器。1905年（明治38年）に日本にも輸入され、1本2円50銭（現在の価値で2万～3万円）で販売されていた。滋養浣腸に使用されたという。アメリカ・グロア精神医学博物館所蔵

なもので試す人がかなり出たそうです。さまざまなアミノ酸が溶け出しているスッポンスープが人気で、尻の穴に注入するスッポン料理が実在した模様。水の煮汁のままだと浸透圧の関係で吸収が良くないため、10％はエーテルを入れるのがコツだそうです。まさに、斬新にして古典な究極のメニュー、「肛門から食べるスッポン料理で滋養強壮」なのでした。

　滋養浣腸自体は戦前、頻繁に行われていたそうなので、明治浪漫物とかで食事が食べられない病人に栄養をつけられる西洋秘伝の料理、西洋では肉から抽出した肉エキスというものを使っているらしいが、日本では手に入らない。そこで、伝統の食材・スッポンのエキスを使うことを思いつき、ケツの穴から食べる料理でたちまち元気回復…これなら歴史考証でも医学考証でも完璧でしょう。ナニ？　そんな話聞いたことがない？　それは貴方が不勉強なだけです。当時の文学作品をよく読むと、滋養浣腸はしっかり登場しています。

　夏目漱石大先生の『行人』に、滋養浣腸している女性が登場しているぐらいですから。そして、夏目漱石先生ご本人も死ぬ直前は滋養浣腸で命をつないでいたそうです。

　アメリカでもウィリアム・マッキンリー大統領が銃で撃たれて胃に穴があいたため、感染症で死ぬまでの8日間は浣腸で栄養を取っていたのだとか。意外と尻の穴から食べる料理を召し上がっていた著名人はたくさんいらっしゃいます。

　滋養浣腸をしただけではもちろん漏れてしまうので、栄養が腸から吸収されるまでフタをしておく必要があり、そこで、木や金属でできた肛門の栓、つまり、アナルプラグが使用されていました。SMグッズのアナルプラグを想像するかも方も多いかもしれませんが、元々は滋養浣腸で使う医療器具だったんですよ。今度は本当です。きっと、夏目漱石先生がお使いになられた霊験あらたかなアナルプラグとかもあったんでしょうねえ。

滋養浣腸液の「調理法」

　この滋養浣腸液。調整が大変な上に、実は吸収効率が良くありません。点滴が実用化する以前は、モノを食べられない人間が栄養を補給できる唯一の手段として用いられてきましたが、あまり栄養が摂取できないことが分かって廃れていったのです。それもそのはずで、大腸と小腸の間には逆流防止の機能があって、浣腸は大腸の中までしか入りません。

　なので、大腸から吸収されるように料理しなければならないのです。消化を省略して吸収できるようにするわけですから、タンパク質をアミノ酸レベルまで分解する必要があります。タンパク質のアミド結合は極めて安定していて、半端な調理法では分解できません。

　で、実際にどうするかというと、しょうゆ風調味料の製法に似ています。高圧鍋に濃塩酸を水で半分に薄めたものを入れ、肉や野菜を浸して110℃で24時間煮込みます。煮込み終わる頃には、肉でも野菜でも完全に溶けて液体になっているはずです。あとは少し減圧して蒸留し、塩酸を取り除きます。これを忘れると大変です。塩酸入りのまま浣腸すると、絶命しかねませんので…。

　こうして出来上がったものは「タンパク加水分解物」と呼ばれ、コクやうまみをもたらす目的でしょうゆなど普通の加工食品にも入っています。もちろん健康上、全く問題ナシです。

　ちなみに、浣腸は個人がやっても医師法違反になりません。一般人が薬局でイチジク浣腸を買ってきて、自宅で使っても合法なのと同じ理屈です。つまり、料理店で尻の穴から料理を食べさせる浣腸料理は法律違反にはなりませんので、バンバンご活用下さい。

　たまたま（検閲済み）している（検閲済み）がご飯を食べてくれなくて弱ってきた時、一般人では点滴を入手するのは困難なので大活躍するでしょう。…多分。

　栄養の摂取効率が悪く、点滴より劣るため現代では行われなくなったと上述したところですが、なぜか平成30年診療報酬点数表にまだ載っていたりして、保険点数45点がつく保険適用の医療行為です。

　なので、尻の穴から食べてみたい人は、病院でやってもらうといいかもしれませんね。まあ、その場合、保険が適用されるかどうかは知りませんけど…。

夏目漱石
（1867～1916年）

行人(集英社文庫)
夏目漱石

明治の文豪と知られる夏目漱石の著作『行人』に、滋養浣腸をする女性が登場。また、夏目漱石本人も滋養浣腸を受けて命をつないでいたという。点滴の無かった時代には、有効な治療法だったのだ

滑って転んで偶然に…幼女性行為の真実

アリエナイ処女喪失

幼女の膣異物挿入は、小児科医も積極的に症例報告しようとはしない。しかし、時にはあまりにも悩ましい症例で、報告せずにはいられなかったという場合もあるようだ…。

　あるところに、3歳の娘と一緒に風呂に入っていたら、娘が滑って偶然に子供用風呂手桶の柄が膣の中に入ってしまい、股間から血が止まらなくなったとして来院した親子がいました。幼女の膣に、アルギネート創傷被覆材及びガーゼを詰め込んで圧迫止血を行い、1時間弱の圧迫により止血に成功。検査と治療の結果、処女膜損傷及び小陰唇裂傷のみで内臓に穿孔などの異常はなく、軽症と診断され、精液などの付着も確認できなかったそうです。

　アナル異物挿入で来院する患者の中には、「風呂場で滑って転んだら偶然お尻の穴に入ってしまった」と嘘をつく人が珍しくありません。そのため、診察した小児科医の先生は虐待の疑いで通報すべきか非常に悩んだそうで、家に帰さずに経過観察が必要という理由で入院させました。両親を厳しく尋問し、風呂場にあったとされるディ○ニーの子供用手桶を病院に持ってこさせたりして徹底的に調査。結果、その子供用手桶の柄の部分（長さ9cm、直径18mm）が膣に入った原因対象物で、性的虐待の証拠は見つからなかったそうです。その後も通院させて経過観察を行ったのですが、両親の証言は虚偽ではなく、虐待の可能性は無いと結論したのだとか。そんな偶然あるんですねー。

　治療した小児科医は、膣に入ってしまった原因対象物を四面から撮影して、正確な寸法と形状まで記載し学会に報告したのですが、学会誌に掲載された時には何かがマズイと判断されたのか原因対象物の写真が黒く塗りつぶされていました。学会としては患者のプライバシー以外にも、ディ○ニープリ○セスソフ○アが幼女の処女を奪ってしまったことにも配慮する必要があったのでしょうか？

　ちなみに、成人であっても初体験時に処女膜損傷や膣内外傷に至った場合には、外科的処置を必要とすることがあります。創傷被覆材やガーゼを詰め込んで圧迫止血をしたり、縫合処置が行われることがあるのです。まあ、相手がよほど巨根か乱暴しない限り、そこまでいかないはずなんですけどね。1日経っても血が止まらない場合は、産婦人科を受診した方がいいと思います。

 医学的に見る性交可能な年齢とは？

　世界的にも性的虐待に関連した小児女性生殖器外傷はよくあることで、最も多いのは4～7歳の少女というアメリカでの報告があります。

これはあくまでも医学的に身体を考察した場合にのみ当てはまる専門知識ですが、平均的な女性の体格で平均的な成人男性器を挿入して性行為可能になる年齢は6歳8か月と推定されているのです。実際に6歳の女の子と常習的に性行為していた男が逮捕された時、子供の精密検査が行われたのですが、膣や子宮を含めてどこにもケガがなく傷害罪での立件見送りという実話があります。

　性行為が何なのか理解して、同意能力があるとみなされる年齢を意味する「性交同意年齢」は16〜18歳程度。ですが、医学的に膣にペニスを挿入して射精する性行為が可能となる「性交可能年齢」自体は、6歳8か月と意外なほど若いのです。

　ただし、人間の身体には大きな問題があります。骨盤が第二次性徴期終了後のサイズにならなければ、自然分娩が可能になりません。第二次性徴期が始まるのは、平均して男子が11歳6か月、女子が9歳9か月。早い場合で男性9歳、女性7歳で、遅い場合で男性14歳、女性12歳と、基本的に女性の方が早熟です。遅い方を基準に、大半の女性が自然分娩可能といえる年齢は15歳以上と推定されています。

　結婚できる年齢が日本の法律で男子18歳、女子16歳と定められていたのは、医学的に妥当な基準なのです。法律的に女性が2歳若いのを疑問に思った人も多いかもしれませんが、女性の方が早く成熟するからです。法改正により男女共に18歳に引き上げられ（2022年施行予定）、そして多くの国が法律上は18歳に設定されています。

　古い法律で結婚できる年齢が男子18歳、女子16歳と制定されたのは、当時、年齢の計算方法は生年月日基準の満年齢ではなく数え年だったためです。最も極端な例ですが、12月末に出産すると出生時に1歳、翌年1月から2歳となるため、実際は生後たった1か月の子供が数えの上では2歳になってしまう場合がありました。そのため、15歳ではなく16歳と規定したのです。

　戦後に年齢に関する法律が改正されるまでは、数え年16歳で満年齢15歳で結婚する人が多くいました。童謡の「赤とんぼ」の歌詞に、「十五でねえやは嫁にいき」とあるのはこのためです。

　つまり女性は、性交可能年齢と出産可能年齢と性交同意年齢の間がかなり開いているのです。性交可

海外では性的虐待による小児女性生殖器外傷が少なくない。アメリカでは、4〜7歳の少女が被害に遭っているという報告がある。肉体的に成人男性との性行為が可能な年齢は、6歳8か月と推定されているデータがあるが、あくまで医学的な理論上のもの。身体的に出産は不可能。いろんな意味で幼女との性行為は許されない

Memo:

3歳児の処女を奪った手桶。キャラクターが描かれてる部分が切り取られている
（『日本小児科学会誌』120巻第11号参照）

受傷時期	2016年7月7日18時30分頃
受傷原因物	長さ9センチ直径18ミリの子ども用風呂手桶の柄
年　齢	3歳8か月
体　重	14kg
身　長	96cm

能年齢と出産可能年齢のギャップは、人間というかホモサピエンスという種だけが持つ特殊な問題で、他の哺乳類は性交可能年齢と出産可能年齢が一致しています。これは人間の胎児の頭が、他の哺乳類よりも大きいことが要因です。人間は全哺乳類の中で最も難産な動物で、全哺乳類中トップの出産リスクを抱えている面倒な動物といえます。身体の大きさが最大の状態にならなければ出産可能にならないというのは、人間だけが抱える難問なのです。

　逆にネズミ目は、早い時期に出産を経験しないと難産になる、人間とは逆のリスクを抱えています。モルモットの場合は1歳が人間の30歳ぐらいに相当し、モルモットのメスが繁殖可能になるのは4～5か月ぐらいです。9か月でもう高齢出産になります。9か月ぐらいまでに初産を済ませないと骨盤が癒着して広がらなくなって難産になり、人間の30代相当ではもう自然分娩が困難な状態。1年以上飼育してから繁殖させると高確率で母子共に死にます…。

　なので、ペットにネズミを飼っている人は繁殖させないまま歳をとらせてしまうと、出産リスクが高くなり繁殖させられなくなります。このため、飼育歴が1年を超えるマウス・ラット・モルモットの個体は、雌雄を一緒にしてはいけないのです。

　人間に話を戻すと、世界的に問題になっているのが出産可能年齢未満で妊娠した女性です。自然分娩で出産しようとすると、そのまま母子共に死んでしまう可能性が高く、出産できても組織が坐滅して膣が穿孔して直腸と穴があいてしまい悲惨なことになったりするので、医療の整っている国であれば帝王切開するしかありません。

　じゃあ避妊さえすれば7歳児から性行為OKなのかというと、避妊は100％絶対的なモノではないので、純粋に医学的知見から見ても7歳児と性行為してはいけないという結論になります。

　医学的にも、幼女と性行為したら逮捕しなければならないと考えるのが妥当でしょう。

ホウキにまたがって空を飛んではいけない！

魔法少女の職業病を救え

魔法少女作品に出てくるヒロインたちは、股間の痛みに耐えながらホウキに乗っているのかもしれない。そこで、彼女たちの股間の安全と健康を守る方法を考えてみたヨ。

『魔女の宅急便』『魔法使いプリキュア』『魔法使いサリーちゃん』…などでおなじみの、ホウキにまたがって空を飛ぶ少女たち。これは小児医学的に見て極めて危険な行為なのです。

魔女の宅急便では、13歳の少女がホウキという細い棒にまたがって長時間、空を飛んでいますよね。細い棒1本にまたがり股間に全体重がかかっている状態は、たとえ短時間でも危険で、何もせず1時間程度またがっているだけでも深刻な外陰部外傷を負うことになるのです。

女性の股間の会陰部には神経や血管が密に分布しており、ホウキと恥骨の間で圧迫された状態が一定時間続くと、外陰皮下の血管が切れ、それが動脈であった場合は多量の出血に至ることも。外陰部外傷にまではならなくても、小児外陰炎となる可能性が高く、紫色に腫れたりして大幅にQOLが低下します。

これは医学界では「サドル外傷（Saddle trauma）」として知られている症状。性器が十分に発達していない少女が受傷する症例が多く、性成熟した大人では受傷率が低下します。

傷害が発生した自転車とサドル（右の2枚）

日本小児科学会こどもの生活環境改善委員会
「InjuryAlert（傷害注意速報）No.15 自転車のサドルによる外陰部外傷」
5歳の少女の股間に傷害が発生した自転車とサドルの写真。これは学会で発表された資料だ

Memo:
参考資料・画像出典など　●日本小児科学会こどもの生活環境改善委員会「InjuryAlert（傷害注意速報）No.15 自転車のサドルによる外陰部外傷」
https://www.jpeds.or.jp/uploads/files/injuryalert/0015.pdf

魔法少女の職業病
細い柄のホウキに長時間またがることで、魔女っ子たちの股間は危機に瀕している可能性がある。ウレタンなどを巻いてガードすれば、ケガなどを回避できるようになるはずだ。彼女たちの股間を守るには、産業医が勧告し職場環境の改善が必須だろう

 ## 自転車で起こるサドル外傷とは？

　1度、現実世界に戻りましょう。サドル外傷とはその名前の通り、自転車に乗ることが原因で起こる外陰部のケガです。特に、ロードレーサーなど高級スポーツ自転車界隈では、サドルが極限まで小型軽量硬質化しており、非常に健康に良くありません。女性の競技人口の増加により、アソコを痛める女性が増加し続けています。

　日本でも、5歳の少女が自転車で入院するほどのサドル外傷になった症例が報告。親御さんは注意しないと、大切な娘のアソコが裂けて大変なことになりますよ！

　余談ですが、小児医学的に見た子供用自転車の購入時の指針として以下の5項目が挙げられます。幼い娘を持つ親御さんは、ぜひ参考にして下さい。

1.サドルの材質が硬質なものは不適切であり、軟質なサドルを選ぶこと
2.外陰部の前面が当たるサドルの部分が隆起していないこと
3.サドルの前後方向の角度が地面に対して平行であること
4.サドル前部の左右方向の幅が十分に広いこと
5.子供の身長に対して自転車が大き過ぎないこと

　子供がすぐに成長するからといって大きめの自転車を購入せず、ちゃんと両足が地面に着くサイズを選んであげて下さい。124ページの写真は、5歳の少女が入院する原因になった自転車です。これは学会で発表され、医師が幼女の股間には最悪の欠陥品と断罪しました。

 ## ホウキによって起こるサドル外傷

　話を魔女っ子に戻しましょう。ホウキにまたがって空を飛ぶ少女たちの大半は、股間の痛みに耐えながら飛んでいると考えられます。我慢し続ければ炎症は悪化し、小児外陰炎となってオシッコをする時

● 「Perineal Injury in Males What is perineal injury in males ？」サドル外傷の画像　National Institute of Diabetes and Digestive and Kidney Diseases
https://www.niddk.nih.gov/health-information/urologic-diseases/perineal-injury-males

に痛むようになり、トイレで痛いと泣いているかもしれません。中には外陰部から出血して、生理でもないのにナプキンを当てて我慢しながら飛んでいる少女もいる可能性も…。

　抗生物質や抗炎症薬などの投与による治療は行えますが、ホウキにまたがって空を飛ぶという行為をやめさせない限り完治は困難です。また、10代前半という年齢から想像すれば、「股間が痛い」「性器が腫れて血が出ている」なんて恥ずかしくて周囲の大人には相談できないでしょう。成人した先輩からは、「大人になれば治る」「私も見習いの頃は我慢していた」「根性が足りない」などといったパワハラを受けているかもしれません。

　作中でキキが飛べなくなった理由は明言されていませんが、職業病として深刻なサドル外傷に悩まされ股間の痛みに耐えられなくなった…そんな可能性をワシは少なからず考えています。

 ## 少女の股間を救えるのは産業医だけ

　ならば、魔女の宅急便業者は、配達員の股間を守り職業病を予防して苦痛から救うためにどうしたらいいでしょうか。簡単な解決方法として、宅急便業者なら常備しているウレタンなどをホウキのまたがる部分に巻き、直径が10cm以上になるようにすればいいのです。

　たったこれだけのことで少女たちは股間の苦痛から解放されるのですが、魔法少女たちがいくら性器が傷付いて辛いことを上司や先輩に訴えたところで、大人になれば治る、根性が足りない、嫌なら辞めろとパワハラを受ける可能性があります。サドル外傷という医学的な概念を知り、魔女たちの訴えを聞き、その原因が使用しているホウキが不適切に細いことを特定し、労働安全衛生法第13条に基づいて事業者にホウキにウレタンを巻くよう「勧告」できるのは産業医だけです。そして、事業者は産業医の勧告を尊重しなければなりません。

　でも、キキは個人事業主では？

　ならばどうしたらいいのかというと、普通に魔女がいて働いている世界なら魔女の健康保険組合や労働組合が存在しているはずです。魔女の組合（ギルド）に産業医を紹介してもらい、職業病の予防と改

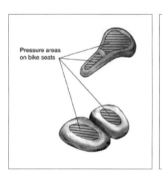

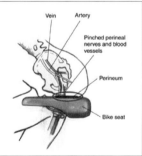

サドル外傷
アメリカの研究機関NIDDKによる報告。自転車のサドルのように小さく狭いものにまたがると、普通のイスに座るよりも股間の血管と神経が圧迫される。それによって、さまざまな障害が引き起こされる危険性を示唆している

Memo:
● 「Perineal tear」　会陰裂傷の画像　https://en.wikipedia.org/wiki/Perineal_tear

善について相談します。組合は会報などに産業医からの勧告を掲載して啓蒙活動を行い、魔女っ子たちをサドル外傷から守る…というのが理想でしょう。

　真面目な話に戻すと、患者を直接治療するだけが医学ではありません。病気やケガをしないように予防するのも医学の重要な仕事であり、その中には職業病の予防のために機材や作業手順の改善を勧告する、産業医という仕事もあります。職業病の予防は産業医の重要な仕事であり、産業医学も多くの患者を救う立派な医学の一分野なのです。

　他の医者には無く、産業医だけが持つ特殊能力が、上述した「勧告（リコメンデーション）」です。産業医は事業者に対して、「仕事のここが悪いから病人やケガ人が出ているんだ。医者の言う通り直せ」と意見できます。ただし「勧告」であり、「命令」ではありません。事業者は尊重しなければならないと法律に書いてありますが、「尊重」ということは無視しても構わない、無視しても罰則が無いということです。

　産業医が「Aさんは残業時間超過で瀕死です。休ませてあげて下さい」と勧告しても、事業者が無視して働かせても罰則はナシ。Aさんが過労死したり自殺した後に、産業医の勧告が裁判で証拠になるぐらいでしょう。

　残念ながら日本における産業医の存在は、事業者から見れば法律上の義務だから税金だと思って仕方なく支出しているだけ。医者の側から見ても、楽な仕事で企業からお金がもらえるバイトぐらいにしか認識されていません。患者の側から見ると、うつ病社員を休職させたり退職に追い込んだり、残業超過な社員と面談して「君は月80時間残業してるけど健康状態に問題ないから残業OK」と言って酷使するお墨付きを与えるブラック企業の味方も多いようです。本気で職業病を無くそうと思って、仕事内容や機材にまで口を挟む医師はほぼほぼ皆無というのが現実でしょう。

　まあ、現実の産業医は世知辛いですが、そこは夢を見て「産業医の俺が異世界転生して魔法少女ギルドの専属医になったら」とか誰か書いてくれませんかね？

　医師のスキルで無双チートできるかと思ったら、治療魔法で病気もケガも治ってしまうファンタジー世界では全くの役立たず。途方に暮れていたところ股間の痛みに悩む魔法少女に出会い、ホウキに毛布を巻くように教えてあげたら国中の魔法少女に広まり、魔法少女ギルドの長から助言を求められるようになった。魔法の使えない俺が産業医学の知識でドワーフ職人の職場環境を改善したら、ケガ人も病人も出なくなり大感謝される。あらゆるギルドから助言を求められるようになり国中の評判に。各ギルドの生産性は劇的に上がり、ギルドの収入は激増。国庫は潤い俺は王宮に呼ばれることになった。しかし、患者の激減により治療魔法使いが次々と食い扶持を失っていく。そこで彼らは患者を作るためにデマをバラ撒き、ついには俺の命を狙うように…。

きっとまだ手つかずの新ジャンルですよ。誰か挑戦してみて下さい。

● 「Pediatric genitourinary injuries in the United States from 2002 to 2010.」米国における小児性泌尿生殖器傷害　NCBI
https://www.ncbi.nlm.nih.gov/pubmed/23174237

非処女は罪？ 海外の歴史と宗教の闇

世界の狂った処女厨たち

女性の処女性にこだわり過ぎて、男性経験のある女性を侮蔑する、いわゆる「処女厨」は世界中に存在する。日本の一部のキモヲタに限ったことではない。むしろもっと重症だ…。

処女厨をこじらせ過ぎて「処女じゃなかったら犯罪」「処女だという証拠を見せろ」ってアホが世界中にあふれています。そんな処女厨のために「処女検査」が世界中で行われ、「処女証明書」が発行されたりしているほどです。あんまりにも処女厨による人権侵害がヒドイので、国際連合人権理事会・UNウィメン・世界保健機関（WHO）などの公的機関が処女検査を行ってはならないと声明を出したり、アメリカやカナダなどでは医学倫理団体が「処女証明書」を発行した医師を処分すると警告しています。

なんか処女厨というと、日本のオタクの悪習みたいに思われそうだけど、キリスト教もイスラム教もかなり処女厨をこじらせた信者が多いです。欧米でも処女検査は行われていて、処女検査を依頼するのは夫や彼氏ではなく、自分の娘が非処女になってしまうことを恐れている親だそう。娘にボーイフレンドができるなど疑惑があるとすぐに病院に連れて行って、処女検査を受けさせるヤバイ親は実際にいます。毎週のように娘を処女検査に連れて来る父親もいる始末で、児童虐待の疑いで医師に通報されて児童相談所が出てきたりして、議員が法律で禁止できないか真剣に悩んだりしています。こうなると、娘じゃなくて父親を精神科に連れて行った方がいいような気がするんですけど…。

処女厨は、男だけではなく女性も大量にいます。キリスト教では聖母マリアの処女懐妊が有名なためでしょう。アメリカで行われた調査において、200人に1人の女性が処女で妊娠していると矛盾回答した論文が話題になりました。これは『BMJ』という世界的にも権威の高い医学雑誌に掲載された論文の統計によるもので、かなり信頼性の高い資料です。実際のところは、無知シェチェで性行為の自覚が無いまま妊娠しただけの気がするんですけど。大正時代の日本でもそんな事件あったし…。

 医学的には？な処女判定法

処女かどうか確実に診断できる、医学的にエビデンスのある検査は存在しません。いわゆる「処女膜」の形は個人差が非常に大きく、処女喪失時の痛みも感覚も個人差が大きいため、医学統計学的形態論に基づいて処女膜が破れているかどうか診断することは困難です。中には処女膜強靭症という性交しても処女膜が破れない人もいるぐらいなので、専門の産婦人科医であっても性交経験の有無を正確に診断することは不可能でしょう。ゆえに、日本で処女証明書を発行してくれるまともな産婦人科はありません。

Memo:
参考資料・画像出典など ● 「Like a virgin (mother): analysis of data from a longitudinal, US population representative sample survey」
https://www.bmj.com/content/347/bmj.f7102 女性の0.5％（45人）が処女懐妊していると回答した調査の論文

CERTIFIED VIRGIN
http://certifiedvirgin.com/

処女性にこだわるのは、日本のキモヲタだけ
ではない。海外の方が宗教や社会的慣習と組
み合わさってより深刻化。21世紀とは思え
ないほどの人権侵害が実在する。それがあま
りにも酷いため、「CERTIFIED VIRGIN」
などという処女証明書を1ドルで発行してく
れるジョークサイトまであるほどだ

逆にあったら、それは怪しい医者と判断できます。

　ただ、処女厨の彼氏がうるさくて困っているとゴネれば、診断書の名目で処女だという自己申告を元
に書いてくれる、優しい医者も中にはいるかもしれません。なので、どうしても処女証明書が欲しい女
性は、産婦人科に相談してみて下さい。必ず出してくれるとは保証できませんし、自由診療になるので
高くつくでしょうけど…。

　世界的に処女検査と称して「二指検査（Two-finger test）」と呼ばれる方法が用いられていますが、
これは産婦人科のマニュアルにも載っている基本的な膣部内診の方法です。つまり、処女かどうかを判
定できるガイドラインは存在しません。検査した医師の指先の感覚と見た目だけで処女かどうか判断し
ている適当な診断です。

　また、日本を含む世界中で「処女膜再建手術（Hymenorrhaphy）」という、処女に戻してくれる手
術が自由診療で行われています。これはどういうことかというと、女性器の一部を縫い合わせて、膣に
異物が挿入された時に出血しやすい箇所を人工的に作り出しているだけです。確かに手術後の性行為で
痛みを感じて出血するので、処女に戻った実感を得られるかもしれません。が、それに意味があるのか
どうかは全く別の問題でしょう。

●Iraq Ministry of Health Medical Legal Institute　イラク保健省医療法務機関

英国には最凶の処女厨がいた…！

　かつて英国教会法に、「国王と皇太子の結婚相手は処女でなければならない」という法律がありました。この法律には厳しい前例があって、独身のまま国王に即位したエドワード8世（1894〜1972年）の交際相手だったウォリスさんが非処女だったことを、英国最凶の処女厨である英国教会の最高指導者カンタベリー大主教コズモ・ラングが大騒ぎしてヒドイ粘着を繰り返した末に、そんなヤリマンビッチとの結婚は教会が認めないから英国で結婚するのは不可能と言い出したのです。

　エドワードさん、あなた国王なんだからそんな処女厨は首にして法律変えたらいいじゃない…と思うでしょうけど、英国王には人事権も法律変える権限も無いので何もできず、教会の権威を振りかざした処女厨にマウント取られっぱなしでした。結局、エドワード8世は国王を辞めることを決意して、在位日数325日で退位。ウォリスさんと結婚して、平民として幸せな人生を送ったようです。

　この法律は21世紀になってチャールズ皇太子がカミラさんと結婚する時も問題になったのですが、ラング大主教みたいな処女厨がいなかったので無事に廃止され、チャールズ皇太子は結婚できました。メデタシメデタシ。

海外の処女検査「二指検査」のイメージ
こちらは医学生向けの練習用模型「臨床用女性骨盤部トレーナーMk3 スタンダード」の紹介サイト。海外の処女検査では、この写真のように2本指を入れてテストする方法（膣部内診）が用いられているという
日本ライトサービス
https://www.medical-sim.jp/

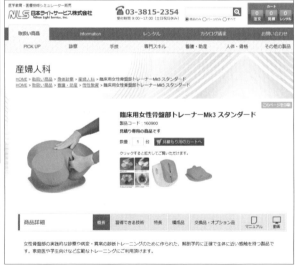

処女厨の魔窟・インドネシア軍の実態

インドネシア軍は、いまだに処女厨が軍部を支配しています。女性軍人と婦人警官は全員処女でなければならないという掟があり、入隊時に必ず処女検査が行われ、男性経験があると入隊できません。結婚したら除隊です。

最近では軍将校の結婚相手にまで処女検査の対象が広がっていて、非処女と結婚したら昇進できなくなるとかいわれる始末。ある時、未亡人との結婚を本気で考えている軍将校が出世を諦めて結婚するか悩んでモスクの聖職者に相談に来たそうです。聖職者は「未亡人と結婚する彼は素晴らしい善人です。そんな善人を出世させないのは悪行です」として、宗教令（ファトワー）を出したなんて珍事まで起きています。

インドネシア軍はまさに処女厨の魔窟です。

アフガニスタンとエジプトの非処女罪

現在もアフガニスタンには、未婚の非処女は3か月以下の懲役という法律が実在します。非処女の疑いをかけられた女性は警察に逮捕されて処女検査を受けさせられ、非処女と判定されたら投獄。2018年10月に行われた調査では、190人の女性が非処女罪で服役していたそうです。

しかも、「こいつら非処女だからナニしてもOK」と思った不届きな男たちが、服役している女性らを実質的に性奴隷化していることが発覚して、議会で非処女罪の廃止が議案に上げられる予定でした。しかし、政府が半崩壊状態で法改正される見込みは立っていません。

エジプトでも、警察に捕まって処女検査でアウトだと売春罪に。1年以下の懲役になる女性が続出していて、実質的に非処女罪となって社会問題化しています。

神の教えに非処女は半額なんて書いてない

イスラム社会では結婚する時に、男性は必ず花嫁に結納金（マフル）を支払わなければならないとイスラム法で明文化されており、決められた金額が払えなければ結婚できません。この金額にはその地域での社会通念上の相場があり、双方の親族が集まって会議を繰り返して決めるのが通例です。その金額査定の重要なポイントに処女かどうかがあり、非処女は半額でOKという社会通念があったりします。

大変に重要なことですが、しかしイスラム教の聖典である「コーラン」のどこにも非処女は半額なんて書いてありません。そして、教祖様である預言者ムハンマド自身が非処女と結婚してるけど、非処女の妻たちが半額だったとか、処女の妻が2倍もらえたとかそんな伝承も証拠も一切残っていないのです。

イスラム法には「すべての妻を平等に扱え」と書いてあって、「非処女半額」とする法的根拠も神の啓示も一切存在しません。あくまでも社会通念であって宗教的根拠は何も無いのですが、処女厨の皆さんは勝手に神の教えみたいに思い込んでいます…。

バグダッドの処女検査室
イラクの首都・バグダッドで2012年に行われた処女検査の様子。この記事は、イラクの女性は処女検査を強制されているといった見出しだ 「PRI」https://www.pri.org/stories/2012-07-03/iraqi-women-forced-undergo-virginity-testing

 ## 独裁者が作った処女証明機関

　中東のメソポタミア地方辺りの処女厨はこじらせきっていて、処女じゃなくなったら殺してOK、非処女を殺すのは名誉ある行為…などと言い出し、「名誉殺人」なんてことを行って世界中から非難を浴びています。「非処女の可能性があるだけでアウト」という、推定無罪の原則すら無視して非処女を殺害する人たちに手を焼いた当時のイラクのサダム・フセイン大統領は、保健省に医療法務機関という部局を設立しました。この組織はフセイン政権が崩壊した現在も存続しています。

　この役所は非処女の疑いがある場合には裁判所に申し立てて、裁判所が検査の必要ありと認めて検査命令があった場合に、医師が処女かどうか検査する公的機関です。そして、公的な処女証明書を発行してくれます。なぜか、初夜の後でも初夜の前に処女だったことを医学的に証明してくれるそうなんですが、どんな診断基準で判断しているのかは謎です。

　ここまでやっても文句つける処女厨は、恐怖の独裁者サダム・フセインが許さないよ！　非処女でも女性を殺害したら殺人罪で処刑するからね！　名誉殺人なんて詭弁は許しません！　このようにある意味怖い国だったのですが、フセイン大統領が殺された後は政治体制が崩壊し、バグダッド以外の医療法務機関は機能していません。独裁者の後ろ盾を失った、現在の「公的処女証明書」の効力は無力です。

　悪の独裁者よりも先に、そこまでしないとダメな処女厨こそ抹殺すべきだったような気がします。

Memo:

異常性欲オナニー・賢者タイム・絶倫男…

性欲とホルモンの関係

抑え切れない衝動により、オナニーをし続ける異常性欲。また、スッキリした後に急に冷静になる賢者タイム。これらはとあるホルモンのせいなのだ。性欲はホルモンに支配されている!?

人間の男性には、性欲を抑制する「プロラクチン」というホルモンがあります。重度の鬱病患者に処方される非定型抗精神病薬「エビリファイ（アリピプラゾール）」には、副作用の一つとして、異常性欲を起こしオナニーが止められなくなったり性的倒錯の発症例が報告されています。そのため2016年、アメリカ食品医薬品局（FDA）は、衝動制御における副作用についての警告を追加していますが、日本では追加されていません。この薬には他にもさまざまなリスクが指摘されていて、暴飲暴食・浪費・異常性欲・ギャンブル依存・他人への加害行為…などに及ぶ可能性があるのです。普通の鬱病の薬ではダメな患者に処方される強い薬なので、どうしても強い副作用があり、性欲以外にもいろいろと暴走してしまうので慎重に投与する必要があります。もちろん薬局では買えない医師の処方が必要な薬であり、劇薬指定されています。

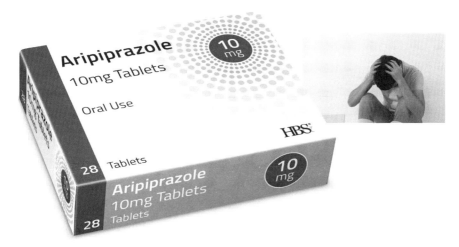

エビリファイ/アリピプラゾール
非定型抗精神病薬の一つで、重度のうつ病患者に処方される。強い薬のため副作用性も大きい。性欲を抑制するホルモン量を低下させ、異常性欲を引き起こすリスクが報告されている。オナニーが止まらなくなったり…

参考文献・画像出典など ● 「Hypersexuality associated with aripiprazole: a new case and review of the literature」
https://www.ncbi.nlm.nih.gov/pubmed/25293487　服用者が異常性欲になり、薬の服用を止めたら止まった根拠の論文。

このエビリファイの作用機序は不明で、どうして効くのか実はよく分かっていません。異常性欲が起こる理由もやはり不明なのですが、原因は薬剤性低プロラクチン血症との説があります。アメリカでの調査では、服用者の44％が低プロラクチン血症と診断。日本で流通している薬の添付文書にも、内分泌系の副作用としてプロラクチン低下が挙げられており、日本国内で行われた臨床試験では10.9％の被験者にプロラクチン低下の副作用が出ています。

プロラクチンは、女性の妊娠から授乳までの長い期間にわたって重要な役目をするホルモンなので、女性側ではかなり詳細に研究されていますが、男性の場合はあまり研究されていません。人間のホルモンは面倒な仕組みをしていて、視床下部からプロラクチン放出ホルモン（PRF）が出て、それを受け取った下垂体前葉がプロラクチンを出します。ところが、下垂体前葉が同時にドーパミンを大量に受け取ると、下垂体前葉はプロラクチンを出さないようになるのです。つまり「ホルモンを出せと命令するホルモン」と「ホルモンを出すなと命令するホルモン」が一緒に出て、そのうち多い方が勝ってプロラクチンの放出量が決まる仕組み。

エビリファイにはドーパミン刺激を調節する性質があり、人によっては性欲を抑制するプロラクチンの量が足りなくなっている可能性が指摘されています。つまり、衝動制御不能になって暴走するのは、このホルモン不足が原因というわけなのです。

賢者タイムの実態はホルモンの濃度

実際に男性ホルモン研究家の泌尿器科専門医が、自分を含む7人で、左腕から採血してホルモン濃度をリアルタイムで測りつつ、右手でオナニーするという実験を行っています。論文がどこかのジャーナルに載ればイグノーベル賞を狙えると思うのに、今の日本では難しいようです。

実験の結果、射精して賢者タイムに入ると性欲を抑制するプロラクチンの血中濃度が上昇しました。睾丸から分泌される男性ホルモンのテストステロンの濃度は射精まで上昇し続けて、射精すると急降下することが判明しています。賢者タイムの正体は、性欲を活発にするホルモンの濃度低下と抑制するホルモンの濃度が上昇が同時に起きる、内分泌代謝によるものだったのです。

ちなみに、射精後にプロラクチンが出ない人は何度でも連続射精できる、いわゆる"絶倫"になります。が、これ単なる内分泌疾患なのです。

「ブロモクリプチン」というプロラクチン分泌抑制薬があります。本来は女性専用の薬で、高プロラクチン血症が原因で排卵が止まり不妊になっている女性に処方されますが、男性に処方したら性欲絶倫になるんじゃないかって気がしています。しかし、性欲以外もいろいろと暴走しそうなのでお勧めはできません。試そうと思わないで下さい（笑）。

なお、プロラクチンの作用は男女で全く異なります。基本的にプロラクチンの血中濃度の平均値は女性の方が高く、男性は低いです。135ページのグラフだと男性は10〜12ぐらいで高い値としていますが、女性の場合は平均値になります。なので、女性でプロラクチン低下が起きることはまずありえませ

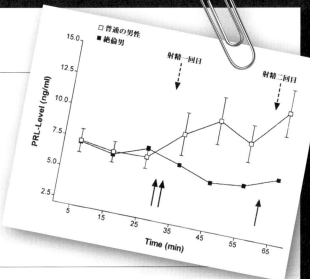

普通の男性と絶倫男の血中プロラクチン濃度の変化

以下の論文に掲載されたグラフに、著者がコメントを補足したもの。オルガスムは、30分後及び60分後にオナニーによって誘発された。症例の被験体は、最初のオナニーシーケンスの後に2回のオルガスムを経験した

「Absence of orgasm-induced prolactin secretion in a healthy multi-orgasmic male subject（絶倫男がオルガスム誘発プロラクチン分泌が欠如している症例）」
https://www.nature.com/articles/3900823

ん。暴走してしまうのは、男性特有の副作用なのです。

　逆に女性は、プロラクチンが高過ぎることが頻繁に起きるために下げる薬が存在します。女性特有の高プロラクチン血症の症状として、母性が過剰になり子供以外の存在に対する敵対的行動を取り攻撃性を強めるようになるようです。自分の夫に対しても攻撃的になることがあり、ヒステリーママには高プロラクチン血症の疑いがあります。

 ## 強い性欲を持つ英雄の正体は…

　昔から「英雄色を好む」といわれますが、その実態は内分泌疾患者の疑いがあります。英雄とされる男性には強い性欲だけでなく、暴飲暴食・浪費・ギャンブル、そして他人への加害行為なども好む傾向があることは、チンギス・カンなど歴代の英雄を見れば一目瞭然です。英雄には賢者タイムが無いのかもしれません。

　そういうわけで、異常性欲や性的倒錯の症状が出た場合は、精神科に加えて、内分泌内科も受診して内分泌疾患（ホルモンの病気）を疑ってみる必要もあるんじゃないでしょうか？　現代の医師は高度に専門化し過ぎて専門バカが増えているのも事実で、精神疾患と内分泌疾患を精神科医が区別するのは、なかなか難しいような気がしています。特に中高年男性の場合は、更年期障害で男性ホルモンが出なくなったのが原因でうつ病になったというパターンもあります。この場合は精神科ではなく、内分泌内科でホルモンを補充しなければ治りません。

　人間の精神というのは意外なほどホルモンの影響を受けており、ホルモンの異常が精神の異常になることは非常に多いのです。ホルモンの病気は薬で治せるものが多いので、原因さえ分かれば精神の問題も案外簡単に治ってしまうかもしれません。

男の急所といわれる理由を知っておこう

キンタマ解剖学講座

古来より男性最大の急所と呼ばれ、潰れたら死ぬとさえいわれてきたキンタマ。医学的にそんなことはないが、苦痛が伴うのは事実だ。その理由と弱点克服の可能性を考える。

結論からいえば、キンタマは人間の急所ではありません。

救急救命の世界では、キンタマに重傷を負って救急搬送されてくる患者がたまにいます。実際にキンタマが潰れて損傷があまりにヒドくて切除しなければならなくなった症例がありますが、それほどの重傷を負っても死んでいないどころか、退院後は障害者にすらならず普通に日常生活を送っているケースも。生殖能力の喪失を除けば、キンタマが無くてもチ○コが無事ならSEX自体は可能なのです。

「宮刑」「去勢刑」と呼ばれる刑罰が存在し、宦官というキンタマを切除された人間が普通に活躍して長生きしていたという歴史があります。家畜でも去勢は古くから行われています。

最近は性別適合手術でキンタマを切除する人がいますが、特に後遺症が出たという報告はありません。キンタマには止血不能な出血を引き起こすような太い血管も、損傷すると生命維持や運動に支障をきたすような神経組織も無いのです。適切に処置すれば、切断することはそれほど難しくないというわけ。人間以外の動物も含めて、キンタマが無くなってもQOLの低下はほとんどありません。

では、なぜキンタマが急所と呼ばれるのか？

それはキンタマへの攻撃で死傷させることはできないものの、相手を行動不能に至らしめることが可能だからです。殺し合いの戦闘中に行動不能になることは殺されるのと同義だから、男の急所と考えられたというわけです。この相手を行動不能に至らしめる力のことを英語では、「ストッピングパワー（Stopping power）」と呼びます。つまり、金蹴りに殺傷力は無くても、マグナム弾をぶち込まれたぐらいの衝撃を受けるということ…。

 ## キンタマの実態を徹底解説

骨も皮下脂肪も無く、わずかな薄い筋肉の膜しか持たないキンタマは非常に無防備ですが、その構造は意外に強固で人間の体の中で最も丈夫な皮膚を持っていて打撃を受けても簡単には壊れません。

■肉様膜

普通の皮膚の下には脂肪があるが、キンタマには脂肪が無く代わりにこの平滑筋層がある。収縮によ

Memo:
参考文献・画像出典など　● 「慢性陰嚢痛（chronic orchialgia）の治療」https://www.ncbi.nlm.nih.gov/pmc/articles/PMC3126083/
● 「急性陰嚢症診療ガイドライン」「非観血的治療（用手的整復）」http://www.urol.or.jp/info/guideline/data/09_acute_scrotum_2014.pdf

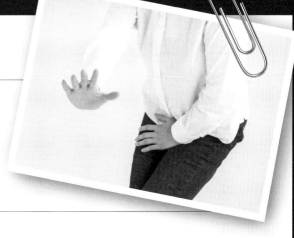

男の急所といわれるキンタマは、潰れても死ぬことはない。しかし、性器大腿神経・精巣神経・腸鼠径神経という三大神経が通っているため、攻撃を受けるととんでもない激痛を伴う。ゆえに女性の正当防衛で、金的攻撃は非常に有効なのだ…((((;゜Д゜))))ガクガクブルブル

ってキンタマの皮膚を縮ませる働きがあり、放熱を調節している。キンタマにシワがよるのはコレのせいで、縮み上がっている時はこの筋肉が緊張している。

■精巣挙筋

キンタマを上に引っぱり上げる働きをする。腹筋とつながった横紋筋なので、自分の意思で動かせる。ワシは自分のキンタマを上げたり下げたりできるが、できない人もいるらしい。いわゆる「玉ヒュン」は、この筋肉が緊張することによって起きる現象。

■精巣鞘膜

壁側板と臓側板の2つの組織が結合してできた組織で、リンパ液を分泌している。分泌過剰になると「陰嚢水腫」という病気になり、キンタマが肥大する。医学が未発達だった時代には話のネタになるほど肥大してしまった事例も多い。現代でも医療未発達地域ではキンタマの重さが60kgを超え、体重の半分近くがキンタマという冗談のような患者が発見されたこともある。
葛飾北斎が描いた「大嚢」という絵があり、誇張ではなく治療せずに放置すると本当にこうなる。ここまでなっても死なないどころか、キンタマが重くて邪魔という以外は特に痛みも無いので本当に絵のように自分のキンタマを担いで歩けるという。なお、この葛飾北斎の絵は医学誌などでバンクロフト糸状虫という寄生虫が原因と紹介されることも多いが、その場合はチ○コまで巨大化することもある。長さ58cm、外周50.5cmという、まさに"大きなイチモツ"になってしまった症例があり、近代日本でも実例がある。

■精巣

精子を作るキンタマの中枢部といっていい場所で、男性ホルモンを分泌する役割も持っている。一部でも正常なら精子を生産可能なので、損傷したり少しぐらい潰れても平気。

■精巣上体

長さ6〜7mの細い管が丸められたもので、精子を成熟させる働きがあるといわれている。ちなみに、キンタマに注射針を刺して直接精子を採取する場合に刺す場所はココで、精巣ではない。

■精管

精子を運ぶ管で、約30〜40cmにも及ぶ長い道のりを経て前立腺へとつながりチ○コにつながっていく。射精するまで精子を休眠状態で待機させておく場所でもあり、キンタマとチ○コは直結していない。

■鞘状突起痕

性別が分化する前の胎児の状態では、後に精巣か卵巣になる器官が卵巣の位置にあり、性別が男に決定すると下半身に袋ができる。生まれる2か月ぐらい前にキンタマの中身になる臓器がお腹の中から下りてきて、袋の中に納まりキンタマが完成する。その時にタマが通り抜けた穴がふさがった痕跡。たまに、生まれてもまだキンタマが袋の中に入っていない「停留精巣」という異常がある。自然に下りてきて治る場合と、外科手術が必要になる場合がある。この穴は1歳までに塞がるので、マンガみたいにキンタマを体内に引き込んで防御するのは医学的に不可能。

大嚢
キンタマが肥大して、2人で担いでいる様子を描いている（『北斎漫画』第12編参照）

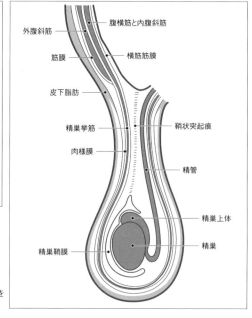

キンタマ解剖図
『Rauber Kopsch Anatomy』を元に、著者が日本語訳して作図

Memo:
● 「陰茎陰嚢象皮病の症例報告」https://www.jstage.jst.go.jp/article/tmh1973/2/1/2_1_59/_pdf/-char/ja

ナゼ金的は痛いのか？

　キンタマには、性器大腿神経・精巣神経・腸鼠径神経というキンタマ三大神経が通っています。そんなに神経必要ないだろ、つーか何の役目してるの？って思うでしょう。これらの神経は、女性の場合は子宮や卵巣に関わる重要な役割を持っています。人間が母体の中で性別が分化する時に、女性なら子宮や卵巣に配置される神経が男性ではキンタマに集まる発生学的な都合で、ぶっちゃけた話、キンタマを上げたり下げたり縮めたりしているだけの割とどうでもいい神経で、外科手術で切断しても何の問題も起きません。

　キンタマを蹴られた時の痛みを解剖学的に女性の肉体に置き換えた場合、卵巣を殴られたぐらい痛いのですが、卵巣を殴るとか物理的に不可能なので、男の痛みを女性に体感してもらうことは不可能です。キンタマを蹴られるとキンタマ三大神経が激しい疼痛を感じて、その痛みは腹腔神経節を刺激して悪心・嘔吐を引き起こし、迷走神経や交感神経など求心性神経路を介して中枢神経系へ伝わり、血圧低下・頻脈などのショック症状が現れます。

　つまり、キンタマにある神経に強い刺激が加わると、生命維持に関わる重要な神経系に過剰な刺激が伝達され、生体内部の恒常性は著しく乱れ、一般的に「悶絶」と表現される状態に。激しいショック症状を起こしますが、人間は生体内部の恒常性が乱れるとすぐに安定した状態に戻そうとする力が働くので、1時間ぐらい経てば治ります。キンタマが打撃を受けると過剰に痛いのは人体のセキュリティホールで、キンタマなんかに不要な神経を配置した人体の欠陥設計がダメなのです。

 正当防衛は成立する？金蹴りの合法性

　さて、キンタマへの攻撃が苦痛の割に軽症で済むことがお分かりになったでしょう。ということは、女性が男性に暴力を振るわれた時に、金蹴りという反撃は、極めて合法性が高いことを意味します。

　正当防衛が成立するためには、「反撃行為は侵害行為の強さに応じた相当なものでなければならない」という法の原則があるのです。つまり、「ビンタされたから包丁で刺した」は、正当防衛が成立しません。しかし「ビンタされたから股間を蹴った」の場合は、男が悶絶してのたうち回って救急車や警察を呼んだとしても、病院で診断されるケガの程度は、数時間から1日程度安静にしていれば自然に治るというものになります。男性側としては、とてもビンタとは釣り合わないほどの非常に大きな苦痛を受けているものの、医学的には軽症ということになるのです。ゆえに、法的には「ビンタ」に対する「金蹴り」は防衛行為として相当なものであると判断され、正当防衛が成立する可能性が高いことを意味しています。ゆえに、相手の加害行為が強姦とか強制猥褻のような場合は、キンタマがねじれたり潰れたりして手術が必要なレベルで蹴っても正当防衛が成立する可能性が高いといえるでしょう。

　男性に何かされた時は、刃物や鈍器はダメ、キンタマを攻撃するのがベストという結論になります。

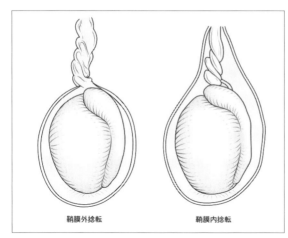

精巣捻転症

キンタマの中身がねじれると、かなりの苦痛が生じる。血流が止まるため、精巣が壊死する危険もある。治療法としては、泌尿器科専門医が手でキンタマをつかんでねじって戻すのが基本だ

（「急性陰嚢症診療ガイドライン」参照）

鞘膜外捻転　　　　　　鞘膜内捻転

金的攻撃の最凶技とは…？

　キンタマへの攻撃が原因で死ぬことが絶対にないのかといえば、ゼロではありません。外傷により発症する例は多くありませんが、「精巣捻転症」といってキンタマの中身がねじれることがあり、かなりの苦痛を伴います。キンタマを蹴られて2時間以上経過しても痛みが軽減しない場合は、この疑いがあるので病院に行って下さい。

　キンタマの中身がねじれてしまった場合の治療法は、泌尿器科専門医が手でキンタマをつかんでねじって戻します。かなり痛いらしいですが、成功すればすぐに痛みが消え完全に治るけど、ダメな場合は手術するしかありません。キンタマをつかんでねじって戻すとかギャグみたいですが、本当に医師が使用する「急性陰嚢症診療ガイドライン」に「非観血的治療（用手的整復）」として載っている正式な標準治療です。

　ということは、泌尿器科専門医並みの技術があれば、キンタマをつかんで中身をねじるという拳法の必殺技もありえるんじゃないでしょうか？　誰かフィクションの格闘技に、キンタマをつかんで中身をねじる技を登場させてみて下さい。その苦痛は普通の金的攻撃よりはるかに大きく、数日間のたうち回った挙げ句、キンタマが腐って死ぬ…という最凶技です。当然、技をかけられるほどの達人なら治すことも可能なわけで。「苦痛から解放されたければ土下座して俺に許しを請え」とかいうシチュエーションもアリでしょう。

　実際にアメリカで13歳の少年が、フットボールの最中に股間を蹴られたことが原因でこの状態になり、集中治療室に入って21日間も入院するハメになった症例があります。なので、キンタマへの攻撃で死ぬとすれば潰れたことが原因ではなく、ねじれて腐ったことが原因ということになるでしょう。

無敵のキンタマを手に入れろ

　これでは男性側が一方的に不利なので、医学的に金的という弱点を克服することはできないか考えてみました。さすがにキンタマを切除するのは、子作りができなくなるし、ホルモンバランス的にも避けたいところです。

　停留精巣が原因で、生まれつき袋に中身が入っていない人はたまにいます。子供が作れないだけで何の処置をしなくても死なないため、古い時代や医学未発達地域ではまれにいるのです。この中身も神経も無いキンタマは、当然ながら金的攻撃を受けても全くノーダメージということになります。

　結論は、手術して痛みを感じないように神経を切断してしまえばいいのです。キンタマ三大神経は、精索という3層構造の膜でできた管を通って、腰の中を通り脊髄へとつながっています。神経と一緒に精子が流れる精管・動脈・静脈もこの中を通っており、キンタマと体をつなぐ主要路になっているのです。一般に「パイプカット」と呼ばれる不妊手術は、この精索の中にある精管を切断することで精子の流れを止めるわけですが、同じ方法で神経を切ってしまえば、キンタマにどんな攻撃を受けても何も感じない無敵のキンタマになるでしょう。

　世の中には何もしていない、特に異常も無いのにキンタマを蹴られたような痛みが続く「慢性陰嚢痛」という病気が実在します。この病気の治療法として、「顕微鏡下精索除神経術」というキンタマの神経を切断する術式が存在。初めて行われたのは1978年と40年以上前で、その後も患者に問題は起きていないので安全です。2020年現在は自由診療となりますが、2時間弱の手術＆2泊3日の入院で済むため、それほど高額ではありません。日本では帝京大学医学部泌尿器科で手術例があります。

　精子の製造はホルモンのバランスによって調整されているため、神経が切れても精子の製造には影響しないので性的機能は失われません。これでキンタマにどんなダメージを受けても何も感じない、金的という弱点を持たない無敵の男になれます。ただし、キンタマがねじれてしまった場合は治さないと腐って死ぬので、攻撃された後は注意深く観察することです。

　無意味な弱点は、医学の力でライフハックして無くしてしまいましょう。

慢性精巣痛に対する顕微鏡下精索除神経術
キンタマに慢性的な痛みがある場合、かつては摘除するケースもあった。現在は、周囲の神経を切断することで解決できるという

帝京大学医学部泌尿器科アンドロロジー診療
https://male-urology.jp/chronic_tespain/

長年の謎…解き明かせ断面描写の真実

プロジェクトSEX～挑戦者たち～

性交中の子宮などの動きを知る研究が、レオナルド・ダ・ヴィンチの時代から500年以上にわたって続けられてきた。医療機器の発達によって、それがついに明らかに！

　1493年、レオナルド・ダ・ヴィンチによって性交中の断面描写が描かれています。1820年頃には葛飾北斎が触手プレイを描いており、こういった断面描写は古くから存在していました。

　しかし、その断面図は推測によるものばかりで実際に子宮の運動を観察したものではありません。医学的推論とは言いがたい迷信ばかりが信じられてきたのです。

　そこで断面描写の真実を解き明かそうと、多くの医学者たちが挑むようになります。アメリカの性科学研究者ロバート・ラットウ・ディキンソン博士は、5,200枚にも及ぶ断面描写を描きました。しかし、彼の『目でみる人体セックス解剖学』はキリスト教団体の圧力により発禁に。猥褻な文書などの流通を制限する悪名高いコムストック法により、1873年から半世紀以上もの間、断面描写は取り締まりを受け3,600人もの逮捕者を出したのでした。

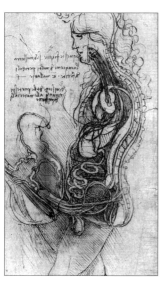

Coition of a Hemisected Man and Woman
レオナルド・ダビンチによって1493年に描かれた、現存する世界最古の性交中の断面描写。イギリス王立コレクション所蔵

目でみる人体セックス解剖学（新風社）
R.L.ディキンソン 著、松窪耕平 訳

Memo:
参考資料・画像出典など　●「Coition of a Hemisected Man and Woman」
https://ja.wikipedia.org/wiki/%E3%83%95%E3%82%A1%E3%82%A4%E3%83%AB:Coition_of_a_Hemisected_Man_and_Woman.jpg

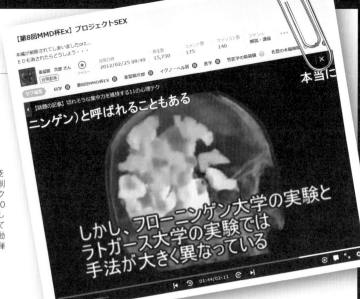

【第8回MMD杯Ex】
プロジェクトSEX
https://www.nicovideo.jp/
watch/sm17071021
MMD杯で3日で10万再生を超えるも、5日目には運営に削除されてしまった「プロジェクトSEX」を再現した。2000年度のイグノーベル賞を受賞した真面目な医学論文を元にしているにもかかわらず、そんな動画を消すなんて医学に対する弾圧と言わざるを得ない

　これでエロは死に絶えてしまった…、そう思えた時、1人の変態が現れます。性科学者・動物学者のアルフレッド・キンゼイです。キンゼイ博士は両刀使いのマゾで、3P・4Pは当たり前の乱交好き。しかも昆虫の交尾にも欲情する筋金入りの変態で、特にタマバチがお気に入りだったそうです。そんなキンゼイ博士は、インディアナ大学の講堂でSEXの実演を行っています。そして、彼の発表した「キンゼイ報告」は今でも性医学の資料としていろんな意味で大きな影響力があるのです。
　断面描写の最大の難問は、膣や子宮など内臓の動きを観察することの難しさにあります。その難題に挑んだ研究者たちを紹介しましょう。

■1960年代　アメリカ・フィラデルフィア　セックスマシーンを開発
マスターズ・W・H医師とジョンソン・V・E博士は、ガラス製の透明な人口ペニスを使い挿入状態の膣と子宮を観察するためのセックスマシーンを開発した。膣が濡れると50〜100％も子宮容積が変化し、子宮がポンプのように精液を吸い込むと発表。

■昭和30年代　日本・東京　大学の講堂でSEX実演
女性医師＆参議院議員の山本杉は、35歳で医学博士を授与された天才。教科書として使うために、中出しされた状態の自分の女性器の写真を無修正で掲載した医学書を出版。上述のデッキンソン博士の著作をはじめ、性医学関係の本に医学博士＆参議院議員の肩書きで推薦文を書いている。医大の講堂でSEXを実演する講義を行い大学を首になり、その後、国会議員に立候補して当選。男の看護婦問題を改善した。偉人なのにあまり知られていないのは、医学会の黒歴史だから？

●フローニンゲン大学　https://ja.wikipedia.org/?curid=720005

1993:Siemens MAGNETOM Vision(1.5T)発売

■シーメンス社製 超電導 1.5T 装置。
■CP (Circular Polarization)型アレイコイル、Turbo SE(Spin Echo)、シングルショット
EPI(Echo Planar Imaging)、スペクトロスコピー機能等を搭載した。

MAGNETOM Vision 1.5T
（シーメンス）1993年発売
フローニンゲン大学の性行
為撮影テストで使用された
MRI（「MRI診断装置 詳細
年表」参照）

■1982年 アメリカ・ラトガース大学 SEX中のCTスキャン

当時のCTスキャンでは、動いている内臓を撮影することはできず失敗に終わった。

■1992年 アルゼンチン・ラプラタ大学 SEX中の超音波撮影

ライリー博士が、超音波プローブを女性のアナルに挿入して子宮の動きを観察した。この時、子宮の運動は見られなかったとされ、性行為によって子宮が収縮する説を否定した。

　医療機器の発達に伴い、さまざまな撮影が試行錯誤されてきました。そして、ここからが本稿の肝。SEX中のMRI撮影に挑んだ男たちのドキュメントです。

4人の医学者によるプロジェクトSEX

　1991年、オランダ・フローニンゲン大学に、4人の医学者が真実を解き明かすべく集まりました。ペク・ファン・アンデル生理学博士、ウィリブロルト・ウェイマール・スフルツ婦人科准教授、イダ・サベリス人類学博士、エドゥアルト・モーヤールト放射線科医。彼らによって「プロジェクトSEX」がスタートしたのです。
　しかし、このプロジェクトには次々と難題が待ち受けていました。最初にぶち当たったのが被験者の確保です。テレビの科学番組で募集したり、新聞に募集広告を出したり、大学の掲示板に張り紙をしたりして、ようやく1組の夫婦が協力してくれることになりました。1991年のある土曜日、世界初の

Memo:
●日本画像医療システム工業会「MRI診断装置 詳細年表」http://www.jira-net.or.jp/vm/chronology_mri_01.html

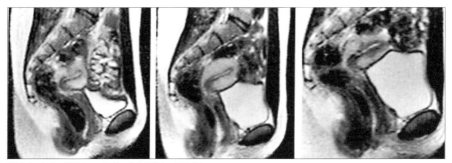

「性交中の男女の性器および女性の性的興奮時のMRI像」
オランダの4人の医学博士らが、性交中の子宮などの動きを研究し、イギリスの医学誌『BMJ』に論文を投稿。これは、性交中のMRI画像だ。左が安静時、真ん中が絶頂前、右が絶頂後。なお、本論文は2000年にイグノーベル賞の医学賞を受賞した

MRIによる性行為の撮影が行われたのです。しかし、当時使用されたフィリップス社のMRIでは、被験者が動くとうまく撮影できず、ノイズの多い劣化した映像しか得られませんでした。

それから5年後、1996年に新型のMRIが導入されます。シーメンス社の「MAGNETOM Vision 1.5T」です。心臓の鼓動もリアルタイムで撮影できる新型なら、どんな腰の動きも子宮の動きも撮影可能なハズ…。3組のカップルが集められ撮影が行われました。しかし、被験者らは性行為中の撮影に慣れておらず、勃たなかったり逝けなかったりで、絶頂時に子宮がどのような運動をするのかという重要な観察結果を得られなかったのです。

2年後の1998年。オランダでもバイアグラが利用できるようになりました。これで、勃たない心配は無用となったことで、4組8人のカップルと3人の女性が集められ、再び行為中の撮影が行われました。しかし、女性被験者らがなかなか逝けないという事態に。そんな中、1人だけバイブオナニーで逝きまくっていた変態がいました。普段は飾り窓で営業している売れないポルノ女優、マリ・ウインザーです。彼女は公然猥褻罪で100時間の社会奉仕命令を受けていました。この人体実験なら1日で100時間分にしてくれるという理由で応募してきた、どうしようもないビッチだったのです。

彼女ならこんな特異な状況でも逝きまくるだろう…と、4人の博士らは最後の望みを賭け、運命のSEXが開始。そして彼女が絶頂に達した時、子宮は動いていなかったのです！　逝くと子宮が動くというのは、迷信だったことが分かりました。500年にわたる断面描写の実態が明かされた瞬間です。

4人の医学者はこの真実を世界に知らせるために論文を執筆し、イギリスの医学誌『BMJ』に投稿。そして2000年、イグノーベル賞の医学賞を受賞したのです。

ちなみに、ワシはこの検証を追試すべく、シーメンス社のMRIを4億2千万円出して購入しました。でも、ニコニコ動画の「第8回MMD杯」に投稿した「プロジェクトSEX」の動画が運営に削除されたショックで、そんな気力が失せてしまい、未使用のまま、ウチの病院で普通に患者のために使われています。

●イグノーベル賞を受賞した論文「Magnetic resonance imaging of male and female genitals during coitus and female sexual arousal」
http://www.bmj.com/content/319/7225/1596

ナチスドイツの人体実験から始まった…

ドーピングの光と影

普通の筋トレでは到底得られない、ムキムキボディになれるのがドーピングだ。しかし、副作用がありリスクも高いため、まさに悪魔との取引…。その原点はナチスにあった。

「テストステロン」は1931年に大量の男性の尿から単離された男性ホルモンの一種。1935年にスイスの化学者であるレオポルト・ルジチカによって合成され、医薬品として利用できるようになりました。彼は1939年にノーベル化学賞を授賞しています。

　このテストステロンは、1935年5月には筋肉を増大させ骨格を発達させる人体強化ホルモンであることが発見され、2年後の1937年には、ドイツで人間に注射する人体実験が始まりました。ナチスドイツはこのまま第二次世界大戦に突入し、数多くの人体実験に手を染めることになります。その辺はご存じの方も多いでしょう。

　戦後、人体実験の資料はすべてアメリカに押収されて、どんな実験が行われていたのかは公開されていません。一説には兵士に投与してドーピング強化人間を作っていたともいわれていますが、真偽のほどは謎です。薬物強化兵士はこれといって特に成果を上げていなかったような…。

　また、アドルフ・ヒトラーの主治医であったテオドール・モレルは、ヒトラーにテストステロンを頻繁に注射していたと証言しています。つまり、ヒトラーはドーピングしていたのです。

レオポルト・
ルジチカ
(1887〜1976年)

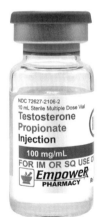

テストステロン
スイスの化学者レオポルト・ルジチカが、1935年に男性ホルモンの一種テストステロンの合成に成功した。筋肉を強化できることが分かると、ナチスドイツでは兵士への人体実験が行われたという。なお、その資料は戦後にアメリカに渡って機密の中に埋もれた…

Memo:
参考資料・画像出典など　●ジョン・ボスリー・ジーグラー　「Alchetron」https://alchetron.com/John-Bosley-Ziegler#-

ジョン・ボスリー・ジーグラー
（1920～1983年）

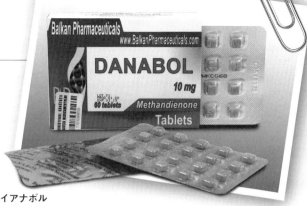

ダイアナボル

ジーグラー医師は、アメリカで既に製造されていたアナボリックステロイドの「ダイアナボル（Dianabol）」に、筋肉増強作用があることを発見。これを1960年ローマオリンピックのウェイトリフティングチームに投与したことで、多大なる成果を上げた。その影響もあり、アメリカ社会にドーピングが広がったが、重大な副作用が生じることが発覚する。ジーグラー医師は後年、ドーピングに関わったことを後悔したという

 アメリカにドーピングの父、現る

　東西冷戦真っ盛りの中、ソビエトに勝つことがアメリカの最重要課題でした。そこでテストステロンよりも副作用が少なく、強力な筋肉強化薬物の研究が行われるようになったのです。

　ジョン・ボスリー・ジーグラー（1920～1983年）は、医大に在学中に第二次世界大戦が始まり、卒業後はインターン先の病院が海兵隊の野戦病院だったというハードな研修医生活を送った人物です。アメリカ海兵隊の軍医将校として太平洋方面に従軍して、激戦地で日本兵に撃たれて重傷を負って長期入院した経験から、戦後は障害が残るような重傷患者の回復治療を専門に行い、多くの負傷兵の社会復帰に貢献しました。

　その後、医師の仕事をしながら、趣味でウェイトリフティングの選手になり本も執筆しています。選手に医学的なトレーニングを導入した初期の医師の1人でもあり、ウェイトリフティングのオリンピック選手にしてプロボディビルダーのジョン・グリメクの主治医も勤めました。

　ジーグラー医師は、ドーピング検査自体が行われていなかった時代に、Ciba社（現在のノバルティス社）の支援を受け、戦後にアメリカが没収したナチスドイツが行ったテストステロンを使った人体実験の研究資料を閲覧する機会を得ます。ナチスドイツの強化兵士の人体実験資料を見た彼は、筋肉強化薬物を探し始めました。そして、1958年にCiba社によってアメリカで製造されている男性ホルモンの一種「アナボリックステロイド」の「ダイアナボル（Dianabol）」に、筋肉増強作用があることを発見したのです。

　ジーグラー医師は、このダイアナボルを1960年ローマオリンピックのウェイトリフティングチームに投与。ドーピングの結果、金メダル1個、銀メダル3個を獲得する快挙を達成しています。

1960年ローマオリンピック 米ウェイトリフティングチームの成績	
金	56kg級 チャールズ・ヴィンチ
銀	62kg級 I・バーガー
銀	77kg級 Tommy Kono（日系アメリカ人：河野民生）
銀	105kg級 ジェームズ・ブラッドフォード

　オリンピックでドーピング検査が始まったのは1968年からなので、ローマオリンピックの時はまだ何でもアリでした。デンマークの自転車競技選手ヌット・エネマルク・イェンセンは、ドーピング（興奮剤）の失敗により事故を起こして競技中に死んでいます。ドーピングによる死亡事故が起こるほど、この当時はやり過ぎていたのです。

　話を少し戻して、ウェイトリフティングチームの快挙により、オリンピックメダリストになれる魔法の薬・ダイアナボルの名前は一気に広まりました。ちょうど、東西冷戦時代はマッチョイズム全盛期でもあり、男らしさを重んじる思想がアメリカ社会を支配していたのです。

　誰もがマンガに出てくる、スーパーマンのような肉体を持つことを渇望していた時代に登場したことが不幸を加速させます。その結果、推奨用量の何倍ものダイアナボルを服用した人が、肝疾患を発症したり心疾患で死亡する事態になりました。それを知ったジーグラー医師は、アスリートでの実験を断念することに…。

　1975年に国際オリンピック委員会によって禁止薬物に指定され、公式競技では使用できなくなりました。以後、ドーピング検査は厳しくなりましたが、ダイアナボルを使えば誰でもお手軽にマッチョになれるので、スポーツ選手ではなく、ドーピング検査とは無縁な人々がマッチョになって見た目を良く

ダイナマイト・キッド
（1958～2018年）

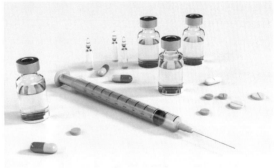

筋肉売りのプロレスラー
日本のリングでも大活躍したダイナマイト・キッド（爆弾小僧）は、テストステロンをはじめとするドーピングに手を染めていたことが知られている。現役時代はマンガヒーローのようなムキムキボディだったが、心臓肥大などで体を壊し、晩年はやせ細って車椅子生活に…。享年60歳

Memo:
●レオポルト・ルジチカ、ダイナマイト・キット画像「Wikipedia」

するために乱用するようになります。

　ハルク・ホーガンやダイナマイト・キッドなど、筋肉を売りにした有名プロレスラーも使用していました。残念ながらダイナマイト・キッドはドーピングのし過ぎで体を壊し、晩年は車椅子生活になり60歳でこの世を去っています。

　ジーグラー医師が手を引いた時には既に手遅れで、アメリカ社会ではマリファナと同じくらい広く行き渡っていたのです。彼は1983年、「自分の人生で1番の失敗だった」「無かったことにしたかった」と、ドーピングに関わったことを後悔しながら亡くなりました。

　21世紀現在も、ダイアナボルは普通に売られています。日本でも違法薬物ではないので、ネット通販を探せば普通に購入可能。しかし、人間の体は全体がバランス良く整っている状態が最も健康であり、筋肉だけを肥大させた状態は異常で不健康です。大量の筋肉は多くの血液供給を必要とし、心臓の機能に負担をかけます。その結果、心疾患を引き起こして死ぬのです。ナチスドイツの人体実験に始まり、東西冷戦のドーピング合戦の中で完成した強化人間になれる魔法の薬は、まさに悪魔との取引でした。

　ドーピングで難しいのは、体全体のバランスを維持しながら行わなければならないため、かなりの医学知識を必要とすることです。単純にダイアナボルだけを飲み続けると、確実に体のバランスがおかしくなります。副作用で無気力になるのは外部からの過剰摂取により、内分泌の中枢である視床下部が体内でホルモンが過剰だと認識して、下垂体前葉がホルモンを出せと命令するのを止めてしまい、精巣からの男性ホルモン分泌が止まるからです。

　体のホルモンバランスを元に戻すためには、男でも排卵障害による不妊症治療薬である「クロミフェン（選択的エストロゲン受容体調節薬）」を飲む必要があります。ドーピングによって崩れたホルモンバランスを調節するために、さらに薬を飲まなければなりません。

　また、経口摂取用のダイアナボルには体内での分解を遅らせる17αアルキレート加工が施されているので、肝臓に負担をかけます。長期間服用すると肝硬変や肝臓癌などの肝臓障害になることもあり、長期服用には死病のリスクが激増。対策として、肝臓を保護してくれる「シリマリン」を併用することが推奨されています。

　この理屈だけをみると3種類の薬を同時に飲めば大丈夫なのかと思いそうですが、実際には「ダイアナボルを何mg摂取した何時間後にクロミフェンを何mg摂取する…」といった分量の加減と計算が必要で、一般人には不可能なレベル。なので、大抵は過剰摂取して肝臓や心臓がやられて死ぬ人が後を絶ちません。ちなみに、2000年代にK-1で活躍したボブ・サップは、ワシントン大学で薬学を専攻していた薬学のプロです。

　以上のことから考えると、自由診療でドーピング外来とか始めたら儲かりそうな気がします。プロアスリートはもちろんダメですけど、マッチョになりたい一般人向けに医師がちゃんと管理して使用させればリスクは充分に抑えられるでしょうし。ネット通販で売っている本物かどうかも分からないものより、医師が厳選したドーピング薬の方が絶対安全ですよ。

　筋肉がすべてを解決してくれるなら、悪魔と取引してもいいんじゃないでしょうか？（笑）

異常な食欲と性欲をお持ちの貴方へ…

アリエナイ手術のお値段

人肉を食べてみたい、手足が欠損したダルマ女を愛でてみたい…。異常とされるそんな欲望を叶えるとしたら、どんな方法があっていくらぐらいかかるのか。医学的に計算してみたよ。

日本の医療制度は何でも「保険点数」が決まっていて、こういう手術をすると何点でいくらかかるという計算ができます。 一般に「手術料」とされているのは、技術料・輸血料・手術医療機器等加算・薬剤料・特定保健医療材料…などの合算。技術料はさらに12分野に分かれていて、計算は大変複雑です。ゆえに、以下に挙げている点数は、大体の目安であることをお断りしておきます※。

人間の肉を食べてみたい場合

日本の裁判史上、唯一、食人で裁かれたのが「ひかりごけ事件」です。第二次大戦中に、北海道で極寒の中、難破した船の船長と船員がいました。船長は、死亡した19歳の船員の肉を食べて生き延びたという事件です。日本の刑法には食人に関する規定が無いため、死体損壊事件として処理されました。

この事件では死体を食べたから犯罪になったのであって、健康な人間の体から肉を切り取って食べる場合、自分の体でやる分には違法ではないことになります。切り取った自分の肉を他人に食べさせるのも、法的には規制されていません。以前、人肉を食べるイベントを開催した人がいますが、無理やり消防法違反だとかこじつけておいて、結局は不起訴になりました。それは、人肉を食べたことで処罰できる法律が無いからなのです。

人体の一部が切り離された場合、その切り離された肉片の所有権はどうなるのでしょうか？ 生体から分離された身体物質には、原帰属者の所有権が認められると考えるのが通説です。つまり、自分の肉を切り取ったら、それは自分の所有物になるということ。これが動産なら譲渡や売買もできることになるのですが、一般的な病院の見解は、手術で切除された組織は黙示の内に廃棄物として処理されることで了解されていると見なされています。最近はめんどくさくなってきたので、手術の同意書に「手術で切除された組織は廃棄物として処理する」と書いてある場合もあります。ちゃんと医者に説明しておかないと勝手に処分されてしまうので、もしそれを食べたいなら事前に十分な打ち合わせが必須でしょう。

ということで、自分の肉を切り取ってもらう場合の費用をシミュレーションしてみます。本来は健康な肉を切り取ることは認められていないのですが、自由診療による美容形成手術で腕や足を細くするために肉を切り取ってもらうという話なら…。あくまで参考ですが、人肉100gを取り出す場合は切って

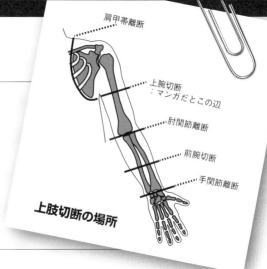

上肢切断の場所

肩甲帯離断

上腕切断
：マンガだとこの辺

肘関節離断

前腕切断

手関節離断

手足の切断には、細かく保険点数が決められていて費用が異なる。また、切り落とした手足をくっ付ける「切断四肢再接合術」もある。保険点数は144,680点で切る時の6倍以上。なので、女性をダルマにして愛でてから元に戻そうとすると、両手両足で切断に972,800円＋戻すのに5,787,200円で合計6,760,000円かかる。入院費や諸経費まで考えたら 保険適用と同じ1点10円としても1千万円近く必要になる。自由診療ならこの何倍かかるか見当もつかない…

縫うだけで、保険適用と同じ1点10円としても51,900円必要です。保険は適用外でしょうから、自由診療でこの数倍はかかるハズ。そしてさらに、麻酔とか抗生物質とか包帯などが別途必要になります。

1.皮膚切開術で**15cmほど切る**	8,200円
2.筋切離術で肉を切り取る	36,900円
3.筋肉に達する創傷処理	16,800円
4.切った後、縫い合わせる	43,600円
合　計	**105,500円**

生皮を剥ぐ料金は面積による	25cm²未満	14,900円
	25cm²以上100cm²未満	43,700円
	100cm²以上200cm²未満	96,100円
	200cm²以上	136,400円

 手足の無いダルマ女にするお値段

　リョナ系マンガなどに見られる、女性を手も足も無い姿にして愛でるために必要な費用も算出することができます。四肢切断術を行う場合、腕を切るのを「上肢切断」、足を切るのは「大腿切断」といいます。保険点数では、手足1本につき243,200円かかるので、ダルマにするには4倍して972,800円が必要になる計算。また、ダルマといっても腕が少し残る場合と、肩から完全にカットする場合では点数が異なります。ダルマうさぎのようにする場合は、肩の付け根まで完全に取る「肩甲帯切断」を行うことになるでしょう。肩甲帯離断術の場合は、片側で365,000円とお高めです。

　ここで先の事例と引っかかるのですが、切り取った手足が単なる物となるためにはそれが生体ではなくなる必要があります。つまり、後で戻す前提で切り取った手足を冷蔵庫とかに入れておいた場合、その手足はまだ本体に戻れる生体であるとみなされるので、食べたりすると傷害罪になる可能性があるのです。機械で指を切断した人がいた場合、その指を持ち去ると窃盗ではなく傷害罪とみなされた事例があります。指が再接合する可能性があるうちは物ではなく、生きている人間の一部とみなされ、指を持ち去った行為が指の切断と同等の傷害とされるのです。なので、冷蔵庫に入っている他人の手足を勝手に食べてはいけません。食べたいのであれば、必ず事前同意を求めて下さい。

ウンコを調べれば全部分かっちゃうぞ！

食人鬼を見分ける方法

佐川一政やハンニバル・レクターのような、危ないカニバリストを識別する方法がある。一般的な医学検査でそれは可能だ。「検便」…つまりウンコを調べれば判明する。

　人肉を食べると「便潜血陽性」が出ます。本当に病気で陽性になる人は6〜7%程度なので、確度は高いといえるでしょう。人間の血だけに反応する「ヒトヘモグロビン」に対する特異抗体を用いて検査するので、スッポンの生き血を飲んだとか血の滴るビーフステーキを食べても誤診しません。

　ちなみに、加熱調理してもヘモグロビンなどの蛋白質が熱変性するだけで、ヘム自体の構造は破壊されないため、調理で用いられる範囲の温度ではほぼ影響しないのです。血抜きをしても100％完全には抜けませんし、筋肉中に含まれるミオグロビンのヘムも検出対象になるので、人間の筋肉部分を食べる限り検査で陽性になるでしょう。実際に加熱調理済みの豚肉や魚であっても、特異性が無い検査キットを用いた検査では陽性反応が出ます。

　一般的な検査では、ウンコの中に人間の血液が入っているかどうかだけの「陽性」か「陰性」の判定しかしませんが、人肉を数百gから数kg単位で食べていた場合は事情が異なります。フランス警察は、佐川一政さんを逮捕した直後にウンコをすべて採取して便潜血を調べれば、人肉を食べた証拠として裁判に提出できたはずです。恐らく、定量値1,000ng/mL以上の高い陽性反応が出たでしょう。このレベルの数値は大腸癌ですらめったに出ないので、高確率で人肉食べてると判定できます。

　しかし、裁判で人肉を食べた証拠として、検便の検査結果が提出された事例はありません。佐川さんの事件でも、フランス警察が心身喪失で無罪になった容疑者の人肉を食べた証拠を公開していないので、佐川さんのウンコが証拠になったのか、検査されたのか一切不明です。

　なお、上記のことはあくまでも理論上そうなるはずという話で、実際に人肉を食べさせて実験した事例は存在しません。

 ## 人肉食いを調べる方法

　仮に「人食い検便キット」を作るなら、特異性が高く、感度の低い設定にすれば人肉食いと病人を高確率で識別できるでしょう。特異性が高いと人間以外の血液に反応しにくいことを意味し、感度が低いと軽度の病気で出るような微量の血液では反応しないことを意味します。一般的に検査において特異性を高くすると感度が下がって見逃しやすくなり、感度を上げると特異性が下がって偽陽性が出やすくな

人肉を食べたかどうかは、大腸癌検査キットで調べられる。病気でないのに、便に潜血反応で陽性が出ると…。なお、食べた人肉が消化器官から完全に排泄されてしまうと、陽性反応は出なくなる。ゆえに、現在の佐川一政氏を検査しても陰性だろう

『カニババリ人肉事件38年目の真実』
http://caniba-movie.com/

るのです。つまり、技術的には最も簡単に作れる検査キットになります。

　感度が低い検査で病気で陽性になる人がいるとしたら、消化器官のどこかがかなり痛くて、口から血を吐いているか、ウンコが真っ黒になるか、肛門から血が出ているはずです。どこも悪くなさそうなら、食人を疑っていいでしょう。

　また、家族が人肉を食べている疑いがあるなら、個人でも調べる方法があります。いわゆる「大腸がん検査キット」がAmazonなどの通販サイトで売られているので、それを購入して家族のウンコを検査すればいいのです。

　消化されたウンコからでも、他の動物の血と誤認することなく、微量の人間の血液を検出できる特異抗体（モノクローナル抗体）を発明したジョルジュ・J・F・ケーラーとセーサル・ミルスタインは、1984年にノーベル医学賞を受賞しています。特異性が無い検査キットを用いた検査では、加熱調理済みの豚肉や魚であっても陽性反応が出てしまい、この技術が実用化する以前は、検便するために3日前から食事制限させなければなりませんでした。

　本来の目的はもちろん人食い検査ではなく、インフルエンザからO157まで多種多様な特定のウイルスや細菌、特定の細胞にだけ反応する検査薬として世界中の医学界で活躍しています。その素晴らしい能力と汎用性の高さから、人食い検査にも使えるというだけの話です。

　なお、便の潜血反応で陽性が出ると、次のようなさまざまな病気の疑いがあります。人間ドックなどで一般的に行われているわけです。人肉を食べていないのに陽性になったら結構ヤバイので、なる早で精密検査受けることをお勧めします。

食道	静脈瘤、食道潰瘍、食道癌
胃	胃潰瘍、胃癌、出血性胃炎
十二指腸	潰瘍
小腸	潰瘍、クローン病、肉腫
大腸	大腸がん、ポリープ、潰瘍性大腸炎、クローン病、憩室炎
肛門	痔核、痔瘻

"臓器移植ビジネス"の新市場が各国で爆誕中

腎臓売買の最新事情 前編

各国の臓器移植に関する最新事情を、前・中・後編の3部構成でまとめた。ここではインドと中国に関して。法律が整備されてきているとはいえ、きなくさい話も多い…。

拙著『世界征服マニュアル』でも書きましたが、臓器売買ビジネスの市場では腎臓が大半を占めています。誰もが2個あって片方無くなってもあまり生活に支障がないため気軽に売れるし、欲しがる腎臓病患者は世界中に山ほどいるからです。人工透析が必要な病気に苦しんでいる時と、腎臓移植を受けて治った後のQOLの向上が著しいため、患者の方は皆さん欲しがります。

移植実績の増加により研究が進み、移植の成功率は高くなり、移植後のリスクも小さくなっています。安く仕入れて高く売ることが可能で、商売ができるのはある程度の設備がある大きな病院だけなので市場の独占率も高め。常に新しい患者が生まれ続けているため顧客が減りません。

そして重要なことに、現在の臓器売買組織は合法組織であり、違法行為は行っていのです。

 ## インドの臓器売買事情

インドで腎臓の売買を行っている組織に、「インド臓器移植学会（ISOT）」があります。ちゃんとインドの法律を遵守している、インドの医師法に基づいた医師免許を持つ合法組織です。

よくフィクションではやたらと高額な金額が提示されますが、現実の臓器の売値はそれほど高くありません。売る人の平均年収の3倍ぐらいが相場です。インドでは嫁をもらうのに結納金を払わなければならないという社会習慣が根強く残っていて、同じカーストからであれば、結婚費用の相場は自分の年

インド臓器移植学会
（ISOT：Indian society of Organ Transplantation）
https://isot.co.in/
腎臓の売買を管理している合法的な組織。医師が評議会のメンバーになっている

Memo:
参考資料・画像出典など　●新華社通信　http://www.xinhuanet.com/local/2017-01/22/c_1120361652.htm

臓器輸送用優先口の正式な表示は「人体器官緑色通道」だ。緑の矢印マークの案内表示は、「特殊旅客、人体器官運輸通道」で文言が異なっていることから、放送した北京テレビのヤラセだと思われる。ネット上ではその映像のキャプチャが拡散されたのだろう。これが掲示されているとされる「ウルムチ地窩堡国際空港」は、外国人まで自由に出入りできる空港。実際にあるなら、皆が撮影して膨大な数の写真がSNSにアップされているはずなのに、3種類ぐらいしかないし…

人体器官緑色通道
(写真／新華社通信)

収と同じぐらいといわれています。

　インドの貧困層は可処分所得が少ないので、年収と同じ金額を貯金するのはかなり困難です。カースト制度によって所得格差の大きいインドでは、富裕層の月収が貧困層の年収の数倍になることは珍しくありません。そこで、自分の腎臓を片方売った金で嫁をもらい、さらに嫁の腎臓も売れば2倍儲かるという理屈で、臓器売買が錬金術になって成り立っています。ヘタすると生まれた子供の臓器も売る始末です…。

　インドでは腎臓の売買が普通に行われているため、臓器を売った人の追跡調査したりとか、夫婦が売った後どうしているか戸別調査したりなど堂々と研究されていて、統計が取られ論文も出ています。そして、そうした研究成果がますます臓器移植技術を発展させ、売買を活発にしているのです。

　日本のマスコミがインドまで取材に行けば、すぐに売った人は見つかるでしょう。「あそこの夫婦が金を持ってるのは2人して腎臓売ったからだ」と、普通に近所の噂とかになってますから。

中国の臓器売買事情

　中国の臓器売買は、ここ10年足らずで激変しています。中国では、2007年に外国人への臓器移植を禁止する法律が作られ、2008年には大規模摘発により臓器ブローカーは殲滅されました。ですが、これは臓器売買組織が中国共産党指導下の単一組織にまとめられ、それ以外の組織がすべて潰されたというのが実態です。その国家公認の組織として、2014年に中国人間臓器提供移植委員会（中国人体器官捐献与移植委員会）が設立されました。中国全土のドナー情報を管理するコンピュータネットワークの存在も、公式に認めています。

　その後、中国全土にまたがる大規模な臓器輸送ネットワークが構築。2016年4月29日、国家保健家族計画委員会の公安部、運輸省、中国民間航空局、中国鉄道公社、中国赤十字社の連名で、臓器を運ぶための法令が公布され、臓器輸送中を示すマークも公式規格として制定されました。

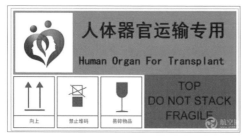

臓器輸送中のマーク
（画像／新華社通信）

2016年に制定された
マーク。国家保健家族
計画委員会の公安部や
中国民間航空局らの連
名によるもので、公式
規格となっている

　2016年5月には、中国全土の飛行場に臓器輸送に対する特別配慮のマニュアルが完成。中国国内では臓器輸送のための交通網を「緑色通道」と呼んでおり、臓器輸送専用の搭乗口は「人体器官緑色通道」と表記されています。このゲートは普段は普通のゲートとして使われていて、臓器輸送の通達が来た時だけ表示されるので見かけるチャンスはあまりありません。そして、臓器輸送中であることを示す政府公認のマークを付けていると、セキュリティチェックをフリーパスでこの「人体器官緑色通道」のゲートから並ぶことなくすぐに搭乗できるのです。

　ところで、ウイグル自治区の空港で撮られたとされる、臓器輸送専用マークが床に貼ってある写真をご存じですか？　「特殊旅客、人体器官運輸通道」と書かれ、横にウイグル語が併記された緑の矢印のマークです。あのような表示マークは、党の指導要領には存在しません。PCで自作して印刷したものをテープで床に張っただけのもので、粗末な作りです。あれを、いつ、誰が、どこで、撮影したのか調べてみたら、2016年5月に北京テレビ（北京電視臺）が放送した番組のキャプチャでした。番組で放送された画面と比較したら、撮影角度から床の継ぎ目、床に反射する電灯まで完全に一致…。

　北京テレビはヤラセをやらかすことで有名で、日本でも話題になったダンボール肉まんを創作したテレビ局です。自分で印刷した紙をテープで床に貼って撮影とかかなり悪質なのですが、あそこが飛行場の床かどうかも怪しいんですよね。もしかしたらテレビ局の廊下の可能性すらあります。だって引きの映像、周りが映っている絵が無いんですよ。

　繰り返しになりますが、移植用臓器を運ぶための飛行場の専用ゲートは実在しており、ちゃんと法令も公布されています。正式な法令上の表記は「人体器官緑色通道」で、「特殊旅客、人体器官運輸通道」ではないのです。そして英語併記はしていますが、ウイグル語を併記する規則は存在しません。

　つまり、あれは中国全土を結ぶ臓器輸送に関する法令が公布された時に、まだどこにも正式な表示が出てなかったので、テレビ局が自作したというわけです。

　北京テレビって中国共産党の国営放送が前身の、ガチガチの政府系メディアのはずなんですけど。というか、反政府メディアとかあったら即日全員逮捕ですからね。平気で政府の威光を傷つけるような放送をするフリーダム過ぎる体勢が不思議でなりません。日本と同じように、スポンサー獲得のために視聴率が欲しいんでしょうかね？

Memo:

世界最大の臓器移植組織と臓器の相場

臓器売買の最新事情 中編

臓器移植には莫大な費用がかかるというイメージがあるが、実際はいくらぐらいになるのか？
合法的な移植組織の登録料や保険点数などから、いろいろとシミュレーションしてみた。

　中国で一部の宗教の信者やウイグル人が、臓器移植のために殺されているという話がありますが、正直なところ、信憑性が怪しい部分があります。すべてを否定するわけではありません。

　まず疑問なのは、臓器移植大国・中国での実績件数に対して、ウイグルからの輸送件数が少な過ぎる点です。1,000件ちょっとしかありません。母数が10万件を超えているので、1％程度です。13億人以上いる中国人の中で、新疆ウイグル自治区の総人口は2,500万人と、1/50にも満たない人口希薄地帯です。漢民族を除くと、その他の少数民族も含めたウイグル人の総人口は1,500万人程度で、日本の約4.5倍の面積がある交通網が弱い地域からドナーを探すのは非効率的過ぎます。

　臓器ブローカーが儲けたいなら、人口密集地帯で探した方が効率良くありませんか？　人口希薄地帯でドナーを探し回るとかムリゲーなんですけど。

　また、ウイグル人を臓器移植のドナーに使うには、致命的に不便な問題があります。ウイグル人の住む大きな都市で、腎臓を摘出できるレベルの外科手術室を持つ病院があるのはカシュガルだけなのです。カシュガル空港（喀什機場）から飛行機で臓器を運ぶのにどれくらい時間がかかるのか調べてみたら、北京空港まで4時間30分、しかも週4便しか運航していません。

　摘出した臓器が、理想的な条件で移植可能な輸送時間の上限は3時間以下です。つまり、航空機で2時間以内の距離でなければ売り物になりません。飛行機の搭乗ゲートで列に並んでいる時間すら惜しいからこそ特別優遇措置が取られているわけで、ウイグルなんて僻地からバカ高い輸送費を使って鮮度の落ちた臓器を運んできても、医者に怒られてしまうでしょう。

　要は、敵対者を悪魔化し自分たちの正当性をアピールするための道具として、悪用されているということ。そして、彼らが大きな声で叫んで世界中がそれを信じることで、宗教やウイグル人による情報ジャミングが行われてしまい、実際にドナーを殺しているような、都市部などで活動する多数派の臓器ブローカーらの存在が目立たなくなるという弊害を生んでいるのです。

 合法的な国際臓器売買組織

公益法人として世界規模で活動している、世界最大の臓器移植組織があります。「DTI Community」

がそれです。ちゃんとWebサイトもありますが、ほとんどの情報はセキュリティで守られていて開示されていません。会員登録するには、身分証明書かパスポートのコピーの提出が必要。登録時にドナー（売りたい）かレシピエント（買いたい）か選択するのですが、レシピエント登録だと寄附金の請求書が届きます。私の場合は、日本円で118万円支払いました。

　この組織は中国・アフリカ・中東・欧米など世界中で公益法人の認可を受けていて、日本の財務大臣が指定した寄附金控除の対象になっているので、領収書は確定申告で税控除に使用可能。恐らく売買の希望を告げれば、移植コーディネーター（実質的な買い取り人や売人）から連絡が来ると思われます。その際に、寄附金という名目の臓器代金を支払うことになるのでしょう。

　こうした市場を独占する合法臓器ブローカーの台頭により、零細違法臓器ブローカーは殲滅されています。見つけたら警察に通報するだけで消えてなくなるので、大手独占の地位は揺らぎません。合法臓器ブローカーは設備の良い大病院や有能な医師と綿密に連携し移植してくれるので、顧客は安心して買えます。するとますます儲かる…。こうした好循環の連鎖により、臓器ビジネスは発展し続けています。2019年7月時点で移植実績は10万件突破したそうです。

　こういった国際ネットワークが必要になる背景には、心臓移植や生体肝移植のように適合条件の厳しい臓器を移植する場合、ドナーを探すのが難しいことがあります。確率的にはドナーの母数が1千万人を超えないと、完全な適合者を見つけることができません。免疫抑制のリスクはいまだ大きく、ドナーの適合率が高いほど免疫抑制のリスクが最小になり、移植後のQOLが高くなります。つまり、億円単位の値が付く高額商品は、地球規模のネットワークで探さなければ見つけられないのです。

 ## 臓器の転売ヤー現る!?

　臓器移植に関する日本語の怪しいWebサイトを見つけたのですが、もしかしてコイツは、転売ヤーではないかと疑っています。DTI Communityは、レシピエント登録者の家族も対象になります。つまり、自分の親族だと言い張って中国に連れて行けば、臓器を買えることに…？

　中国語の分からない日本人なら、現地で詳細はいくらでもごまかせるでしょう。腎臓の場合は、10日間付き添って中国に渡航すればよいので、臓器の転売…ということも可能になりえます。

 ## 日本の金銭感覚で例えてみると…

　臓器売買がどれくらい儲かるのか、具体的に日本人の金銭感覚に換算してみましょう。売る方は、年収200万円以下の

日本人の金銭感覚でたとえると、年収200万円の人が自分の腎臓を1個、年収2,000万円の人に600万円で売る感じになる。そしてその間には臓器ブローカーや、手術する医師が介在し、大きな金額が動くためビジネスとして成り立っている。そしてそうなると、闇もまた…

Memo

　貧困層が自分の腎臓を、年収3倍の600万円で売る感じです。買うのは年収2,000万円超えの人で、業者に自分の年収相当の2,000万円ぐらい支払う感じになります。日本で年収2,000万円というと、新聞やテレビなど大手マスコミの一部役職か、医師や弁護士の中堅以上クラス、外資系の金融マン、あるいは売る土地を持っている農家などです。

　保険診療の腎臓移植は、取り出す側がK772 腎摘出術：187,600円、移植する側がK780-2 生体腎移植術：628,200円とお安く、保険診療なら百数十万円です。が、保険診療1点10円に対して自由診療は1点50円が高めの相場といわれているので、自由診療で600万〜700万円程度になる計算。このくらいもらえれば医師も満足でしょう。

　単純に計算すると、報酬2,000万円−腎臓の仕入れ値600万円−医者代700万円＝700万円の利益となります。顧客が買いに来てから退院して帰るまでの平均日数は10日ほどなので、月収2,000万円は最低保証になるでしょう。臓器ブローカーは、年収3億円超えが普通にいてもおかしくない仕事なのです。

　移植するには最低でも医師4人に看護師3人は必要で、道具・薬・ベッド代・術後管理などの諸経費が200万円ぐらいとすれば、移植する医師は1回あたり手取り100万円の仕事をしている計算になり、同じくらい儲けているはずです。看護師だって1回30万円もらえたら、やめられないでしょう。手術時間は4時間弱なので、やる気があれば1日2回行えます。

　これらは分かりやすく解説するために今の日本の金銭感覚に換算した数字を並べていますが、実際に中国に行った場合の価格は腎臓移植：36万元、ランゲルハンス島移植：120万元ぐらいだそうです。もしも、日本が中国並みの臓器移植大国になったらこんな感じの価格で取引されるというイメージとして、創作などにお使い下さい。

　年収200万円の貧乏人も、年収2,000万円超えの金持ちも同じ1人の人間です。人の命が平等だからこそ、年収が10倍以上違う売り手と買い手の経済格差によって、需要と供給のバランスが取れて売買が成立しています。同じものでも、違う場所に持っていくと全く違う価格になるという、経済活動の基本に忠実なのです。

糖尿病が完治する魔法の移植法がある!?

臓器売買の最新事情　後編

糖尿病といえば、食事制限とインスリン注射によって一生付き合っていく病気。しかし、点滴1本で治る新技術が開発されている。まさしく科学はすべてを解決するのだ。

　ワシは中国人の嫁がいるのですが、病気で手術したりしたのを心配して、臓器売買組織の買い手側に会員登録してくれました。しかし、ワシの病気は臓器移植しても治らないというか、しても意味がない病気なので必要ないのですが…。胃を切除したからといって、他人の胃を移植した場合、拒絶反応などデメリットの方が大き過ぎて逆に死ぬ原因になりかねないのです。

　そんな臓器売買組織から新商品のお知らせ、「どんな糖尿病も点滴1本で根治する薬」があるとお手紙が届きました。エビデンスとか治療実績とか聞いてみたら、真面目な本物だったのです。これまでは死ぬまでインスリン注射を続けて、食事制限などQOLの低下を我慢する必要があったのですが、まさしく魔法の治療法が実用化したということになります。

　しかし、その魔法の薬の材料として生きた人間の膵臓が必要で、1人の糖尿病患者を治すために1人の健康な人間を殺さなければなりません。腎臓と違って膵臓は1人1個しかなく、取ったら死にます。

　既に膵島（すいとう、ランゲルハンス島）移植による糖尿病の治療は日本でも始まっていますが、現在、日本国内で行われている膵臓移植は脳死ドナーからの提供です。このため、供給量が圧倒的に少ないので治療を受けられるのはかなり末期の糖尿病患者だけに制限されています。この基準だと、既に腎臓とか肝臓まで悪くなってるレベルまで悪化してないと対象者になれません。

　当たり前ですが、患者の腎臓と肝臓の機能が正常な方が成功率は高まります。極端な供給不足と多過ぎる需要によりバランスが崩れまくった結果、もうコレをやらないと死ぬという末期患者のみ受けられる治療になっているのです。さすがに、誰かを殺して内臓を奪うなんて日本でできるわけがありません。

　この魔法の治療の良いところは、失敗してもインスリン治療を続けるという現状維持になるだけで、顧客が死ぬリスクは非常に小さい点。失敗しても再チャレンジが何度でも可能なので、金がある限り成功するまで繰り返せます。つまり、ビジネスとしてオイシイのです。

　しかも、点滴1本打つだけなので治療中や治療後の患者の苦痛が非常に小さく、顧客満足度も高め。医師の手間も腎臓移植より小さいため、儲けが大きくなります。ただし、1回ごとに誰かに死んでもらう必要があるので、ドナーを探す移植コーディネーターの人が大変そうです。

「生きた人間の内臓を取り出して、すり潰して、腹に針を刺して注入すると病気が治る」

　こんな方法、半世紀前の医師が聞いたら「どこの未開部族の呪術だ?」って言いそうです。進み過ぎ

Memo:

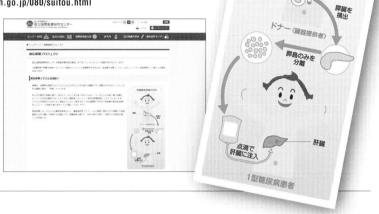

同種膵島移植の流れ

膵臓

膵臓を摘出

ドナー（臓器提供者）

膵島のみを分離

点滴で肝臓に注入

肝臓

1型糖尿病患者

「膵島移植プロジェクト」国立国際医療研究センター
https://www.ncgm.go.jp/080/suitou.html

ドナーから提供された膵臓から、インスリンを作る細胞の膵島（ランゲルハンス島）を抽出。カプセル化して点滴で糖尿病患者の肝臓に注入する。膵島が肝臓に生着して、インスリンを分泌するようになると、糖尿病が完治する。まさしく新時代の治療法といえる

た医学が呪術と区別できなくなっています。

 糖尿病はマイクロカプセル入りの点滴で完治

　それでは具体的な方法を見ていきましょう。「マイクロカプセル化ランゲルハンス島移植法」という手法を用います。まずドナーから取り出した膵臓を粉々にして、ランゲルハンス島だけを分離抽出。この小さな細胞の塊を、特殊なマイクロカプセルに封入して、それを肝臓に直接点滴するのです。400μm以下のマイクロカプセルは特殊なバイオポリマーでできていて、インスリン・糖・酸素、その他の栄養物質はカプセルを自由に透過できるけど、免疫に関する抗体やT細胞は通さないという構造をしています。つまり、移植した臓器が免疫とトラブルを起こさないので拒絶反応で苦しんだりせず、免疫抑制剤が全く必要ありません。そして、臓器移植で面倒な、ドナーの血液型やHLA型が一致するかどうかを一切考慮する必要もないのです。

　このマイクロカプセルは、お腹に針を刺して肝臓につながる太い血管から直接点滴され、肝臓の中に定着します。文字通り点滴を1本打つだけで、糖尿病が完全に治ってしまい、その後は特に薬も治療も必要ありません。普通の健康な体で天寿を全うできます。長い人生の途中で仮にダメになっても、もう1回点滴を打てばOKです。

　そして、移植用臓器の中では、飛び抜けて長期保存が可能です。電気代と薬品代がかかるとはいえ、大した金額ではありません。1人100万個もある300μm程度の小さな細胞を、400μm以下のマイクロカプセルに封入したものなので、代用血液の中に浮かべて一般的に「人工心肺」などと呼ばれる体外循環装置を組んで、酸素と栄養を回しておけばしばらくは大丈夫。採取加工後21日までが使用期限だ

参考資料・画像出典など　●国立国際医療研究センター　https://www.ncgm.go.jp/index.html
●「Nature」https://www.nature.com　●「Wikipedia」ほか

そうです。他の臓器が24時間持たず、時間が経過するほど品質が低下するナマモノなのと比べたら、刺身と缶詰ぐらいの差があります。誰か他人を殺さなければならないという、これだけを除けば、完璧な夢の治療法なのです

痛みは与えない優しい臓器ブローカー

　臓器売買の話が出るマンガや映画で、苦しみながら体を切り刻まれるシーンとかありますけど、臓器ブローカーの立場としては、意識のある叫んだり暴れたりするドナーは扱いにくくてしょうがないので、麻酔で意識不明にしてから取り出すのが当然です。麻酔を打った方が摘出手術する医師が楽だし、高く売れる良質な臓器が手に入ります。そして最後は、麻酔の大量注入で安楽死させるのがドナーも医師も最も楽なので、ドナーに無意味な苦痛を与えたりしません。ドナーを苦しめても臓器ブローカーには何の利益も無く、余計な手間が増えるだけです。

　売る時の対応は、ものすごく紳士的で優しいですよ。すべて演技と作り笑顔でしょうけど。死ぬ前提で内臓売る時は、苦しまずに済むので安心して下さい。ちゃんと都合の良い死亡診断書を用意してくれるので、健康保険に入っていれば死亡保険金がもらえます。臓器ブローカーとしても証拠隠滅のために、急いで火葬してもらいたいので葬儀屋の手配もしてくれます。「情けは人の為ならず」というように、臓器ブローカーだって内臓売って死んだ人の遺族が幸せになってくれた方がいいのです。

　その方が変な悪い噂が立ったりしないので売買がやりやすいし、それを意識高い人が「自分も家族のために内臓売って死のう」と考えたり、「お支払いできるものは命しかありません」という追い詰められた人が自ら連絡してくるかもしれません。

　あるいは、引きこもりの子供を持て余している老親が、臓器ブローカーに依頼してくる可能性も。引きこもりに麻酔を打って、救急車で救急搬送して緊急手術して内臓を取り出したら、死亡診断書を書いて葬儀屋に渡して、火葬して埋葬してしまえば完全犯罪です。

理想の未来を夢見て

　ここまで移植技術が確立して実績があるなら、あとは人造ランゲルハンス島をマイクロカプセル化した人工膵臓ができればすべてが解決します。誰も殺さない人造ランゲルハンス島を作れたら、世界中の糖尿病患者を救った天才科学者として名誉と称賛を浴びてノーベル賞確実な上に、特許料で一生遊んで暮らせるでしょう。開発した製薬会社も儲かって笑いが止まらなくなることが確実なので、その研究者にはぜひ多額の研究費を投入してあげて下さい。仮に今いる患者が全員治っても、日々新しい患者が大量に出るので需要は永遠になくなりません。しかも、従来のインスリン療法の辛さと比べれば、少しぐらい価格が高くても文句は言われないのでガッポリ儲けられます。

　何しろ日本と中国以外の国では、インスリンの価格が異常に高いのです。正確には日本と中国が世界

Memo:

Nature vol.542（191〜196ページ）
https://www.nature.com/articles/nature21070
ネズミを使った人工膵臓の研究論文。発表したのは、日本人の研究者らだ。日本の医療は海外から1世代遅れているといわれる。特に移植に関しては顕著だ。そんな中で、「マイクロカプセル化ランゲルハンス島移植法」や、それにまつわる研究は進められている。大いに期待したい

MENU **nature**

Article | Published: 25 January 2017

Interspecies organogenesis generates autologous functional islets

Tomoyuki Yamaguchi, Hideyuki Sato, Megumi Kato-Itoh, Teppei Goto, Hiromasa Hara, Makoto Sanbo, Naoaki Mizuno, Toshihiro Kobayashi, Ayaka Yanagida, Ayumi Umino, Yasunori Ota, Sanae Hamanaka, Hideki Masaki, Sheikh Tamir Rashid, Masumi Hirabayashi & Hiromitsu Nakauchi ✉

Nature **542**, 191–196(2017) | Cite this article

中でも突出して異常に安いのですが。ある天才研究者が異世界転生して無双チートしたからです（詳しくは28ページ）。そして日本では1度決められた薬価は、余程のことが無い限り値上げできません。戦時中の価格破壊が原因で今でも値上げできずにいます。中国も共産党が価格統制しているために安いです。これは1955年頃から、党の政治方針としての決定事項なので変更できません。「チープ・インスリン」と呼ばれています。ただ最近は、ノボノルディスクファーマ社の中国工場で生産されたものが流通し始めており、金持ちはこの高級な薬を買っているようです。

　インスリンが最も高いアメリカでは、日本の15倍以上します。なので、糖尿病が一発で治るならアメリカ人は年収の数倍しても買うでしょう。まして、保険に入っていれば自己負担分が軽減できるので、生涯賃金に匹敵する価格でも売れるかもしれません。

　国家だって糖尿病患者に延々と医療費を使われるより、高い薬でも一発で健康になってバリバリ働いてもらった方がいいわけですし。雇う企業だって、有給1週間で入院したら完全に治ってくれた方がこき使いやすくて便利でしょう。

　実は既に人間に移植するためのランゲルハンス島を、動物の体内に作り出そうという研究が行われています（『Nature』vol.542, P191〜196）。マイクロカプセル化ランゲルハンス島移植法のメリットは、免疫に攻撃されることを回避できることなので、極論すれば人間の臓器じゃなくても移植できます。人間よりはるかに小さいネズミ数十匹が材料とかでも構わないのです。

　複数の研究機関が人工膵臓の研究に着手しているので、実用化する可能性は十分高いでしょう。糖尿病で苦しんでいる皆さんには、インスリンを打ちながら頑張って生き抜いてほしいです。完治できる魔法の薬は遠くない未来に完成するはずですから。誰も不幸にせずに全員が幸せになれる最良の可能性が、もう目の前に見えています。

　科学は大勢の犠牲者の屍の上に発展してきました。1日も早く違法な臓器売買が、正規の医療によって駆逐され殲滅されるのを夢見ています。

診察料はどうやって決まる？
「保険点数」のお話

　日本の医療制度において、医療行為の価格はすべて「保険点数」（診療報酬点数）で決められています。これにより、健康保険証を提出した時に受けられる医療は、全国一律で保険点数1点あたり10円となっているのです。病院で会計の際にもらう診療明細書には、具体的な項目名と点数が書いてあるので、確認してみましょう。

　例えば、風邪をひいて病院で診察を受け、薬の処方箋をもらったという場合、発生する保険点数は以下の通りになります。

●初診料…288点／再診料…73点
　医者にとっての基本料金で、簡単に問診し、聴診器を当てて口の中のぞいたりする料金はここに含まれる。また、2回目（再診）からは安くなる。

●処方箋料…68点
　普通に風邪（感冒）という診察結果になり、薬を処方された場合は「処方箋料」が発生する。

　というわけで、合計すると350点（初診の場合）になりました。保険証を提出していれば1点＝10円として計算されるので、請求金額は3,560円です。そのうち患者の負担は3割。つまり、会計窓口での支払いは1,000円ちょっとになるというわけ。薬代は別料金となります。

　ちなみに、診察時間の長さは点数に反映されません。患者に親身になってくれるお医者さんは貴重な存在ですが、病院経営の視点でみると、この金額の場合は3分で処理しないと赤字になってしまいます。

　また、保険点数の「1点＝10円」は、あくまでも健康保険が効く医療での話。最先端医療や美容整形といった自由診療の場合は、医者が自由に価格を決められるのです（自己負担率は10割）。思わぬ金額を請求されて驚くことのないよう、事前に確認しておきましょう。

保険点数の例（2020年3月時点）			D284	人格検査	450点
A000	初診料	288点	E200	CT撮影	1,020点
A001	再診料	73点	E202	MRI撮影	1,620点
C000	往診料	720点	F400	処方箋料	68点
D000	尿検査	26点	G001	静脈注射	32点
D007	血液検査	112点	G004	点滴注射	98点
D283	知能検査	450点	J045	人工呼吸	242点
J046	心臓マッサージ				250点
J047	カウンターショック				3,500点

保険点数は『診療点数早見表』（医学通信社）や、「しろぼんねっと」（https://shirobon.net/）で確認できる

世界の奇病・難病

[KARTE№.040-045]

薬も過ぎれば毒となる

ドラム缶ビールで鉄分過多に！

何が原因で奇病が発生して人が死ぬか本当に分からないことも多い。そして、謎の奇病の原因を特定するのは本当に困難で、原因不明のまま次々と人が死んでいく悲劇が起きている。

「鉄分をたくさん取りましょう」と鉄鍋での調理を勧めたり、料理の中に意味の無い鉄の塊を入れたりするグッズがありますが、あれは全くの無意味でそんなことをしても鉄分は溶け出しません。しかし、世の中には本当に鉄分が豊富に溶け出して大量の鉄分を摂取できる究極の食品があります。それが「鉄缶醸造酒」です。鉄製容器ならなんでもよく、大きな鉄鍋とかに酒の原料となるものを入れて1か月ぐらい発酵させれば簡単にできます。ただし、ステンレスとかテフロン加工されている容器からは鉄分が溶け出さないのでダメですけど。

発酵させる微生物の働きにより鉄鍋から鉄分が溶出して、なんと1Lあたり40〜80mgもの吸収性の良い鉄分が含まれた酒が出来上がります。市販のサプリメントを軽く上回るレベルで、世界的にもこれほど大量の鉄分を含んだ食品は他に存在しません。なお、日本酒は鉄分の混入が禁忌で醸造用水は鉄分0.02ppm以下が最適とされているほどなので、いわゆる「ドブロク」は向いていません。作るなら果実酒か地ビールでしょうが、日本では無免許で酒類を作るのはアウトなので、理論上のお話ということで。

そして、この鉄分豊富な酒を毎日飲み続けると、数年後には「鉄過剰症」で死にます。貧血の治療に用いられている、「クエン酸第一鉄Na錠50mg」。この薬の禁忌に「鉄過剰症を起こすから鉄分が不足していない人には使っちゃダメ」って書いてあるくらい、鉄分の摂り過ぎは本当にヤバいのです。鉄過剰症はアフリカ南部に住んでいるバントゥー系民族の間で流行しているので、「バンツー血鉄症（Bantu siderosis）」なんて病名が付いているぐらいです。

✓ アフリカの奇病の正体とは…

初めて病気として報告されたのは1929年（昭和4年）のこと。イギリスのアフリカ植民地で謎の死を遂げる人間が続出したことから、新種の病気が疑われました。そこで、74人の遺体を解剖して肝臓組織を病理診断したところ、34人に肝鉄沈着が認められたために、鉄分の過剰摂取が原因で死んでいることが判明したのですが、なぜ鉄分の過剰摂取が起きているのか原因は不明でした。

その後、数十年経っても原因は分からないままで、南アフリカに住んでいるバントゥー系民族特有の遺伝子疾患を疑い、鉄輸送を行うタンパク質のフェロポーチンに関わるSLC40A1遺伝子を調べたりし

Memo:

ドラム缶で作られたビールには、鉄分が大量に溶け出してしまう。ただし、テフロン加工されたり、ステンレスやホーローのタンクでは細菌の発酵による鉄分の漏出は起きない。なお、細菌が元気に発酵させている間しか鉄分の漏出は起きないので、完成後の酒を鉄容器に入れても問題はない

たけど、異常なし。土壌の鉄分が過剰な可能性を疑って、地質調査から始まり、作物や自生する植物の鉄分まで調べましたが、こちらも異常なし。結果、半世紀以上も不明のままでしたが、最近になって、植民地支配した欧州人が持ち込んだドラム缶が原因であることが判明しました。ドラム缶で醸造した、鉄分が異常に多い地ビールを飲んでいたのが原因だったのです。

　アフリカでは古代から各部族ごとに地ビールの生産が活発で、昔は陶器の壺で作っていたから問題はありませんでした。しかし、20世紀になって欧州人がドラム缶を持ち込むようになると、各地でドラム缶を使って醸造するようになり、100年ぐらい前から出現したらしいです。1Lあたり40〜80mg、ものよっては100mg超えすらあったそうで、これは医療用の鉄剤を毎日飲んでいるのと変わらないレベルの摂取量ということになります。

鉄分の致死量と完全犯罪

　バンツー血鉄症は1日あたりの鉄摂取量が約100mgを超えた場合に発生し、毎日200mgぐらいの鉄分を摂り続けて、体内の鉄分の蓄積量が20gを超えると重篤な肝機能障害を起こして死にます。これは1日に50mgの鉄分が体内に蓄積した場合、約400日で致死量に達して死ぬ計算です。

　人間の体には鉄分が過剰になった時に体外に排出したり、吸収量を減らしたりする仕組みが無く、ひたすら蓄積されていきます。なので、この特性をうまく利用すれば不審死を装えるため、フィクションのネタとして使えるかもしれません。例えば…。

　食品添加物の栄養強化剤として流通している、クエン酸第一鉄ナトリウム。1日に鉄分200mgを摂取させるために必要なクエン酸第一鉄ナトリウムの量は1883.6mgなので、1日2g入れれば十分です。水溶性のためどんな料理にも簡単に溶けて吸収性も抜群の上、ビタミンみたいに加熱しても壊れません。さらに、食品添加物として認められているので、2gぐらい食品に入れても合法です。しかも、食品添加物として栄養強化の目的で使用する場合は表示が免除されているので、入っていることを告知する義務もありません。

　不審死として司法解剖されても毒物は一切検出されないし、肝臓の組織を病理診断して肝鉄沈着を発見しない限り鉄分の過剰摂取であることはバレないでしょう。末期になるまで自覚症状が出にくいですが、生きているうちに血液検査すると異常値が出るのでバレるでしょうけど、発覚しても、鉄分の摂り過ぎが毒だなんて知らなかったとすっとぼければ、追求は難しいと思います。…まあ、あくまでそういう思考実験なので、くれぐれも実行したりはしないで下さいね（笑）。

現代病といわれるが古代から存在していた

知られざるうつ病の歴史

ある統計によると、男性は10人に1人、女性は5人に1人の割合でうつ病を発症する可能性があるという。ストレス社会の現代病というイメージだが、実は遠い昔から存在していた…。

　現代病だといわれる「うつ病」ですが、いつ頃からあったのか調べてみました。明確に病名として医学書に登場し、治療法が考案されたのは約千年前。ペルシア人医師イブン・スィーナーがアラビア語で書いた『医学典範』に「アラクティアボ」として登場しています。そこからラテン語に翻訳された時に、精神が圧迫される病気という意味で「デプリメア（deprimere）」となり、英語の「Clinical Depression」に翻訳されたものが、さらに日本語に翻訳されたのが「うつ病」です。

　つまり、うつ病は現代病ではありません。千年前の権威ある著名な医学書に載っていたぐらい、古くからある普遍的な病気なのです。

　精神病として医学書に載ったのは千年前ですが、人間がうつになることは1600年前には既に概念として存在していて、キリスト教会では八つの大罪の一つとして「憂鬱（メランコリア）」を上げています。現在では七つの大罪の一つ「怠惰」に吸収合併されてしまいましたが、人間がうつになるのは悪魔に誘惑された罪の一つと認識され、病気は悪魔のせいだと考えられていた4世紀以前からうつ病患者が存在していたことは間違いないと思われます。

　古代から存在していたのに、うつはなぜ「現代病」と呼ばれるのか？

　それは近代医学界でうつ病という病名が、1869年頃出てきた「神経衰弱」という病名に駆逐されマイナーな存在に転落したからです。これによって医師は診断書に書く病名にうつ病（Clinical

DSM-Ⅲ

『DSM』シリーズはアメリカ精神医学会が刊行している、各種精神障害の分類や基準を提示するためのマニュアル。1952年の『DSM-Ⅰ』から始まり、最新版は2013年の『DSM-5』。1980年の『DSM-Ⅲ』から日本の精神医学はDSM準拠となった

Diagnostic and Statistical Manual of Mental Disorders
https://www.psychiatry.org/psychiatrists/practice/dsm

Memo:

イスラム世界を代表する知識人、イブン・スィーナー（アヴィセンナ）によって書かれたイスラム医学の集大成。千年前の本だが、精神病の一種としてうつ病＝アラクティアボに関する記述がある。つまり、うつ病は古くからあった病なのだ。なお、右は現代の英語版。日本語訳も出版されている

イブン・スィーナー
（980〜1037年）

The Canon of
Medicine
Kazi Pubns Inc

Depression）ではなく、神経衰弱（Neurasthenia）を使うのが主流になっていきました。日本の精神医学界は明治に入ってから欧米式精神医学が導入されたのですが、この時に古い概念であるうつ病は切り捨てられ、最新の病名である神経衰弱が主流になったのです。

　古い文献を漁ると、夏目漱石をはじめ多くの著名人が神経衰弱になっている記録があります。中には、滋野清武のように16歳の時に神経衰弱で陸軍幼年学校を中退した人物などもいて、戦前は学校を病気退学する理由の上位を神経衰弱が占めていました。うつ病で学校に来なくなる生徒は、戦前から普通に一定数いたのです。アメリカでも初代国防長官であるジェームズ・フォレスタルが神経衰弱で入院後自殺しているように、神経衰弱で仕事を辞める人、自殺する人も珍しくありませんでした。

　ドイツの精神科医クルト・シュナイダーが、1920年に「内因性うつ病」と「反応性うつ病」という概念を提唱してから、うつ病は再び医学会で見直されるようになります。欧米では1930年代頃から神経衰弱という病名よりも、うつ病という病名が診断書に書かれることが多くなり始めました。しかし、日本の精神医学の研究は第二次世界大戦の影響もあって停滞したために、神経衰弱が使用され続けます。2005年、力士の朝青龍が神経衰弱と書かれた診断書を出しているぐらい、近年まで使われ続けました。この診断書を書いた医師ってどんな年寄りかと思ったら、ワシより2年後輩でした。

　日本でうつ病患者が激増し本格的に猛威をふるうようになったのは、1980年に『DSM-Ⅲ（精神障害の診断と統計マニュアル）』が登場して、日本の精神医学がDSM準拠になってからです。昔は無かった、現代病だといわれる原因は、日本では医学書の隅っこに埋もれて存在が認知されていなかっただけという結論になります。

　そして、1周回って現在では神経衰弱は「鑑別不能型身体表現性障害」と呼ばれるようになり、うつ病のどれにも当てはまらないその他の精神病の診断名としてのみ使われるマイナーな存在になりました。こうして千年かけて医学界を1周し、うつ病は再び脚光を浴びるようになったのです。

　ちなみに千年前に書かれた医学典範に載っているうつ病の治療法とは、鎮静作用のある薬物の投与、行動療法、音楽療法、サイコセラピーなどで、ほとんど現代と同じです。進歩したのは薬剤だけで、基本的な治療法は千年前から変わっていません。というより、現代医学でもなぜ人間に精神があって、なぜうつになるのか全く解明されていないから、根本的な部分では全く進歩のしようがないのです。

アニメのあのキャラは難病患者だった!?

ロリ巨乳の悲劇

幼女なのに巨乳という矛盾した存在である「ロリ巨乳」。フィクションではなく実在する。ホルモンの異常分泌による病気だ。幼女たちの苦しみを解決する方法はあるのか…?

「ロリ巨乳」は、生後6か月から16歳ぐらいまでの若い女性に発症する、「乳腺肥大症」という実在する内分泌疾患です。未熟な体に対して大き過ぎる乳は肉体的負担になるため、医学的には切除して減らさなければなりません。

最も若い例では生後6か月から乳が膨らみ始め、生後23か月目で超巨乳になってしまい、切除したという論文があります。最大の症例では、12.5kg（体重の24％）もの巨乳を切除したという小学生がいました。体重の1/4がオッパイって、何カップなのか計測不可能です。なので、保育園・幼稚園・小学生まで幅広い若年層で、ロリ巨乳の女性は極少数ながら実在します。

日本でも1993年に、11歳で初潮が始まってから急激に巨乳化して、わずか8か月でIカップを超えてしまい、乳だけで5kgぐらいある少女が実在しました。既に自力で巨乳を支えられないほどになってしまい、医師は外科手術によって巨乳3.9kgを切除したのです。この少女は、切った後も乳が肥大し続けるのを抑制するためにホルモン療法を受けており、医師は「ノルバデックス（タモキシフェン）」を投与しています。乳腺肥大症は女性ホルモンの一種であるエストロゲン過敏症が原因なので、抗エストロゲン作用薬であるノルバデックスを使えば巨乳化を抑制できるのです。

このノルバデックス錠剤の本来の用途は乳がんの治療であり、かなり副作用が強くホルモン療法に用いるにはかなりリスクが高い薬です。「副作用が少ない」と一般には説明されていますが、それは抗がん剤という使わないとがんで死んじゃうから仕方なく使う劇薬の中ではかなり副作用が少ない薬という比較対象の問題で、12歳かそこらの少女に二次成長期を過ぎるまでの数年間も定期投与となると長期的なリスクは無視できないレベルになってきます。爆乳を我慢して定期的に乳を切除するか、発がんリスクを含めた副作用の強い薬を飲み続けるか、厳しい選択と判断を迫られる恐ろしい病気なのです。

定期的に乳を切除とかロリコンどころかリョナラーまで喜びそうなネタですが、そこまでしなければならないほど心身に負担がかかるのです。ちなみに、欧州ではホルモン療法は副作用リスクが高過ぎるとして乳を切除する外科的処置のみを行っています。思春期の少女に爆乳を我慢させた上に、切除手術の苦痛に耐えなければならないQOLの低下を考えると、標準治療が確立していない希少疾患だけにどちらが正しいとは一概にいえません。ノルバデックスを処方した医師が、「乳がん並みにヤバイ病気」だと判断したのであれば責められないでしょう。

Memo:

参考資料・画像出典など　●European Journal of Pediatrics Volume150,Issue 3,155ページ

ヨーロッパ小児科学会誌「Massive breast enlargement in an infant girl with central nervous system dysfunction.」

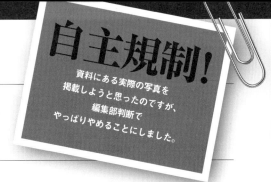

幼女なのに巨乳化してしまうのは、「乳腺肥大症」という病気だ。女性ホルモンの一種であるエストロゲン過敏症が原因。「European Journal of Pediatrics」には、生後6か月から乳が膨らみ始め、生後23か月目で巨乳化。切除する直前の様子が報告されている

ワシは現実世界のロリ巨乳がどれほど苦しんでいるか考えたら、もう二次元のロリ巨乳じゃ抜けなくなりました。医師はこうして医学を学ぶほど抜けるオカズが減っていくのです。看護婦物のAVで抜けるヤツは、ニセ医者か真正の変態とはよく言ったものです。

人造ロリ巨乳の可能性

ロリ巨乳が内分泌疾患であるということは、エストロゲンのホルモン注射をすれば人為的にロリ巨乳を作り出せる可能性が高いことを意味しています。1歳児での症例があるぐらいなので、幼稚園児でも小学生でもお好みの年齢を巨乳化させることが、理論上は可能です。1度巨乳化させてしまえば一生そのままで、投薬を止めても元には戻りません。

「変態権力者に無理やり薬を打たれて巨乳にさせられてしまった幼女」というキャラ設定にすれば、現実にアリエナイという反論は封じられ作品にリアリティが出るでしょう。薬を打ち始めてから巨乳になるまでの成長速度は速く、正常な発育の4倍ぐらいのスピードで急成長して半年から1年弱で巨乳になります。その間、身長など他の部分の成長は普通のままなので、幼女のまま巨乳になるのです。

二次成長期にエストロゲンを過剰に投与すると、身長が伸びるのを止めてしまう作用があります。なので、幼少期から打たれ続けると低身長の巨乳になる上にアンチエイジング効果もあるので、「ロリ巨乳＆ロリババア」という二重属性キャラも作れることに。

誰かエロマンガとかライトノベルでやってみませんか？　鬼畜外道なワシが医学監修を引き受けますよ。描写する上での注意点を挙げるなら、ホルモンを投与するので飲み薬では消化中に分解されてしまうためダメで、筋肉注射になります。静脈注射ではないので、打つ場所は腕の血管ではなくお尻・上腕部・太股などの筋肉が多い部分にすることです。1回の分量は1cc程度なので、注射器は小さい針の細くて短いやつで描いて下さい。ワクチンの打ち方と同じため、ワクチンを子供に打っている写真などを検索すれば作画資料になるでしょう。

逆に、乳がこれ以上育ったらヤバイと思った少女がノルバデックス錠剤を飲むとか、貧乳女が巨乳女に盛るという描写もありえそうですが、巨乳化抑制薬にもなるノルバデックスは抗がん剤なので普通の薬局には置いてありませんし、通販での購入もかなり無理があります。既に育ってしまった乳が小さくなることもないので、こちらの設定は避けた方がいいでしょうね。

あくまでも理論上の話ですからね。ワシはそんな人体実験したことありませんよ、本当です。

中枢神経系機能不全の乳児少女における大量の乳房拡大　https://www.ncbi.nlm.nih.gov/pubmed/2044582

ここはどこ？私は誰？…は心因性の病気
記憶喪失の原因と治療法

「記憶喪失」は実在する精神病の一つ。しかし、フィクションで描かれる症状とは異なっている部分も少なくない。ここでは、記憶喪失が実際どういう病気なのかを解説しよう。

　最近の作品でいうと、2017年放送のNHK朝ドラ『ひよっこ』。主人公みね子の父親・谷田部実が物語序盤で失踪し、後にみね子と再会した時には記憶喪失になっていました。また、2017～2018年放送の『仮面ライダービルド』の主人公・桐生戦兎も、ここ1年間より以前の記憶を失っているという設定でしたね。

　現実において「記憶喪失」は非常に珍しく、精神医学会でも「最も発症例の少ない病気」といわれています。記憶喪失になる人間は、日本全国で年に数十人程度。その上、全くの身元不明者となると、年に数人しかいないのです。また、記憶喪失者の男女比は2：1で男が多く、記憶喪失になった患者の90％は3か月以内に回復しています。発症するのは10代後半から20代の比較的若い層が多いとされています。

　記憶喪失とは、「全般性健忘（Generalized Amnesia）」と呼ばれる解離性障害からくる解離性健忘の一種です（階層構造は解離性障害→解離性健忘→全般性健忘）。『DSM-5（精神疾患の診断・統計マニュアル）』を元に医師が診断する病名は、「解離性健忘」となります。

　ちなみに、「全生活史健忘」という日本語が使われることもありますが、これは誤り。「Generalized」は日本語に訳すと「全般性、全身性、広汎性」となり、「生活史」という意味はありません。論文で「全生活史健忘」と書く場合は、「amnesia of personal history」という英語を使います。

ひよっこ　2017年放送
（NHKエンタープライズファミリー倶楽部参照／YouTube）

仮面ライダービルド　2017～2018年放送
（テレビ朝日Webサイト参照）

Memo:

記憶喪失は、「全般性健忘」という精神病の一種。精神病の診断マニュアルである『DSM-5』を元に医師が診断する。その病名は「解離性健忘」となり、5つのタイプに分類できる。すべての記憶を失う「全般性健忘」や、特定の人のことだけを忘れる「系統的健忘」などがある

 ## 記憶喪失の原因と種類

　現実世界では、記憶喪失の原因は100％心因性のものです。頭を殴られるなどの外傷によって起きることはありません。マンガなどでは頭を殴られたショックで記憶喪失になって、また強いショックで戻るというのが定番の表現となっていますが、実際にはアリエナイことです。なので、『ひよっこ』の谷田部実もひったくりに頭を殴られたという話が出てきていますが、それは記憶喪失になった真の原因ではない可能性があります。

　現実において、記憶喪失になるのはどんな状況に置かれた人間なのでしょうか？　簡単にいうと、「自分のすべてを黒歴史にしたい人」です。そのため、記憶喪失になっている間は負の要素がゼロで明るいけど、記憶を取り戻すと「うつ」になってしまうことが多く、治療した後の経過観察が重要だったりします。「解離性健忘」は大きく5種類に分類でき、自分が誰なのか分からなくなるのは、3の「全般性健忘」だけです。それ以外は自分が誰なのかは覚えています。

1　限局性健忘

　ものすごく嫌なことがあった期間に発生した出来事を思い出せなくなる。事故とか事件に巻き込まれた場合に、その間に起きたことを思い出せなくなったり、戦争体験などをすっぽりと記憶から抹消してしまったりする。病気じゃなくてもよくあることだけど…。

2　選択的健忘

　起きた事件のごく一部だけが思い出せない。記憶の中で特定の一部だけが無くなるパターンで、恋人が死んだことは覚えているのに、恋人について友人と話したことが記憶から消えていたり、恨みは覚えているのに具体的にどんなことをされたのかは分からなくなる。

3　全般性健忘

　「ここはどこ？　私は誰？」と、これまでのすべての記憶を失ってしまう状態。我々が一般的に「記憶喪失」と呼んでいるもの。

4　持続性健忘

特定の時点から後を思い出せなくなる。「最近数年分の記憶が無い」といった事例で、ヒドイ目に遭ったりすると、そこから後の記憶がすべて無くなるというもの。時間が経過したことも忘れてしまうので、実際は20歳なのに「自分は17歳」と思っていたり、極端な場合には幼児になってしまうこともある。マンガや小説では、このタイプの記憶喪失もよく見かける。

5　系統的健忘

ある特定のカテゴリーに関する記憶だけが思い出せなくなる。特定の人物に関する記憶である場合が多く、他の人間のことは覚えているのに、嫌なヤツや恋人1人分だけの記憶を失ったりする。記憶喪失になった当人よりも、忘れられた人の方がダメージを受けるかもしれない。

　さて、記憶喪失者が周囲に知り合いが誰もいない状況で発見されるのは、フィクションだけでなく現実でも起こる話。人生黒歴史化願望が根底にあるためなのか、記憶喪失になると皆さん逃げ出します。これを医学用語で「解離性遁走（dissociative fugue）」と呼ぶのです。解離性遁走と全般性健忘をセットで起こすことが多く、むしろ記憶喪失は解離性遁走の症状の一部であると考える学者もいます（「逃げ出した結果として記憶を失うのだ」とする説）。

　元々いた場所から逃げ出して、記憶を思い出すトリガーとなるものが周囲に何もない状況になると記憶喪失が完成。その際に、身分証明書など自分の名前や経歴が分かるものを無意識に捨ててしまったりします。だから記憶喪失者が発見された時、手がかりになるものを何も持っていないことが多いのです。

　ここでさらに解離性同一性障害も発症して、記憶喪失後の別人格が誕生することも珍しくありません。

記憶喪失の治療は、主に「麻酔面接（アミタール面接）」が行われる。催眠鎮静剤の「アミタール（アモバルビタール）」を注射し、心的緊張や抵抗感を弱めてリラックスさせ記憶の想起などを促す治療法だ

アモバルビタール

ただ、日常生活や常識的な受け答えは普通にできるので、異常行動が個性の範疇に収まる程度なら、周囲の人が元の人格を知らなければ、気づかれないままであることも。その場合、元の記憶が戻ると、記憶喪失だった期間の記憶が無くなって、記憶喪失中の人格も失われてしまいます。なので、それまで面倒を見ていた人からすると「突然別人になってしまった」と感じられることもあるようです。

 ## 記憶喪失の治療と回復の過程

記憶喪失が回復する過程を医学的に分類すると、以下の5段階に分けられます。

1　意識障害期

「ここはどこ？　私は誰？」と言っている時期。意識水準が低く、徘徊したり奇妙な行動を取ったりする意識障害が見られる。

2　無知受動期

活動性が低下した受け身な態度が目立ち、周りの言いなりになりやすい。生活史のみならず一般知識に障害がある場合も多く、非常識な行動を起こす不思議っ子になっていることも。

3　記憶回復期

次第に一部の記憶を取り戻す時期。

4　情緒安定期

元の人格に戻ると、記憶喪失だったことを黒歴史化して無関心を示すなど、独自の態度をとる場合がある。記憶喪失中に仲良くなっていても、この期間に入ると冷たくなる。

5　回復後抑うつ期

すべてに否定的になり、将来に対して絶望することも。時には自殺や自殺未遂を起こす。記憶喪失が治ってもうつ病になってしまう可能性が非常に高いため、治療が引き続き必要になる。

　治療は、基本的に医者に任せるしかありません。素人が無理に治そうとすると、解離性障害のあらゆる症状を起こして壊れてしまうので非常に危険。記憶探しの旅などもってのほかです。強いショックを与えると治るというのもフィクションで、現実の治療法としては主に「麻酔面接（アミタール面接）」が行われています。催眠鎮静剤の「アミタール（アモバルビタール）」を注射することで意識の覚醒水準を低下させ、心的緊張・防衛機制・抵抗感を弱め、記憶の想起や感情の解放を促す治療法です。

会いたくて会いたくて震える人のための…
恋煩いの治療法

人を好きになって相手を思うのは素晴らしいことなのだが、何事も限度がある。心理状態が不安定になり、心身に異常を来すことも…。「恋煩い」という"病気"の実態を解説しよう。

　どんな名医でも草津の湯でも治せないと昔からいわれるのが、「恋煩い」という病。日本に限らず、古代から人類共通の精神病だったようで紀元前360年頃には、哲学者のプラトンが「愛は深刻な精神疾患である」と述べ、ソクラテスは「愛は狂気である」と表現しています。1020年に、イスラムの知識人であるイブン・スィーナーが書いた『医学典範』には、精神病として恋煩いが掲載。そして21世紀の現代では、『DSM-5』の診断基準に従えば恋煩いは「強迫性障害」になるらしく、「生化学的には、熱烈な恋愛と強迫性障害の疾患とは区別できないようだ、という発見に対して」が、2000年度イグノーベル賞化学賞を受賞しています[1]。

　「不治の病」といわれる恋煩いですが、紀元前256年頃、生理学の創始者とされるギリシャの医師・エラシストラトスは、18歳の王子の治療に成功しています。その治療法とは、寝取り（NTL[2]）。つまり、恋をしている女性を離婚させ、王子の妻になってもらったのです。これは、医師の診断を根拠に人妻寝取りが行われた最古の事例といわれ、結構マジメに古代ギリシャ文学の題材にもなっています。

　恋愛対象を手に入れることが、唯一の根治手段というわけですね。ですが、手に入らない場合どうなるのでしょうか。恋煩いの症状として、以下のようなものが現れるようです。

● **「エール・ブラウン強迫観念尺度（Y-BOCS）」出典資料**

https://www.sciencedirect.com/topics/medicine-and-dentistry/yalebrown-obsessive-compulsive-scale

The Y-BOCS has 10 items

1. time occupied by obsessive thoughts
   強迫観念が占領する時間
2. interference due to obsessive thoughts
   強迫観念による干渉
3. distress associated with obsessive thoughts
   強迫観念に関連した苦痛
4. resistance against obsessions
   強迫観念に対する抵抗
5. degree of control over obsessive thoughts
   強迫観念に対する支配の程度

6. time spent performing compulsive behaviors
   強迫行動を行うのに費やされた時間
7. interference due to compulsive behaviors
   強制的な行動による干渉
8. distress associated with compulsive behaviors
   強迫行動に伴う苦痛
9. resistance against compulsions
   強迫行為に対する抵抗
10. degree of control over compulsive behavior.
    強迫行動に対する制御の程度

Each item is rated from 0 (no symptoms) to 4 (extreme symptoms). A score of 0?7 is considered nonclinical. Scores ranging between 8 and 15 are considered mild. Scores between 16 and 23 are considered moderate and scores between 24?31 and 32?40 are considered severe and extreme, respectively.

Memo:
※1 論文名は「Alteration of the platelet serotonin transporter in romantic love」
恋愛における血小板セロトニン輸送体の変化

たかが恋愛、たかが恋煩いと軽く見ていると、重症化する恐れも。不安定な精神状態が続くなら、強迫性障害という精神病の疑いもある。180ページの「エール・ブラウン強迫観念尺度（Y-BOCS）テスト」を受けて合計24点以上の人、加えて会いたくて会いたくて震える人も、心療内科で受診した方がいいかもしれない

①躁状態になり気分が異常に高揚し、夜も眠れず支離滅裂な言動を発したり不利益を顧みない行動を取るようになる。

②うつ状態になり絶望感、無力感、吐き気、啼泣、食欲喪失または過食などの症状が現れる。

③強いストレスを感じ、高血圧、胸部の痛み、慢性頸部痛、体の震え、侵入思考、対象に対する頻繁なフラッシュバックなどを起こす。

　そして、恋煩いの症状が長期間続き解消されない場合どうなるかというと、衝動制御障害に陥り、自分または他人に危害を与えるような行為に走ることに…。つまり、「八百屋お七」に代表される放火、恋愛対象に対する加害行為、無理心中、ストーカー殺人事件に発展したり、攻撃的行動の一種である偏執病になり自己中心的妄想に陥るパターンもあります。自分が愛している対象に対して、相手も自分のことを愛していると思い込む精神病としての妄想にとり憑かれ、実際に38歳の男性が15歳のアイドルに結婚を申し込み、断られると事務所を提訴して敗訴するも、しつこく控訴…という地獄絵図になるわけです。
　なので、たかが恋煩いと軽く見ないで、強迫性障害という精神病として治療を受けさせるべきといえます。治療が必要なレベルかどうかは、「エール・ブラウン強迫観念尺度（Yale-Brown Obsessive Compulsive Scale）」、略して「Y-BOCS」と呼ばれる評価法を用いて、測ってみましょう。あなたがどれくらい相手のことを愛しているかが、数値化できます。

恋煩いに効く薬と治療法

　テスト内容は180ページにまとめました。合計24点以上になった場合は、投薬を含む医師による治療が必要です。速やかに心療内科を受診して下さい。普通、強迫性障害に対しては、認知行動療法や曝露反応妨害法が行われます。しかし恋煩いの場合、これらの治療をするためには恋愛対象の積極的な協力が必要となるため、実質的に行えないどころか悪化させる危険の方が大きく困難です。

※2 ここでは寝取り＝NTL、寝取られ＝NTRとしているが、寝取り＝NTR、寝取られ＝NTRRとする説もある。どっちでもいいんだけど…。

24点以上の重度の場合は、とりあえず薬物療法を試します。現在の日本で、保険適用で処方してもらえる薬は、塩酸パロキセチン（商品名「パキシル錠」）、マレイン酸フルボキサミン（商品名「フルボキサミンマレイン酸塩錠」）、塩酸セルトラリン（商品名「ジェイゾロフト錠」）、塩酸クロミプラミン（商品名「アナフラニール錠」）などがあります。

　これらでダメな場合は、日本では未承認薬のフルオキセチン（商品名「プロザック」）。それでもまだダメなら、強迫性障害を完全に消す効果があるとして研究されている特効薬、マジックマッシュルームの成分であるシロシビンです。日本では麻薬及び向精神薬取締法で規制されているスケジュールⅠの、最も規制の厳しい薬物という扱い。そのため医薬品として処方はできませんが、医学研究で使用することは可能とされており、実験名目では使えます。

　しかし、規制が厳し過ぎて、患者に使用するのは極めて困難であり、扱える病院も極めて限られている上に、厳しい審査をクリアして製薬会社に特注で作ってもらう必要があるのです。ゆえに1ロットが、20mg錠剤50錠で1瓶1,500万円という恐ろしい価格になってしまい、1回1日1錠で約30万円。こんな高価な薬を保険の効かない自由診療で処方してもらわなければならず、どう考えても実用的ではありません。1錠約30万円もする正規の医薬品を買うぐらいなら、逮捕のリスクを犯してでも違法取引でマジックマッシュルーム買った方が安いのはなんとも矛盾していて、シロシビンの規制を見直すよう批判されています。

日本で保険適用される薬

恋煩いをこじらせて治療が必要と診断され、それが重度の場合、日本では以下の薬などが処方される。保険適用となる。

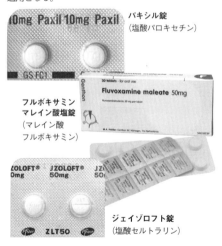

パキシル錠
（塩酸パロキセチン）

フルボキサミン
マレイン酸塩錠
（マレイン酸
フルボキサミン）

ジェイゾロフト錠
（塩酸セルトラリン）

効かないなら強い薬も…

保険適用の薬では効果が無い場合、別の手があることはある。日本では未承認薬の「プロザック」。一般的には抗うつ剤として用いられている。また、マジックマッシュルームの成分であるシロシビンが、特効薬として期待されている。…のだが、諸々計算すると1錠30万円にもなるため、まだまだ研究段階といったところだ。

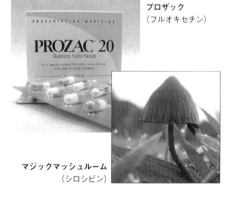

プロザック
（フルオキセチン）

マジックマッシュルーム
（シロシビン）

Memo:

重症患者には脳へのダイレクトアタック

　ここまでクスリを盛ってもダメな場合の最終手段は、脳深部刺激療法です。心臓ペースメーカーの開発・販売で有名なメドトロニック社の「アクティバPC」という脳深部刺激療法装置を、脳に埋め込みます。

　2009年2月19日にアメリカ食品医薬品局（FDA）で承認され、2009年7月14日にEUでも承認されました。ただ、2018年現在、日本ではパーキンソン病に伴う運動障害のみが保険適用になっているので、恋煩いへの使用は自由診療となり高額な費用が必要です。具体的には、埋め込む機器本体の価格が172万円、埋め込むための手術費用がK181脳刺激装置植込術71,350点（713,500円）で、合計2,433,500円、その他費用も含めると300万円以上かかります。

　お金はかかるものの、紀元前からどんな名医でも治せないといわれてきた「恋煩い」という病は、21世紀の最先端医学では治療可能となったわけです。FDAの治療基準では、Y-BOCSスコア30点以上が脳深部刺激療法の適用基準と定められているので、極度の恋煩いに罹患しているストーカーには脳に機械を埋め込む治療が必要ということ。ストーカー殺人事件という最悪の結果になってからでは遅いので、その前に適切な治療ができるよう日本でも保険適用が望まれます。

薬物治療でダメなら脳への電気刺激という手も…

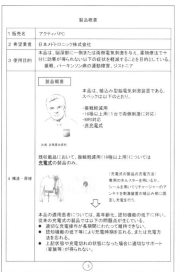

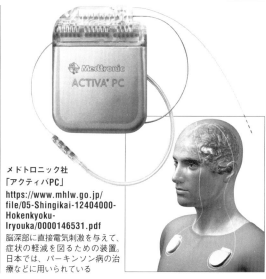

メドトロニック社「アクティバPC」
https://www.mhlw.go.jp/file/05-Shingikai-12404000-Hokenkyoku-Iryouka/0000146531.pdf
脳深部に直接電気刺激を与えて、症状の軽減を図るための装置。日本では、パーキンソン病の治療などに用いられている

自分の恋煩い度をチェックしよう!
エール・ブラウン強迫観念尺度 (Y-BOCS) テスト

問1　1日のうちでどれくらいの時間、相手のことを考えていますか？

1. 特に考えない
2. 1時間以下
3. 1 〜 3時間
4. 3 〜 8時間
5. 8時間以上

問2　恋愛が社会的な活動や仕事でどれくらい障害になっていますか？

1. 問題ない
2. 少し障害になっているが、全体としては問題ない
3. かなり障害になってるが、何とか対処している
4. 著しい障害になっている
5. 恋愛相手のこと以外、何もできない

問3　恋愛に関してどれくらいの苦痛を感じていますか？

1. 全く無し
2. めったに感じないか、あまり苦痛ではない
3. かなり苦痛であるが、何とか対処している
4. 非常に苦痛である
5. 苦痛のため何もできない

問4　相手のことが頭に浮かんだ時、振り払えますか？

1. 普通にできる
2. 大抵の場合は振り払っている
3. 必死に振り払っている
4. めったに振り払えない
5. 絶対に振り払えない

問5　うまく恋愛感情を無視できますか？

1. いつもできる
2. 通常はできる
3. 時々できる
4. ほとんどできない
5. 全くできない

問6　恋愛相手のために用いる時間は、1日どれくらいですか？

1. 無し
2. 1時間以下
3. 1 〜 3時間
4. 3 〜 8時間
5. 8時間以上

問7　恋愛行為は、社交的な活動や仕事をどれだけ妨害していますか？

1. 全く無い
2. 少しだけ妨害しているが、全体の生活は損なわれていない
3. 明らかに妨害されているが、何とか対処している
4. 著しく妨害
5. 妨害され何もできない

問8　恋愛を邪魔されたら、不安の程度はどれくらいですか？

1. 全く無い
2. ほんの少し
3. 不安は高まるが、何とか対処できる
4. 不安は非常に強く、大きな障害になる
5. 不安のため何もできない

問9　恋愛感情に抵抗するために、どれくらいの努力をしていますか？

1. いつも抵抗している
2. 大抵の時は抵抗できる
3. 少しは抵抗できる
4. ほとんどすべての恋愛感情に浸っている
5. 全く抵抗できず、むしろ進んで恋愛感情に没頭する

問10　恋愛感情をどの程度コントロールしていますか？

1. 完全にコントロールしている
2. いくらかの努力と意思で、恋愛感情を止めることができる
3. 時には恋愛感情を止められる
4. 恋愛感情を遅らせることはできるが、結局は止められない
5. 恋愛感情を全くコントロールできない

すべての項目を選択したら、1＝0点、2＝1点、3＝2点、4＝3点、5＝4点として合計点数を求めてみて下さい。

9点以下	正常です	
10〜15点	軽度の恋煩い	
16〜23点	中等度の恋煩い	
24〜31点	重度の恋煩い	
32〜40点	極度の恋煩い	

合計24点以上なら、心療内科の受診をお勧めします。

Memo:

人間は何のために生きているのか？

こんな人間の根本を問うような質問がありますよね。
その答えは意外と簡単で、人間は自分の気分を良くするために生きています。

極端にいえば、人間は気分さえ良ければ他のあらゆる不利益は問題にならないのです。たとえ全財産を奪われ、自由を奪われ、過酷な労働を強いられ、命まで奪われても、自分の気分さえ良ければ幸せと感じます。だからこそ、最高の幸せをもたらしてくれるものが宗教であり、恋愛であったりするのです。

逆に気分が悪かったら、莫大な財産があろうと、どんな偉い地位にあろうと、幸せではないことになります。

人間は気分が最悪になった場合、どんな犠牲を払ってでも回復させようとするものです。その最たる例が、すべてを犠牲にして行う復讐です。

脳機能で大脳皮質と感情中枢との結合が切れてしまい、感情が無くなった人間は、何を見ても価格の高低や美醜の差が無くなり、すべて同じに見えるようになります。未来も全部同じだから人と約束はできません。感情が消えると価値判断が一切できなくなってしまいます。

それゆえ、知性に感情は必須なのです。

違う見方をすれば、感情で価値判断するというシステムは、少ない演算能力と記憶力で最大利益を得られる最良のシステムであったわけですが、人間ぐらい演算と記憶の能力が上がってくると論理判断の方が感情判断より最大利益をもたらすようになります。

現代のホモサピエンスには、感情という旧式判断システムと論理演算による新判断システムの衝突という問題が発生しています。生物はどこまでも旧式システムを捨てられないという、構造的問題を抱えているのです。

つまり、人間がどこまでも進化して痕跡器官になっても感情は残るでしょう。

幸せとは何か？

自分の気分が良いことなのです。

電磁波の影響でがんになるという都市伝説の正体

送電線とがんリスク

まことしやかに言い伝わる、「送電線の近くに住んでいるとがんになる」という話。しかし、超低周波電磁界における発がん性について、明確な証拠は無いのだ。どういうこと…？

　日本において、この問題への関心が高まったのは、1992年のスウェーデンでの研究結果が大きく報道されたことによります。その内容は「高圧送電線の近くに住んでいる子供は、小児白血病の発生率が4倍だった」というもの。これがそのまま、現在に至るまで都市伝説として語り継がれているわけです。

　この論文には、磁界の強さが0.3μT（マイクロテスラ）の環境で生活していると小児白血病の発生率が3.8倍になると書かれています。しかし、実はこの論文、統計データの処理が間違っており、環境要因と病気の間に存在しない因果関係を作り出してしまう「クラスター錯覚」が発生していたのです。

　スウェーデンで行われた調査では、800種類もの病気について統計が取られた中で、小児白血病だけが発生率4倍に。その他の、大人の白血病や、がんになりやすい部位（大腸・胃・肺・乳・前立腺）についてのデータは至って普通でした。

　これは、統計学における「多重比較問題」と呼ばれる現象です。たくさんのデータを扱っていると、偶然では起こらないはずのことでも、確率の法則に従って、一定割合で起きてしまう場合があるんですね。それをクラスター錯覚で結び付けてしまっていたのです。

　本来、統計学には、そのような偏った値が原因で間違った結果が出ることのないように、有意水準・信頼区間・P値など、いろいろと難しい計算理論があります。しかし、このスウェーデンの論文では、偏った値を排除しきれていなかったようです。結局、「小児白血病だけ発生率が4倍」は、その調査において低い確率ながらたまたま発生した数字に過ぎなかったというわけなんですね。

　このことは1995年、アメリカの公共放送PBSの番組『FRONTLINE』でも取り上げられています。

—— they began accusing the Swedes of falling into one of the most fundamental errors in epidemiology, sometimes called the multiple comparisons fallacy. （筆者訳：科学者たちは、スウェーデンが疫学における最も根本的な誤りの一つに陥っていると非難し始めました。それは多重比較問題と呼ばれるものです）「PBS FRONTLINE Currents of Fear」（Internet Archive）

「統計」というものは、物事の性質や傾向を知るためには重要な学問ではあるのですが、「絶対に正しい数字」を出せるわけではありません。データの選び方次第で、とんでもない結論を導き出してしまう

Memo:
参考資料・画像出典など　● 「Magnetic Fields and Cancer in Children Residing Near Swedish High-voltage Power Lines」
American Journal of Epidemiology, Volume138, Issue 7,1 October 1993, Pages 467〜481　https://academic.oup.com/aje/article-abstract/138/7/467/151494

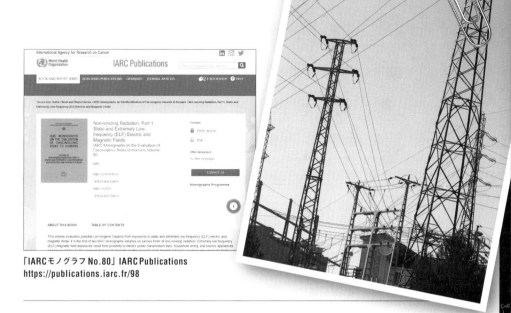

「IARCモノグラフ No.80」IARC Publications
https://publications.iarc.fr/98

「高圧送電線の近くに住むとがんになりやすい」といった説は、1992年に発表されたスウェーデンの研究「Magnetic Fields and Cancer in Children Residing Near Swedish High-voltage Power Lines」から始まった。しかし、その統計データの処理には致命的なミスがあった。2001年には国際がん研究機関（IARC）が、概ね否定的な見解を発表。小児白血病は無関係とは言い切れないが、関係があるという証拠も無いため疑わしいとしている

こともあるのです。

IARCの評価を正しく解釈する

　2001年6月、国際がん研究機関（IARC）は静電磁界及び超低周波電磁界（0〜300Hz、日本の送電線の50〜60Hzを含む）のばく露による発がんに関して、正式な評価を実施しました。それが「IARCモノグラフ No.80」です。では、その結論がどうだったのかというと…。

超低周波磁界は「人間に対して発がん性があるかもしれない」(グループ2B)

　これを見て「国際的な機関が発がん性があると認めた！」と勘違いしている人がいます。が、そういう話ではありません。まず、この評価は「その物質や環境が、がんの原因となるかどうか」を分類したものです。「がんの引き起こしやすさ」を評価したものではない点に注意して下さい。
　そして、この結論の前提として書かれている、超低周波磁界の「総合評価」は以下の通り。

● 「PBS FRONTLINE Currents of Fear」Internet Archive
　　https://web.archive.org/web/20160203040412/http://www.pbs.org/wgbh/pages/frontline/programs/transcripts/1319.html
● 「電磁界と公衆衛生 超低周波電界へのばく露」WHO ファクトシート322　　https://www.who.int/peh-emf/publications/facts/FS322_Japansese.pdf

・超低周波磁界の発がん性について、人間の小児白血病に関する証拠は限定的である。
・超低周波磁界の発がん性について、人間の小児白血病以外のすべてのがんに関する証拠は不十分。
・超低周波磁界の発がん性について、実験動物における証拠は不十分である。

　ご覧の通り、かなり否定的ですね。では、なぜここから結論が「発がん性があるかもしれない」になってしまうのでしょうか。問題となっているのは、小児白血病についてのみです（それ以外のがんについては、そもそも発がん性を示唆する有意なデータが存在しない）。複数の疫学研究のデータを元に分析した結果、超低周波磁界が0.3〜0.4μTを上回る居住環境では、小児白血病の発生率が倍増するというパターンが見られました。スウェーデンの研究からは半減していますが、それでも数値が高いということは、やはり…？と思いがちですが、これを「発がん性がある証拠」だと早合点してはいけません。研究者らは、あくまでも慎重な立場を取っています。

> ——しかしながら、疫学的証拠は、選択バイアスの可能性など手法上の問題によって弱いものになります。加えて、低レベルのばく露ががん発生に関与することを示唆するような生物物理学的メカニズムとして正当と認められたものはありません。（中略）加えて、動物研究は主として影響なしとの結果を示しています。したがって、これら全てを考慮すれば、小児白血病に関連する証拠は因果関係と見なせるほど強いものではありません。（WHO ファクトシート322「電磁界と公衆衛生 超低周波電界へのばく露」より引用）

　疫学研究は、統計データから傾向を読み取る学問です。スウェーデンの研究で「クラスター錯覚」が起きていたように、誤った結論を出してしまう可能性を捨てきれないのです。このように、慎重かつ否定的な注釈があった上で、国際がん研究機関（IARC）ではグループ2Bに分類して発表したというわけです。ちなみに、IARCによる発がん性の分類は、グループ1からグループ4まであり、代表的なものは、経済産業省のサイトで確認できます。

　というわけで、結論としては「送電線の近くに住んでいるとがんになる」というのは誤った認識ということです。正確には、小児白血病については現時点では無関係であるとは言い切れないが、関係があるという証拠も無く疑わしい。そして、小児白血病以外のがんについては、有意なデータは一切存在しないので、完全にデマということになります。特に後者については、騙されないようにくれぐれも気を付けて下さいね。

補 講

[KARTE No.046-050]

油田を発見したら石油王になれるのか?

モーリタニア栄枯盛衰物語

海底油田を見つけたアフリカの小国がある。イッキに豊かになり、みんな幸せに暮らしましたとさ…とは、いかなかったようだ。石油に翻弄された先に待っているのは…?

皆さんはモーリタニアという国をご存じでしょうか? アフリカ北西にある国で日本が極東なのに対して、極西に位置する国です。1912年頃アルセーヌ・ルパンがモーリタニア帝国皇帝アルセーヌ1世に即位して誕生した国という設定がありますが、フランスの植民地から1960年に独立してできた貧困国で、ちゃんと実在します。

そんな貧困国で2005年に沖合い80km、地下2,600mに推定埋蔵量1億2千万バレルの海底油田が発見されました。政府と国民が狂喜乱舞したことはいうまでもありません。

1バレル60ドルで売れるとしても、72億ドル(日本円で約8千億円)の資産となります。石油会社が政府に提示した推定純利益は47億ドル(日本円で約5千338億円)でした。モーリタニアの2005年のGDPが18億3千万ドルだったことから考えて、とてつもない大金が発見されたことになります。日本人の感覚でいえば1千兆円欲しいって言ってたら、本当に地面から湧いて出た状態でしょうか。

これで貧困から抜け出せると、誰もが夢を見ました。石油利権を一部の人間が独占したりしないように法整備を行い、「国営石油会社モーリタニア炭化水素公社」という外国の第三者からも監査を受ける公正で中立な特別機関を設置して、国民全員に平等に利益が配分されるように努力したのです。油田開発は順調に進み、2006年2月から日産6万5千バレルの生産が始まりました。

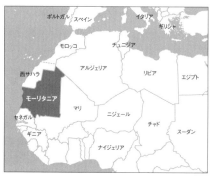

モーリタニアはアフリカ北西に位置する国で、正式にはモーリタニア・イスラム共和国という。首都はヌアクショット。サハラ砂漠にあり、国土の9割が砂漠地帯となっている

Memo:

参考資料・画像出典など ●「名目GDP(USドル)の推移」のグラフ 世界経済のネタ帳

http://ecodb.net/exec/trans_country.php?type=WEO&d=NGDPD&c1=MR&s=&e=

国営モーリタニア炭化水素公社Webサイト　http://w3.smhpm.mr/fr2/
2005年に海底油田が発見された。国営の石油会社により油田の採掘が行われ、GDPはイッキに激増したが、10年も持たず石油を掘り尽くしてしまった。2018年からは、石油メジャーのロイヤル・ダッチ・シェルと契約し、新しい油田の探索を始めている

　その間に、なんかクーデターとか起きたりしていますが、あっちの感覚では大統領が弾劾された程度の事態なのであまり気にされていません。油田からの収入によりGDPは21億8千万ドルへ急上昇、2007年は30億4千万ドルへと激増し、総人口300万人あまりの小国の国内経済は石油バブルに湧き上がりました。その後、GDPは急成長を続け、国の富はあっという間に何倍にも激増したのですが…。

　しかし、すぐに産出量は減り始め、2007年9月には日産1万バレルにまで落ち込みます。2008年のGDPは33億3千万ドルと停滞気味に。外国から新技術を導入して2009年に日産1万7千バレルまで盛り返し、39億5千万ドルと少し伸びたものの、2010年には36億7千万ドルとマイナス成長に転落。そして、2013年には力尽きてしまいました。国営石油会社モーリタニア炭化水素公社は、2015年に赤字の財務諸表を公開し、それ以後は活動していません。

　油田は袋に針を刺して中身を吸い出しているようなものなので、中身の残量が少なくなってくると吸い出せる量が減ります。そこで海水を注入して中身を膨らませてから吸い出して、それを海水と油に分離する装置を導入したりしたのですが…。単純計算したら分かる通り、1億2千万バレルの油田も勢いよく吸い出したら10年足らずで無くなってしまいます。なのに、国家も国民も降って湧いた大金に金銭感覚がおかしくなり、永遠に石油が出続けると錯覚していたのです。

オイルマネーは泡沫の夢だった…

　油田からの収入が無くなると経済は低迷し、マイナス成長に転じて落ち込みました。劇的な経済成長をもたらした油田でしたが、夢はあっという間に覚めてしまい、石油王は一時の幻だったのです。別に石油会社に騙されていたわけでも、誰かが利益を独占して肥え太ったわけでもありません。石油会社は提示した利益を、モーリタニア政府と国民にちゃんと支払いました。

　なんか思ってたのと違った、期待していたほどじゃなかったという感じなんのでしょうか？　まあ、そもそも47億ドルを300万人の国民全員に均等に分配したら、1人あたり1,566ドル（約17万6千円）

●在日モーリタニア共和国大使館Webサイト　http://www.amba-mauritania.jp/

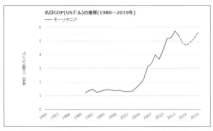

名目GDP(USドル)の推移(1980~2019年)
── モーリタニア

名目GDP（USドル）の推移			
2000年	12億9千万ドル	2010年	43億3千万ドル
2002年	13億ドル	2011年	51億8千万ドル
2003年	13億2千万ドル	2012年	52億3千万ドル
2004年	15億6千万ドル	2013年	57億2千万ドル
2005年	18億3千万ドル	2014年	53億9千万ドル
2006年	21億8千万ドル	2015年	48億3千万ドル
2007年	30億4千万ドル	2016年	46億9千万ドル
2008年	33億3千万ドル	2017年	49億4千万ドル
2009年	39億5千万ドル	2018年	52億4千万ドル
2010年	36億7千万ドル	2019年	56億5千万ドル

モーリタニアの名目GDPの推移（「世界経済のネタ帳」参照）

ぐらいにしかなりません。平均年収350ドルの国からしたら、国民全員に年収の4倍以上の金を公平に
ばら撒いてくれた政府は真面目に頑張ったといえるのではないでしょうか？

　油田は一般的なイメージほど儲かるものじゃなかった…という現実が、石油王の夢を砕いただけなので
す。1千兆円も日本人全員で平等に分けたら、1人800万円ちょっとにしかなりません。1千兆円が地面か
ら湧いて出ても、皆で仲良く平等に分けたら一生遊んで暮らせる石油王になれないのは自明の理でした。

　しかし、1度オイシイ思いをしたら忘れられないのが人間の性。2018年には、もう1回油田が見つ
からないかと、夢と希望なのか妄想なのか分かりませんが、モーリタニア政府はロイヤル・ダッチ・シ
ェルと油田調査の契約を結び、新しい油田を探索し始めています。

 ## タコの国から愛を込めて

　油田が見つかる前のモーリタニアの経済を支えていたのは、鉱山と漁業です。1978年に日本の
JICAが技術支援でタコ壺漁を教えたら、タコが山ほど取れるようになってモーリタニアの重要な輸出
品になりました。日本の輸入タコのシェア1位を占め、日本のたこ焼きはモーリタニア無しには成り立
ちません。皆さんもスーパーでタコを買う時に、原産地をよく見てみましょう。モーリタニア産が、日
本で流通しているタコの30％以上を占めています。

　なのに、モーリタニア在住日本人は大使館関係者20人ほどしかおらず、モーリタニア人は日本人を
ほとんど見たことがありません。在日モーリタニア人も駐日大使と大使館員を含めても20数人しかい
ないので、日本で見かけることもほとんどないのです。

　石油バブルにより、食べる物にも困っていた国民は明るい未来を夢見て子作りに励み、その結果、
総人口は300万人から430万人へと130万人も増えて平均年齢は下がりました。が、国土の大半が砂
漠の国にこれを養える食料生産能力は無く、貴重な外貨収入と石油で貯め込んだ貯金を食料の輸入に当
てざる得ない状況に追い込まれ、現在は食料の70％を輸入に依存しています。

　ちなみに、モーリタニア人はタコを食べません、なぜなら日本人が高値で買ってくれるので、タコを

Memo:
●モーリタニア首都大統領官邸画像　Googleストリートビュー　https://www.google.com/maps/place/18%C2%B005'39.0%22N+15%C2%B058'15.0%2
2W/@18.0949421,-15.9714486,1094m/data=!3m1!1e3!4m5!3m4!1s0x0:0x0!8m2!3d18.094167!4d-15.970833?hl=ja

モーリタニアでは漁業が盛んで、特にタコは輸出品として外貨を稼いできた。日本で流通しているタコの30％はモーリタニア産だ。しかし、乱獲により漁獲量の減少が問題視され、規制と管理にも力を入れるようになってきている

食べるよりタコを日本人に売った金で食料を買った方がお得だからです。食糧不足なのに自国で取れた食べ物を外国に輸出して、それで得た外貨収入で外国から食べ物を買うってなんか変な気がしますけど、カロリーベースで計算してみるとタコを食べるより、タコを売った金で外国から買った食料を食べた方が摂取カロリーが高くなるので、損得勘定はちゃんとできています。しかも、タコの輸出と食料の輸入が行われるということは物流業の需要と雇用が生まれることで、経済発展にもプラスです。

　しかし、タコも40年にわたる乱獲により激減し、タコ資源も枯渇しそうになってきています。ひたすら採れるものを食いつぶしてきたツケが回ってきているのです。

再び大国の植民地へ…

　最近のモーリタニア経済を支えているのは、中国政府が無償で作ってくれる建築物です。日本でいう箱物行政で、何とか持ち直している状態。中国からの莫大な無償援助のおかげで、2017年のGDPはプラス成長へ持ち直し、2018・2019年もプラスになりました。

　国会が開かれる大統領官邸から省庁舎まで、すべて中国政府が無償で建ててくれたそうです。すごい経済援助ですが、電子投票システムから国家中枢のコンピュータシステムまですべて中国政府の資金で中国製品を導入して中国人が技術指導って、盗聴でも監視でもなんでもアリなような…。投票結果すら中国から遠隔操作できそうな気がするのは、ワシの妄想でしょうか？　そうだといいのですが…。

　貧困は嫌だから大国の属国になるという選択も、苦しんでいる国民が救済されるなら仕方がないのかもしれませんね…。

中国の造船所にて、モーリタニアのために建造されたL981揚陸艇

中国の無償援助で建てられた、モーリタニア大統領官邸

●モーリタニア炭化水素公社の2015年の財務諸表。赤字で終っており、この年を最後に財務内容の公表を行っていない。
http://www.smhpm.mr/ETATS-FINANCIERS/ETATS_FINANCIERS_2015.pdf （PDF削除済み）

永世中立国の船を守るのは海運王の私設軍隊

海運大国スイスの謎

スイスは内陸にある山岳地帯だが、海運業が盛んな国でもある。世界2位の海運企業MSCがあり、スイス経済を支えている。安全な航行のためには"力"が必要なので、それを担うのは…。

　スイスは海が無い内陸国なので海軍はありません。しかし、船舶による水上輸送は行われており、多数のスイス船籍の船が世界中の海を航海しています。

　第二次世界大戦では全方位をナチスドイツとその味方に囲まれて孤立しながらも、中立を維持し続けたスイス経済を支えるために武器なき戦いに挑んだ船乗りたちがいたのです。第二次世界大戦中、世界の海を駆け巡ったスイスの船と船員を管轄する「スイス海上運輸局」（Swiss Maritime Navigation Office、SMNO）という上部組織と、そこが所轄する「スイス商船隊」（ドイツ語表記：Schweizer Hochseeschifffahrt）という組織がありました。

　スイス商船隊の存在目的は、スイス経済を維持するためのシーレーンの確保です。つまり、本質的に他国の海軍と同じ目的を持っています。手段として戦闘を行わないだけで、実質的には非武装中立なスイス海軍と呼ぶべき海運組織なのです。

　第二次世界大戦中にスイスが苦労したことの一つが、石油資源の輸入でした。スイスは石油を輸入頼りにしていたので、全方向をナチスドイツに囲まれた中では、アメリカから石油を輸入することは困難を極めたのです。陸上輸送は到底不可能で、船舶輸送しか手段がありません。完全に内陸国のスイスにどうやって船が入って来るのかというと…。大西洋を越えて北海に入り、海と川の接続点で小型船に積み替えて、ライン川を遡ってその水源の手前にあるスイスのバーゼル港まで辿り着き、あとはスイス国内を鉄道などで運ぶというルートです。川を進む時は、最大でも排水量3,000トン以下の小さな船しか使えません。1万トン級の石油タンカーが河口に到着すると、4隻の河川用小型タンカーに積み替えて、そしてドイツとフランスの国境付近を流れる川を遡り、スイスのバーゼルに到着するのです。永世中立を身を守る唯一の盾にして、銃1丁持たない非武装のスイス商船隊は、戦時中のスイス経済を支えました。

 ## スイスの海運王

　現在のスイスには6社の海運会社があり、その中で最も巨大なのがジュネーヴに拠点を置く世界第2位の海運会社MSCです。MSCの創業者でスイスの海運王ジャンルイジ・アポンテ（Gianluigi Aponte）は推定総資産8,000億～9,000億円といわれている大富豪。MSCは現在も徹底した創業者

Memo:
参考資料・出典画像など　●「スイス商船隊75年史（Marine suisse :75 ans sur les oceans, OlivierGrivat, Editions Imagine)」

MSC（Mediterranean Shipping Company S.A.）
https://www.msc.com/jpn

ジャンルイジ・アポンテ（1940〜）

イタリア生まれのジャンルイジ・アポンテが
率いる、スイスの海運会社MSC。1代で築
き上げ、世界2位にまで成長した。スイスは
永世中立国だが非武装ではなく、国民皆兵で
徴兵制度を採用している。MSCのスイス人
船員の多くは元兵士で、船の警備を担う。傭
兵部隊として海賊から船を守っており、実質、
海軍のような役目を果たしているという

一族経営の会社で、幹部全員がアポンテ家の人間です。

　ジャンルイジ・アポンテはイタリア生まれのイタリア人ですが、船の乗客だったスイス人女性ラファ
エラ・ディアマントと結婚してスイス人になりました。彼が1970年に1隻の中古船を買って始めた会
社がMSCです。最初は船1隻だけの事業主、日本では一杯船主などと呼ばれるところからスタートして、
世界第2位の海運王になった立身出世の人物です。その後、次々と新しい船を購入して巨大海運会社へ
と急成長しました。

　アポンテが船を購入できた背景には、ゴルゴ13も愛用していることで有名なスイス銀行とスイス政
府の助成金制度の存在があります。スイスの海運業者がスイス船籍の船舶を新規購入する際にスイス銀
行から融資を受けると、1隻につき11億スイスフラン（約1,200億円）を上限に、スイス政府が連帯
保証人となり低金利で借りられる制度があります。保証の見返りは、非常時に政府の命令に従うこと。
まあ現実に政府からの命令が来たことは1回も無いといわれていますけど。どこよりも安い資金調達に
よって、アポンテ家の事業は急拡大しました。

●スイス海上運輸局Webサイト　https://www.eda.admin.ch/smno/en/home.html
●ジャンルイジ・アポンテ、小型タンカー写真　Wikipedia

European waterways map
http://www.inlandnavigation.eu/what-we-do/
maps-fleet/
ヨーロッパの主要河川と水路。実際の川幅の地形
とは無関係で、線が太い水路ほど流通量が多い

スイス・バーゼル市内を航行する小型タンカー。石油は小型タンカー
によって、海から川を遡り運ばれてくる

スイス傭兵の復活

　第二次世界大戦から東西冷戦期まで、スイスの海運を支えたスイス人船乗りたちでしたが、冷戦終結後は急激に数が減っていき、スイスの船なのにスイス人が1人も乗っていないことが常態化します。スイス人にとって船乗りは何の魅力もない仕事になってしまったのです。最も減った時には、スイス人船員が全世界で5人と絶滅危惧種にまでなりました。ところが、2008年を境にスイス人船員が激増します。船員の給与水準は5倍近くにまで賃上げされ、2019年には651人のスイス人船員が存在。どうして100倍以上に増えたのでしょうか？　なぜ彼らは急に船員を志願するようになったのか？　急に増えた志願者はどこから湧いて出たのでしょうか？

　彼らのほとんどが元スイス軍兵士です。徴兵制度のあるスイスでは元兵士は珍しくありません。つまり、彼らの仕事は船の運航ではなく船の警備、民間船に乗り込んで海賊から船を守る警備員、いわゆる民間軍事会社（傭兵）の一種です。

　スイス海上運輸局は、スイス人船員に身分証明書となる船員手帳を発給しているものの、公式の技能証明にはならず、船員としての技能証明は外国で別途取得する必要があるとしています（公式に明記されている）。スイス人船員の大半が船乗りの技能を持たないというのは変な話ですが、実際に船を運航しているのはアジア系の船員です。スイスの船なのに、スイス人が1人も乗っていないことが常態化していた時代と全く同じです。

　スイス海上運輸局は、スイスにある6社の船舶会社を代表する6人の委員によって運営されています。しかし、実質的にアポンテ家最強無双状態で、スイス人船員の正体はMSC警備部の社員であり、アポンテ家の私設軍隊というわけです。

　スイス船籍の船に、スイスの公的機関が発行した身分証明書を持つスイス国籍のスイス人船員が乗っているのですから、完璧に合法です。船にスイス政府が自衛のために必要最低限の範囲と認めた武装が備わ

っているのも、もちろん合法です。その武器は12.7mm重機関銃。小さな海賊船なら簡単に沈められるでしょう。実際に、スイス海上運輸局は「スイスの船主はボルチック国際海運協議会が定めた慣行基準を忠実に実行しており、船主各自が海賊を撃退する特別な方法を持っている」と微妙な表現をしています。

今や海賊も逃げ出す海運王アポンテ家の私設軍隊ですが、その背景にはそうでもしなければ船を守れない切実な理由があります。2008年、カダフィ大佐の息子を暴力事件によりジュネーブで逮捕したところ、その報復措置としてリビアでスイス人ビジネスマン2人が拘束されるという事件がありました。スイスのメルツ大統領がリビアに出向き謝罪したものの、1人は解放されず禁固4か月の実刑となったのです。永世中立国のスイスは国外に軍隊を送れないだけでなく、外国の軍隊に救出を頼むこともできません。スイスの国外で起こったことに関しては武力行使が一切できないので、話し合って金を払う以外の解決手段を持たないのです。この事件によって、スイス人なら襲って人質にしてもどこの国の軍隊も攻めてこないし、身代金が取れると海賊どもに学習されてしまいました。

これによって、海運王アポンテは船に何かあっても、政府も軍も助けてくれないことを悟ったのではないでしょうか?

実際に2018年9月22日に、スイスの海運会社マッセル・シッピングの貨物船MVグラールスがナイジェリア沖で海賊に襲撃され、7人のフィリピン人とスロベニア・ウクライナ・ルーマニア・クロアチア・ボスニアそれぞれ1人からなる、計12人の乗組員が捕らえられる事態になりました。1か月以上経って解放されましたが、同様の攻撃を助長する可能性があるとして人質の解放につながるオペレーションの詳細を公表することを拒否したまま、事件後に解放された貨物船MVグラールスは別の会社に売却され、スイス船籍からパナマ船籍になっています。

皆さんもご想像の通り、恐らく身代金払ったんでしょうね。

スイス船籍をやめてしまうと、スイス銀行から船という高額資産の購入資金を低金利融資してもらえなくなります。そこで今ではマッセル・シッピングも含めたスイスの海運会社は、アポンテ家の私設軍隊とも事実上のスイス海軍ともいえるMSC警備部に傭兵を頼むようになったのです。

こうしてスイス人傭兵は、海の無い国の海兵として復活しました。

MSCの世界最大のコンテナ船OSCAR。船名はアポンテ一族の息子や孫の名前が付けられるのが習わしとなっている

選挙カーとプロパガンダ放送は効果的だった…

街宣による洗脳の恐怖

大きな声で騒ぎ立てられるのは迷惑千万。しかし、何度も同じことを繰り返されると、好意的に捉え、真実と思い込むようになる…。選挙カーによる街宣は実は有効だった!?

皆さんも選挙活動が始まるたびに、近所を選挙カーに乗ってやかましく叫んで歩く政治家に嫌な思いをしたことがあるかと思います。彼らは有権者に嫌われて投票してもらえなくなるという、自分にとって最も致命的なデメリットが発生するリスクを理解できないほど低脳なのでしょうか？ いえ、彼らは怒鳴り散らすことが自分に投票してもらうために有効な戦術であると熟知しているからこそ、すべての政治家が選挙カーでやかましく自分の名前を連呼して歩くのです。

近代になって心理学で、一方的に怒鳴られていると、絶対に信じないと強く思っていても信じ始めてしまう現象が発見されました。ここから、拡声機で不特定多数の相手に心理攻撃を仕掛けるという戦術が生まれたのです。これは嫌いな相手、極端な場合には殺し合っている敵であっても、何度も見たり聞いたりしているうちに好意が湧いてくる心理学的現象で、「知覚的流暢性の誤帰属説」と「幻想的な真実効果」という心理学の学説で説明されています。

接客業などで悪質クレーマーに粘着されて折れてしまった人も多いかと思いますが、対人交渉において一方的に大声で何度も怒鳴るという交渉術は意外と有効なのです。

La batalla de las ondas en la Guerra Civil Espanola (Historia)
第二次世界大戦時に、ドイツ軍が持ち込んだ放送車について書かれている

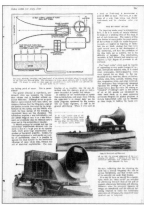

巨大拡声機
1929年にアメリカで販売されていた超大型拡声機のカタログ（「Directory of Signal Corps Equipments: Sound and Light and Miscellaneous Equipment」参照）

Memo:

参考資料・出典画像など　● 「La batalla de las ondas en la Guerra Civil Espanola」Amazon

https://www.amazon.es/Batalla-Ondas-Guerra-Espa%C3%B1ola-Historia/dp/849431968X

選挙カーはこれまで世界中で使われてきたが、現在では騒音規制の対象となり減りつつある。英語では選挙カーのことを「Political Campaign Sound track」という。欧米諸国で一般的な選挙活動が日本では禁止されているため、選挙カーに頼らざる得ないという側面もあるようだ。なお、拡声機で何度も名前を繰り返すこと自体は、心理学的にいろんな意味で有効とされている

世界と日本の選挙事情

このように非常に効果が高いため、選挙カーは世界中で使用されてきました。日本をはじめとして韓国・台湾・ポルトガル・アフリカ諸国など使用している国はまだまだありますが、現在では騒音規制の対象となったために減ってきています。アメリカでは1970年に禁止になりました。欧米で選挙カーが消えたのは以下のような理由があります。

■騒音規制

欧米では、選挙活動であっても騒音規制の処罰対象となる。欧米ではWHOの勧告を基準に65デシベル以下に法規制されているが、日本の拡声機暴音規制条例では85デシベル以下で諸外国より規制がユルイ。そして日本の公職選挙法の定める選挙運動、または政治活動のための拡声機の使用は、法規制の対象外なので音量は無制限だ。

■戸別訪問

欧米の選挙では、日本で違法な戸別訪問が認められている。直接本人の目の前で、複数人で取り囲んで連呼する方が選挙カーより効果的だ。実際に欧米の選挙では、戸別訪問を行う選挙スタッフをどれだけ確保できるかが当選を左右する。

■広告制限が無い

欧米ではテレビ・ラジオ・ネットなどでの広報活動が無制限に認められており、メディアに支払う莫大な広告料が当選を左右している。一方、日本では候補者が個別にメディアの広告枠を購入して宣伝することが禁止されており、規定された政見放送以外は行えない。日本ではインターネット活動すら、かなり近年まで禁止されていた。

こう見ると、日本では欧米で一般的な選挙活動が禁止されていることが分かります。そのため、選挙カーという半世紀以上前の手段に頼らざるを得ないともいえるのです。

●巨大拡声機のカタログ 「Directory of Signal Corps Equipments: Sound and Light and Miscellaneous Equipment」 33ページ
●街宣車・選挙カーの写真 「Wikimedia Commons」
●『抗命』 高木俊朗 著 (文春文庫)

1939年 ナチスの街宣車

1940年 アメリカの選挙カー

1999年 ロシアの街宣車

第二次大戦で活用された巨大拡声機

　少し歴史を遡りましょう。大型拡声機が発明されたのは意外と古く1920年代で、1929年（昭和4年）にアメリカで超巨大拡声機の販売カタログが出ています。これは電気装置のアンプではなく、圧縮空気を使った機械式の拡声装置で、カタログには4マイル（6.43738km）先まで鮮明に聞こえると記載。トラックや船舶などに搭載して移動も自由自在で、外部電源なども必要とせず利便性の高い機材だったらしく世界的に結構な台数が売れたようです。

　そして、第二次世界大戦になると各国がこの超巨大拡声機を使うようになりました。194ページの本の表紙に写っているのは、スペイン内戦にドイツ軍が持ち込んだイタリア製の放送車です。30km先まで聞こえたらしく、スペイン人はドイツ軍のプロパガンダ攻撃に心を折られて負けたのです。そもそもドイツ軍の戦術では、攻撃とは機動と射撃と衝撃及びこれが指向する方向によって効果を発揮すると教えており、敵に衝撃を与える有効な手段として超強力拡声機が使用されました。

　つまり、街宣車は既に有効な戦術として活用されていたのです。戦争が本格化すると、各国とも前線の敵火力の射程内にまで進出して放送を行うため、大型スピーカーを搭載したスピーカータンクを運用しています。拡声機で相手にプロパガンダ攻撃を仕掛けるという発想が無かったのは、日本軍ぐらいだったんじゃないでしょうか？

　イギリス軍がインパールで「放送中は攻撃しないことをお約束します。終わったら攻撃します」と流暢な日本語で呼びかけ、日本の歌謡曲を熱唱。そして、日本軍の部隊名を言い当てて正確な他の日本軍師団の状況まで伝えた後に、威嚇射撃をして帰るという攻撃を何度も繰り返し、日本軍の士気を挫いた話は有名です。

　最前線で飢餓に苦しむ兵士たちの唯一の楽しみが、敵が放送してくれる歌謡曲というのはなんとも皮肉な話…。というか、そうなるようにイギリス軍が仕掛けた成果なんですけど。

洗脳が完成…敵から聞いた真実

　第二次大戦の大失敗作戦となったインパール作戦において、「牟田口将軍をはじめ、司令部が連日、料亭通いでぜいたく三昧の生活をしていた」とか、女の奪い合いで「将軍が参謀大佐を兵隊の見ている

Memo:
● 『参謀』　安倍光男（富士書房）
● 「『愚将』牟田口廉也中将の遊興逸話の真偽」https://news.yahoo.co.jp/byline/dragoner/20181110-00103615/

2001年 コンゴの選挙カー

2010年 北朝鮮の街宣車

2014年 台湾の軍用拡声機

前で殴りつける乱闘騒ぎを起こしている」とかとんでもない伝説が数多く残っています。これが本当に事実なのか追求した歴史研究家がいるのですが、事実だという確かな歴史的一次資料は見つからなかったそうです。

　前線で餓死寸前で奮戦していた将校から兵隊まで戦後に証言しているのですが、彼ら最前線にいた人間が後方にある司令部の腐敗ぶりをどうやって知ったのかというと、イギリス軍のプロパガンダ放送から得た情報らしいのです（イギリスの諜報機関が察知した情報という設定）。つまり、敵の言っていたことを信じただけで、誰1人として料亭や芸者の実物を見たことがありません。

　繰り返し放送を聞かされ続けることで、刺激に対する知覚情報処理レベルでの処理効率が上昇し、刺激への親近性が高まります。この親近性の高まりを、敵の放送自体への好意へと勘違いしてしまうのです。放送を繰り返し聞かされることによって、「司令部が料亭で芸者とぜいたく三昧している」という概念が形成され、放送内容への既知感が上がってくると「幻想的な真実効果」によって不確定性が減り、好意度はますます上昇していきます。

　トドメに自分が今直面している苦難の原因が、上層部の無能にあるという現実がのしかかってくると、敵の言っていることを真実だと思い込むようになり、プロパガンダ作戦が完成するのです。そして、戦後になって敗戦の現実に直面すると後知恵バイアスがかかり、「敵の放送から受けた情報が真実であった」と自身の回想が歪められます。

　こうして愚将・牟田口伝説が生まれました。

 ## その正体とは？秘密の反逆者

　第二次大戦後、イギリス軍はプロパガンダ放送のアナウンサーとなった人物の身元を軍事機密として現在まで公表していません。いわゆる国家反逆罪に問われる危険性を心配しているのではないかと考えられます。実際にイギリス政府は、ドイツ軍のプロパガンダ放送のアナウンサーだったホーホー卿を国王に対する大逆罪で絞首刑にしています。

　GHQもアメリカのマスメディアに対して、日本が行っていた放送のアナウンサーだった東京ローズを探してはいけないと厳命していました。

　そして、「インパールの演歌歌手」の正体も現在まで公表されていません。

●専門用語の原語　知覚的流暢性の誤帰属説：misattribution of perceptual fluency
　　　　　　　　　幻想的な真実効果：Illusory truth effect
　　　　　　　　　後知恵バイアス：Hindsight bias

全盲の肉体労働者たちの支援施設だった!?

ハンター財閥とキャプスタン

ハンター財閥が明治の日本に生み出した、障害者自立支援施設「キャプスタン」。全盲の肉体労働者たちの人生は、不幸だったのか幸せだったのか？　人の尊厳とは何かを考えよう。

　皆さんは「キャプスタン（capstan）」というものをご存じでしょうか？　聞きなれないとは思いますが、マンガなどで奴隷たちが大勢で回している謎の装置のことです。絵を見れば分かるでしょう。アレはちゃんとした道具で、「キャプスタン」という正式名称があるのです。本来は船の碇を上げる時に使う装置なのですが、船の機材は「揚錨機」という日本語が定着していたので、日本語のキャプスタンは別の意味で使われていました。明治には欧米では使われなくなったキャプスタンですが、日本ではかなり近代まで使われていて、廃止されたのは1946年（昭和21年）です。

　日本にキャプスタンが登場したのは、明治の初めにエドワード・ハズレット・ハンターというイギリス人が持ち込んだのが始まりといわれています。この人は1866年（慶応2年）に来日して、1873年（明治6年）に神戸にハンター商会を設立。日本名「範多龍太郎」と名乗った、イギリス系日本人という珍しい人です。そして、「ハンター財閥」という1873〜1946年の間に存在していた日本の財閥の創業者でもあります。明治から戦前の日本に、ハンター財閥なんて横文字の財閥が存在していたことはあまり知られていませんが、戦後の財閥解体後は「日立造船」「範多機械」と名乗っている会社です。

エドワード・ハズレット・ハンター
（1843〜1917年）

ハンター迎賓館
https://kitano-hunter.co.jp/
神戸市にある和の庭園結婚式場。ハンター財閥創業者のE・H・ハンター氏と妻の愛子さんが余生を過ごした邸宅が、結婚式場として受け継がれている

Memo:
参考資料・画像出典など　●「ハンター財閥六十周年史」
●ガイデリック（Guy derrick with nonrotatable mast）、旧ハンター住宅「Wikipedia」

キャプスタン（capstan）
日本では人力ウインチとして、明治時代から第二次世界大戦終了後まで使われた。日本に持ち込んだのは、ハンター財閥の創業者エドワード・ハズレット・ハンター。船を造るための道具として利用した。目の不自由な障害者たちの雇用となっていた側面もあるという。なお、右はマンガ『北斗の拳』の1シーン。中央帝都で奴隷たちが発電のために回転する棒を押しているが、こんなイメージ

『北斗の拳』17巻115ページ参照（武論尊／原哲夫／集英社）

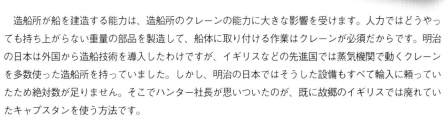

　造船所が船を建造する能力は、造船所のクレーンの能力に大きな影響を受けます。人力ではどうやっても持ち上がらない重量の部品を製造して、船体に取り付ける作業はクレーンが必須だからです。明治の日本は外国から造船技術を導入したわけですが、イギリスなどの先進国では蒸気機関で動くクレーンを多数使った造船所を持っていました。しかし、明治の日本ではそうした設備もすべて輸入に頼っていたため絶対数が足りません。そこでハンター社長が思いついたのが、既に故郷のイギリスでは廃れていたキャプスタンを使う方法です。

　あれは人力ウインチなのです。なぜ馬や牛などの家畜を使わずに人力で回すのかというと、家畜では細かい制御ができないから。クレーンはその運動を精密にコントロールしなければならず、知能を持たない動物では制御できないから人力になるのです。

　日清戦争の頃、戦時中なので肉体的に屈強な若者はすべて兵隊に取られ、作業員不足の中で人力作業に大人数を動員する人的資源が不足。そこで目をつけたのが、目の不自由な障害者たちでした。クレーンを操作する監督が笛を鳴らして、「ゆっくり押せ」「早く押せ」「止まれ」などの指示を出します。目が見えない人たちは、笛の音に従ってひたすらにキャプスタンを押していくのです。

　これが日本で、最初の大規模な障害者雇用が誕生した瞬間でもあります。目が見えなくても笛の音の通りキャプスタンを押せば毎日、米の飯を食べれて給料までもらえる。障害者差別が過酷だった当時としては、破格の良待遇です。キャプスタンは、全盲の障害者ができる唯一の肉体労働だったというわけ。そして、蒸気クレーンや蒸気ウインチを購入する余裕の無い日本にとって、最もコストパフォーマンスの高い造船機材でした。

盲目の大八は力持ち

　明治の大阪に、大川八郎こと通称・大八という人物がいました。生まれつきの全盲で、身長六尺（約1.8m）という大男だったと伝えられています。「大八車」が1人で8人分の荷物を運べることから命名されたように、大川八郎さんはその巨体で8人分の力仕事ができたそうです。さすがに常人の8倍というのはありえませんが、かなりの怪力だったのは事実のようですね。

　昔の日本では生まれつきの障害者への差別は非常に厳しく、先天性の障害者は特に血筋（遺伝子）に欠陥があると見なされて結婚もできませんでした。そんな中、大川八郎さんは8人分働くということで給料を2倍にしてもらえたのです。当時の全盲の障害者が、健常者の2倍の給料をもらえるというのは破格の待遇でした。

　そして重要なのは、彼らが食事とか給料をもらえる以上のモノを得ていたことです。

「お国のために働ける」

　当時の日本人の価値観において、お国の役に立てることは非常に重要でした。役に立たないお情けで生かされているだけの家畜以下の存在から、お国のために働く労働者になれたのです。つまり、彼らは働くことで初めて「人間としての尊厳」を獲得したのです。

✔ 近代化の犠牲者となり職を失う…

　大正時代に第一次世界大戦で日本は戦争景気に沸き上がり、戦争成金が大量発生しました。造船所の設備も一気に近代化が図られ、本格的な蒸気クレーンが導入されたことでキャプスタンは廃止。ここで問題になったのが、今までキャプスタンを押していた視覚障害者の皆さんの処遇でした。他にできる仕事は無く、無慈悲にも工場長は全員に解雇を宣告して会社の寮から追い出したのです。しかし、彼らには行くところなどありません。大半が13歳ぐらいでここに来て、長い人では30年もキャプスタンを押していたのです。造船所の寮とキャプスタンの間を往復するだけの生活を長年送ってきた彼らに、行く場所も受け入れてもらえる場所も存在しません。

　行き場のない彼らは、造船所の隅に座り込み抗議しました。しかし、マスコミも取り合ってくれず、そのまま勝手に死ねと野ざらしのまま食べる物も無く放置されます。そんな彼らを救ったのは、大正時代の西のお転婆お嬢様、ハンター財閥のご令嬢、ダイアナ・ハンターさんでした。

「お父様、家にはお金があり余っているのに、どうしてあの人たちにオニギリ1個あげられないの？」

　娘の言葉に心を打たれたハンター社長は、新しいキャプスタンを作ることに。こうしてキャプスタンは、障害者自立支援施設として復活したのです。そして、ハンター財閥は造船場で働く工員のために、日本で初めて労働者災害補償保険を導入しました。

　その後、お情けで残されていただけだったキャプスタンは復権します。第二次世界大戦が始まり、戦時標準船の大量生産のために新しい造船所を作ることになったのですが、時間をかけて設備を作ってい

Memo:

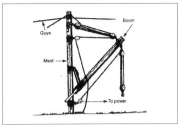

マストが固定されたガイデリック。これとキャプスタンを組み合わせることで、人力ウインチとなる

旧ハンター住宅
明治時代にエドワード・ハズレット・ハンターが購入し、改築した。兵庫県神戸市に王子動物園内に現存しており、1966年に国の重要文化財に指定されている

る余裕も資材もありません。

　キャプスタンとデリックの組み合わせの最大のメリットは、丸太3本に少しの金具とロープがあれば自由自在に動かせるクレーンがどこにでも即座に作れる点にあります。今すぐ欲しいものがすぐに手に入る。戦時中の日本において、これはものすごく重要でした。どんな無敵の兵器も必要な時に必要な場所に無ければ、存在しないのと同じで無力です。

　こうして、大勢の障害者が集められ、彼らは敗戦の日までキャプスタンを押し続けました。

闇へ葬られたキャプスタン

　戦後、造船所を視察したGHQの将校が「障害者を奴隷にしている」と勘違いして激怒したことが原因で、キャプスタンは禁止になりました。GHQは奴隷にされていた障害者を救済すべく、施設を作り彼らを収容。「もう2度と奴隷労働なんかしなくていいんだよ」と、GHQの将校はきっと優しく語りかけたのでしょう。彼らはその後、施設の中で寿命が尽きるまで死なないように管理されながら余生を送りました。

　果たして彼らは、本当に不幸な奴隷から幸せな障害者になれたのでしょうか？　過酷な労働の中に人としての尊厳を見出したのは幻覚で、本当は国家と財閥にやりがい搾取されていただけだったのでしょうか？

「人はパンのみにて生くるものに非ず」

　たとえ軍国主義国家が与えてくれた幻想であったとしても、彼らに労働者としての価値を与え、人としての尊厳を与えたことは悪だったのでしょうか？

　彼らの幸せは、彼ら自身にしか分かりません。

元号漏洩事件と改元のタイミング

新元号にまつわるミステリー

平成が終わり「令和」になった2019年。改元には毎回、知られざるドラマがある。大正の次は昭和だが、本当は「光文」だったかもしれない。さまざまな裏事情を見ていこう。

　元号というものは天皇陛下が崩御または退位されたタイミングで変わるため、切れの悪いタイミングになることが避けられません。大正天皇の崩御はクリスマスだったため、昭和元年は12月25日から12月31日までという非常に短い期間でした。

　「元号を知らなければ士業は勤まらない」と言われます。司法書士は土地の売買が行われた時の登記を行いますが、その時に本当に土地の持ち主であるかどうかの本人確認も重要な仕事です。「地面師」と呼ばれる土地取引の詐欺師は、司法書士の本人確認をいかに騙すかのプロ。当然、あらゆる身分証明書を偽造したりして騙してくるのですが、昭和元年6月生まれという、そんな生年月日は存在しない書類を偽造した間抜けな地面師がいました。しかしそれ以上に間抜けだったのが司法書士で、そのミスを見抜けずに騙されて損害賠償＆懲戒になったことがあるのです。笑えません…。

『讀賣新聞』大正15年12月25日
1926年12月25日の夜中、大正天皇が崩御した。東京日日新聞が号外で新元号は「光文」とスクープ記事を出すと、各新聞社も追従。読売新聞も「元号は光文に決定されるであろう」と報道したが…。結局は「昭和」となり、大誤報事件となった。後に「光文事件」と呼ばれるように…

1989年から31年続いた平成が2019年4月30日に終了し、5月1日から「令和」となった。今回は、天皇陛下の生前退位によって、改元された。なお、令和以外の候補は、「万保」「万和」「広至」「久化」「英弘」があったと報道されている（ANN NEWS参照／YouTube）

新元号の大誤報事件

1926年（大正15年）12月25日、夜中1時25分に大正天皇が47歳で崩御した時、東京日日新聞（現毎日新聞）が新元号は「光文」とした号外を出すと、追従するかたちで各新聞社は12月25日の朝刊で新元号を大々的に報道しました。しかし、これが完全な誤報だったため大惨事となったのです。

全国で新元号「光文」と書かれた朝刊が配達され終わった11時頃、宮内庁から新元号は「昭和」との公式発表がありました。フライング誤報を飛ばした各新聞社は、大慌てで訂正の号外を出したり、夕刊や翌日の朝刊で訂正謝罪記事を載せたりと大騒ぎです。

先陣を切って誤報を飛ばした東京日日新聞は、社長の本山彦一が辞任するかという騒ぎになりましたが、中間管理職と下っ端の首が切られただけで事態を強引に収めた模様。結局社長は辞任せず、1930年（昭和5年）に貴族院議員になりました。また、読売新聞は謝罪などせず25日の新聞を無かったことにして、26日の朝刊に「昭和」と載せています。

当時は情報伝達のインフラが未熟で、夕刊を出さない新聞社が多かったことなど諸事情が重なり、地方では誤報であることが十分に伝わらず、戸籍に「光文元年12月25日生まれ」と書かれてしまった子供が続出したといいます。後に慌てて訂正したのですが、当時の手書き文書では訂正が追いつかず、戦後になってから戸籍謄本を見たら光文元年12月25日生まれになっていた人が発見されて、江戸時代の生まれかと悩むハメになったという珍事も起きました。

なお、これは誤報ではなく、漏洩したことを問題視した宮内庁が慌てて昭和に変更したという陰謀論もあるのですが…。しかし、現代の歴史研究家の間では否定されています。

幻の大正15年のクリスマス

大正15年と昭和元年は同じ1926年で重なっていますが、厳密に切り替わった瞬間が何時なのかというと非常に面倒です。元号に関する細かい決まりは「皇室典範」に書かれていますが、1920年（大正9年）の改正後、1979年（昭和54年）に改正され、2017年（平成29年）の版が最新となっています。

さて、大正天皇が崩御された時の大正9年の皇室典範を基準にすると、1926年12月25日1時25分までが大正時代となり、昭和元年は1926年12月25日1時26分からスタートしたことになるようです。つまり、大正15年12月25日は1時間25分しか存在しません。古い時代を扱うコンピュータシステムが明治と大正と昭和の切り替わりをどう処理しているのか不明ですが、これはSE泣かせでしょうね。

『加藤隼戦闘隊』参照（東宝／1944年公開）
戦時中は敵性排除に必死になったといわれているが、戦時中もクリスマスは祝われていた。陸軍が完全指導の上、詳細に検閲された戦争映画『加藤隼戦闘隊』の中にも陸軍将校がクリスマスを祝うシーンが登場している。劇中では「大正天皇祭であります」「敵性祭ではありません」などといった言い訳はされていない（笑）

本当は存在しなかった明治45年7月30日

　同じようなことは明治から大正へ変わる時も起きているのですが、明治天皇が崩御したのは本当は7月29日22時43分であるとする説があります。7月30日午前0時43分が公式設定になった理由は、深夜に1時間ちょっとで新天皇体制に切り替えるのは無理だろうってことで2時間盛ったといわれているのです。このため明治45年7月30日は43分しかありません。

　昼間に崩御していたら大混乱必死のシステムだったのですが、2回とも真夜中ということもあり、コンピュータも24時間営業も存在しなかった当時はあまり問題になりませんでした。ですが、さすがに現代でこれはマズイということで、昭和54年の改正で崩御したその日は元号が変わらないことになったのです。そのおかげで昭和64年は1月7日で終わり、平成元年は1月8日からのスタートになりました。

クリスマスブームの始まり

　大正天皇の崩御が12月25日とちょうどクリスマスになってしまったために、大手百貨店がすべて臨時休業を発表するなど、当時の日本で始まったばかりのクリスマス商戦は開始直前にすべて自粛に。しかし、昭和2年から「大正天皇祭」として12月25日を祝日とすることになり、戦後にGHQによって廃止されるまで日本ではクリスマスは祝日になりました。戦前の日本では、クリスマス＝大正天皇祭だったのです。ゆえに、戦前の日本ではクリスマス商戦が大変にやりやすくなり、日本に定着したともいわれています。もしも大正天皇の崩御が数日ずれていたら、日本ではここまでクリスマスが定着しなかったかもしれません。

　現代のクリスマスが憎い非リア充の皆さんは、大正天皇祭を祝いましょう。

Memo:

世界一腕の立つ殺し屋の
ライフルの構え方問題

『覇王・愛人』第3巻35ページ参照（新條まゆ／小学館）

　新條まゆ先生のマンガ『覇王・愛人』は、世界一腕の立つ殺し屋が黒龍の命を狙うシーンが有名。というか、ネットでは、この殺し屋のライフルの構え方がおかしいということでネタにされがちです。が、こういう構え方は本当にあるのです。

　「バズーカシュート」などと呼ばれ、紛争地域などのゲリラ少年兵が実際に行っています。当然、正式な教本には載っていません。大人が使用することを前提とした小銃は、彼らの体格からすると重くて長過ぎるため、バズーカのように肩に担ぐことで銃身のバランスを取るのです。紛争地域の状況を報じる海外ニュースサイトでは、大きなライフルの銃床を肩に乗せて狙いをつける少年兵の写真を見かけることがあります。また、少年兵に限らず、閉所戦闘用として似た構えをとることも。バズーカシュートでは、射撃の反動を受け止めるため、銃床の代わりにピストルグリップを体に押し付けることになります。これは照準が大変不便で、命中率は極端に悪くなってしまうため、彼らは大人たちから、できるだけ敵に接近して撃てと教えられるそうです。ヒドイ話ですが、これが戦争の現実なのです。

　つまり、あの殺し屋には、実は小学生ぐらいから戦場を経験しており、生き延びるためにバズーカシュートで遠距離からの狙撃を成功させる技術を磨いてきた…という裏設定があるのかもしれません。「独学の狙撃法で遠距離射撃に適さないけど、このやり方じゃないと命中させられないので、今さら構え方は変えられない」と考えることが可能というわけです。

　次にあの銃、「アサルトライフルM16」は狙撃銃じゃない、狙撃に向いていないという指摘について。確かに向いていないけれど、別に狙撃が無理というわけではありません。M16を狙撃用に改造した「SPR Mk12」（ゴルゴ13が使っているのは恐らくこれ）というライフルもありますが、そんな特別な銃でなくても狙撃は可能です。M16のカタログスペックは「有効射程距離600ヤード（約548m）」なので、無理と見られがちですが、有効射程距離は、あくまでも普通の技量の人間が使って命中させられる距離のこと。弾自体は2,500mぐらいまで届くので、数百人に1人レベルの技量があれば、1km先のヘッドショットも不可能ではないのです。実際にアメリカ海兵隊では、普通のM16を使った1,000ヤード（914.4m）の射撃競技が実施されており、皆さんしっかり的に命中させています。しかもスコープなしで。

　アメリカ軍は100万人以上いるので、仮に500人に1人だとしても2,000人以上は凄腕スナイパーが存在する計算になります。世界全体で考えると、アサルトライフルで1km先のヘッドショットができるスナイパーは、5,000人以上はいてもおかしくないでしょう。人口比で考えた場合、「医者かつ弁護士かつ博士」という人間よりは希少な人材となりますが、1本のマンガに10人ぐらい出てきてもアリといえるぐらいには存在しているということです。

　そういうわけで、新條まゆ先生の例の構え方は間違ってはいないというのが結論です。

私は宗家18代目の亜留間次郎で、
薬理凶室の中では最年長の中年を通り越したジジイであり、本業は畜産用の種付けムツオビアルマジロです。
アルマジロの肉は大変に美味ということで、
戦国時代にポルトガル人商人が大名に南米の珍味として献上。
しかし、日本人はアルマジロを食材と認識しなかったため、大名のペットとして飼育されることになりました。
ともかく現代まで500年以上も世代交代して、生き延びて帰化生物になったのです。
この辺の詳細は、別の拙著である『世界征服マニュアル』を見ていただくとして…。

日本に500年以上も生息していると、無駄に古い話を知っていたり、
社史とか社内報なんて一般に出回らない資料が配達されてきたりします。
インスリンの話も、清水製薬の母体である財閥の当主と知り合いのため創業50周年記念式典にお呼ばれし、
お土産に社史をもらったのがきっかけで。
最近、「清水製薬」でググってみたら見事に情報が無かったので、記事にまとめました。
インターネットで調べれば何でも出てくるのは迷信というか妄信で、
例えばWindows95が発売されインターネットが一般化する前に消滅した企業に関する詳細情報は、
公式サイトなどネット情報が存在しないためにまず出てきません。

糖尿病専門医ですら昔はインスリンを魚から作っていたことを知らないとか、
知っていても開発の経緯や生産していた企業のことは知らなかったりと歴史が埋もれているのが現状です。
アメリカではここ30年あまりでインスリンの価格は15倍以上にも値上がりして、
薬を買えない多くの人が苦しんでいます。
アメリカのインスリンの市場は150億ドルにも達しており、
病人から搾取し儲かって笑いが止まらない商売になっているのです。
あまりに高いので「フリーインスリン」としてインスリンを自作しようとしているバイオハッカーがいますが、
彼らは遺伝子操作した微生物から作ろうとチャレンジしています。
大昔の日本で、ゴミである魚のハラワタから国内総需要をオーバーして
輸出していたほどのインスリンが作られていたことは、どうやら知らないようですね。
他に用意する材料は、アセトンやピクリン酸など普通に通販で買える有機化合物で、
遠心分離機は扇風機の羽に試験管をガムテープで貼ればOKなレベル。
1週間分のインスリンに必要な魚の量は、大きめのものが3〜5匹で約1kg。
残りはもちろん食べられます。

アメリカ五大湖でパンデミックが起きた時も、海賊王が人工呼吸器をDIYしたらものすごく安くなってしまいました。
その代わり、医療利権を全力で敵に回して犯罪者にされてしまったわけですが…。

医師は基本的に最新情報をアップデートし続ける仕事なので、
自分が医学を学び始める前の時代の医学知識を持っていません。
古い情報は宴会や雑談のネタ以上には役に立たないからです。

こうした埋もれた話は、機密でもなければマスコミが報道を自主規制している情報でもありません。
ただ人間様に忘れ去られているだけなのです。

私はアルマジロで人間様に忘れ去られたコトを無駄に覚えているので、
人間様に思い出してほしくてこの本を書きました。

どんな権力があっても大富豪が大金を積んでも命は買えないので、医療はこの世で最も高額で大量に売れる商品です。
無尽蔵に近い富と権力を持っていた秦の始皇帝も、不老不死になれずに死んでいます。
軽く２兆円を超える資産を持っていたスティーブ・ジョブズもがんで亡くなりました。

アメリカの医療費は限度なく高騰を続け、医師の所得も際限なく上昇。
病気になった人間は医療を買わなかったり、安いものを選ぶ選択肢が無いため、
資本主義の原理により売り手が際限なく値上げしています。
膨大な開発費がかかる医療機器や医薬品の価格は、半分以上が開発費や特許料ですが、
その上に暴利を上乗せしているのです。
医療を不買運動したら死ぬのでできません。

そして医療は、効果があることも無いことも非常に分かりづらい商品です。
中世時代に瀉血が全く効果が無いことが、何百年も気づかないほど分かりづらいのです。
近代になって医療統計学が登場しても治らないことに気が付かず、高額商品を買い続ける人はいなくなりません。
売り手はそれを悪用して効果の無い商品を売り続け、
買い手が末期状態になると放り出して普通の病院の医者が尻拭いをさせられます。

私はこの本が出る前に、膵臓がんと脳腫瘍で死にかけましたが「標準治療」で助かりました。
現場の多くの医師は、この「標準治療」という呼び方の語感の悪さを嘆いています。
実際はあらゆる治療の中で淘汰され、生き残った治療法なので、
「王道治療」とか「最強治療」や「特上治療」と呼ぶべきなのです。
ただ、一般の素人には特上・上・並・下の、並ぐらいに思われています。
がんになった患者の一定数が標準治療を避けて、実在しない特上や上の治療を求め、悪化させて死んでいるのです。
自分は偉いと勘違いしている人ほど特別な治療が受けられると思い込み、変な民間療法に手を出して治らず、
末期になると苦しくて耐えられなくなって病院の標準治療に戻ってきて、手遅れになって死にます。
その代表例が、あえて名前を出すとスティーブ・ジョブズだったりするわけです。
最後は肝臓ががんでダメになり、慌てて大金を積んで移植待ちリストのトップに割り込み、
肝臓移植を受けましたが、既に手遅れでした。
大富豪で天才で誰よりもインターネットに精通していたはずのジョブズでも、
ネット検索した情報は信じちゃダメだったのです。

先日、私が大きな病気になった時に、
金や権力を持ってる家族や親戚連中が心配して臓器を提供してくれる相手を探したり、
移植待ちリストのトップに入れるように根回ししたり、医療費に大金を用意してくれました。
しかし、普通に保険診療の標準治療で治ったので、めちゃくちゃ安く済んだのです。
必要なのは正しい医療を選択する常識であり、
医学の専門知識も莫大な資産も上級国民をはるかに上回る特級国民の権力も必要ありませんでした。

医療に資本主義を持ち込むと、売り手が一方的に儲かる悪どい商売になってしまいます。
日本は国が診療報酬から薬の価格まで細かく決めているおかげで、医療費が資本主義の搾取から守られているのです。
すべての患者が最強の医療である標準治療を受けられる制度になっていて、
標準治療はすべて保険が効くので非常に安く済みます。
外来診察料740円、健康保険で自己負担220円なんて国は日本だけです。
アメリカだったら1万円取られるのが普通です。

市販の風邪薬の多くが、具合が悪くても仕事ができるようになる薬になっています。
俗語ですが、そうした状態でも働けるようにする薬は「症状を鎮める処方」と呼ばれ、医者の間では嫌われています。
大昔は麻薬が薬として重宝されました。
タバコが蔓延したのも、使えばすぐに症状を鎮めてくれるからです。
痛くなければ治った、苦しくなければ治ったと錯覚を起こさせるものを良薬だと勘違いしていただけ。
現代でも患者が求めているものは変わりません、すぐに苦痛が消える魔法の薬です。
刃物で切り刻まれたケガがベホマ一発で完治したり、毒がキアリーで消えてなくなる…そんな魔法は実在しません。
死者がザオリクで生き返ることも絶対に無いのです。

500年以上生きている妖怪アルマジロの私が言えることは、医療に近道なし、
病気になったら地道に時間をかけて標準治療で治すしかないということ。
睡眠不足は寝ることでしか治せません。
寝なくても平気になるのは、「覚せい剤」という廃人一直線の魔の薬です。
MPを回復させてくれるアイテムも実在しません。

暴飲暴食で糖尿病になった患者の中には、
食事制限しろという注意に対し「好き放題食べて死ぬ」と言う人が一定数います。
彼らの頭の中は、「好きなことをして幸せに死ねる」になっているのでしょう。
しかし現実は、悪化し続けて苦しみながら死ぬのです。

獣医医療と人間医療で決定的に違うことがあります。
動物は苦痛が続くだけなら安楽死を選びます。
一方、人間は苦痛が続いても、QOLを最大限維持して治療を続けます。
人生において苦痛と不幸は、決してイコールではないからです。
人間だけが自分をコントロールして病気と付き合い、苦痛でも幸福な人生を送ることができる唯一の生物なのです。

そろそろ個体の残り寿命が怪しくなってきたので19代目亜留間次郎に代わるかもしれませんが、
悪が滅びた例が無いように怪人が倒れても新たな怪人が生まれ、薬理凶室は永遠に不滅です。

薬理凶室
亜留間次郎

アリエナイ医学事典 初出記事出典元の主なサイト　文／編集部

　2018年10月7日、特殊系ニュースサイト「TOCANA」にて、1本の記事が公開されました。

「電極アナル挿入、キンタマ注射針、精子ダダ漏れ薬…『強制射精』の世界を亜留間次郎が徹底解説！」

　下ネタを医学的に解説することにかけては右に出る者がいない、亜留間次郎の真骨頂ともいえる記事で、当然ながら驚異的なツイートとリツイートでとんでもないPV数を叩き出したのです。さらにその1週間後、公開された記事がコチラ。

「【閲覧注意】第二の処女膜『子宮口の処女』を奪う…はありえるのか亜留間次郎が医学的に解説！ チ○コ、乾燥昆布、大量タンポン…」

　連載開始2本目にて、18歳未満閲覧禁止になりました。この記事最大の見所は子宮口の実物写真で、撮影が亜留間次郎本人という点。SNS上で大きな話題になったのは言うまでもありません（本書49ページに掲載）。コンプラや"正しさ"が求められる風潮の中で、TOCANAは尖った記事を読めるニュースサイトとして唯一無二の存在感を放っています。というのも、本サイトが最重要視しているのが「知的好奇心を刺激する」ことだから。2020年4月下旬現在、亜留間次郎の記事は41本が公開中です。定期的に新規記事が追加されているので、皆さんぜひぜひチェックしましょう！

TOCANA
https://tocana.jp/
2011年開設の特殊系ニュースサイト。名前の由来は「ホントカナ？」の「トカナ」。2018年10月より亜留間次郎の連載が始まり、定期的に新規記事が公開されている。本書未収録の記事もある

アリエナイ理科ポータル
https://www.cl20.jp/portal/
薬理凶室の公式サイト。メルマガ記事やグッズ情報がまとめられている。亜留間次郎の記事も公開中だ

邪悪な波動に目覚めたアルマジロ
https://ch.nicovideo.jp/aruma_zirou
ニコニコ動画内のブロマガに2013年に開設。忘れた頃に更新される。「プロジェクトSEX」や「アリエナイ手術のお値段」の記事はこちらから

アリエナイ理科別冊

アリエナイ医学事典

2020年4月25日　第1刷発行
2022年10月25日　第8刷発行

文：亜留間次郎
監修：薬理凶室

発行人：塩見正孝

編集：ラジオライフ編集部

イラスト：ケイ

怪人キャラクターデザイン：くがほたる　くられ　夢路キリコ

デザイン：ヤマザキミヨコ(ソルト)
DTP：伊草亜希子(ソルト)

Special Thanks：薬理クラスタの皆さん

発行所：株式会社三才ブックス
〒101-0041
東京都千代田区神田須田町
2-6-5 OS'85ビル3階
TEL 03-3255-7995
FAX 03-5298-3520
URL http://www.sansaibooks.co.jp/
mail info@sansaibooks.co.jp
郵便振替口座　00130-2-58044

印刷・製本：図書印刷

ISBN978-4-86673-163-6
C0040　¥1500E